E Norelius

BIDRAG TILL SVENSKA LITURGIENS HISTORIA.

I.

HISTORISK BELYSNING AF 1529-ÅRS HANDBOK.

AF

OSCAR QUENSEL
Docent vid Upsala Universitet.

UPSALA 1890
AKADEMISKA BOKTRYCKERIET
EDV. BERLING.

HISTORISK BELYSNING AF 1529-ÅRS HANDBOK.

ORIGINALTEXTEN

JEMTE

KULTHISTORISKA NOTER OCH BILAGOR.

AF

OSCAR QUENSEL
Docent vid Upsala Universitet.

——⊰:⊱——

Ännu 1474 tvekade icke en svensk biskop att föra den romerska uniformitetens talan på följande, myndiga sätt: »Caveant diligenter sacerdotes, ut consecracionem fontis, ordinem baptizandi, celebracionem misse & presertim consecracionem eucharistie, confessiones audiendas, penitencias injungendas, benedicciones nubencium & extremam unccionem cum honesta & sancta maturitate ac ordine debito ac consueto ex antiquo fideliter & attente peragant, omnino nihil de hiis, que legenda vel facienda sunt, omittentes ac inordinate agentes, in premissis prout penam pecuniariam aut carcerem juxta delicti qualitatem duxerint evitandam» (Troil: Skrifter och Handl. III: 290). När derför några årtionden senare ett manual framträder, som icke blott efter godtycke ändrar och utesluter hela moment af gällande ritual utan dertill principielt förkastar »thet fremmande tungomååł», på hvilket kulten dittills utöfvats; då må väl denna liturgiska urkund gälla såsom epokgörande inom den svenska liturgiens historia och derför förtjena en närmare granskning, särskildt med hänsyn till dess förhållande till närslägtade urkunder från samma tidrymd.

Det är en sådan granskning, vi reda oss att här företaga. På samma gång vår afsigt är, att med ortografisk noggrannhet återgifva den ursprungliga texten, ämna vi gå jemförande tillbaka till föregående såväl svensk som utländsk praxis[1]). Dertill ämna vi vid de mer betydelse-

1) Då icke annorledes uttryckligen angifves, anföras samtliga, utländska ritual ur *Daniels Codex Liturgicus. Lips. MDCCCXLVII.*

fulla momenten försöka angifva dessas ursprungliga betydelse för att så äfven vinna den historiska synpunkten för det i fråga varande momentets kritiska bedömande.

1529 års handbok har redan förut en gång varit i aftryck tillgänglig för den svenska allmänheten, nämligen i den redan anförda Troilska urkundsamligen: Skrifter och Handlingar Til Uplysning i Swenska Kyrko och Reformations Historien (Upsala 1790). Denna samling är dock numera temligen svåråtkomlig. Dertill har Troil icke ortografiskt följt originalupplagan; liksom han ej heller försett texten med någon historisk belysning.

Då först den fullständiga totalbilden af den enskilda kulthandlingen, såsom denna vid slutet af medeltiden var gestaltad i Sverige, möjliggör det rätta bedömandet af den af Olaus Petri företagna omgestaltningen, hafva vi ansett nödigt, att såsom bilagor anföra åtminstone en och annan af de vigtigare kulthandlingarne i deras inhemska medeltidsdrägt. Och hafva vi härvid företrädesvis valt sådana ritual, som, oss veterligen, icke förut varit i aftryck utgifna.

Slutligen hafva vi, äfvenledes såsom bilaga, tillagt en kort historik öfver senare, kända upplagor af 1529 års handbok (intill 1614).

Vi begagna tillfället för att till Hrr Embetsmän vid universitetsbiblioteket i Upsala framföra vår vördsamma tacksamhet för städse visad tjenstvillighet.

Upsala hösten 1889.

Inledning.

Att i allt väsentligt liturgisk likstämmighet rådt under senare hälften af medeltiden mellan den svenska och den öfriga romersk- katolska kyrkan, kan med temlig visshet deraf slutas, att *Statuta Scheningensia* i detta hänseende icke anföra någon klagan. Om nämligen vid tiden för detta möte någon väsentligare afvikelse från *Ordo Romanus* förefunnits, så skulle visserligen icke den påflige legat, som icke ens ryggade tillbaka för att hota sjelfve erkebiskopen med ekklesiastiskt interdikt, om han icke inom årets slut anskaffade sig senaste upplagan af de påfliga dekretalerna [1]), häröfver iakttagit tystnad.

Helt annorledes gestaltar sig saken, om vi taga mer oväsentliga afvikelser med i räkningen. I så fall torde knappast tvenne missal eller manual kunna från denna tid uppvisas, som förete fullkomlig likstämmighet. Men detta är icke någon egendomlighet för den svenska kyrkan. Det gäller i samma grad om medeltidens hela liturgiska literatur.

En närmare granskning af de få, inhemska medeltidsmanual, som åt oss bevarats [2]), skall i allo bekräfta

---

1) *Troil* a. a. *II:* 316.

2) Dessa äro (enligt *G. E. Klemming: Kongl. Bibliot:s Årsberättelse 1878)* egentligen blott tvenne: *Manuale Aboense* af 1522 (förvaradt dels i Stockholm och dels i Åbo, å bådadera ställena sammansatt af hopsamlade pergamentomslag å räkenskapshandlingar) och *Manuale Lincopense* af 1525 (af hvilket "endast ett exemplar är kändt", förvaradt i Upsala Univers:s Bibl. och saknande arken M.-R.). Dock ega wi åtminstone ännu en urkund af enahanda slag utöfver deßa twå,

detta vårt omdöme. I hufvudsak hafva de ingen afvikelse från medeltidens allmänna kyrkopraxis att uppvisa. Deremot äro de rika på smärre afvikelser. Blott i ett hänseende kan man tala om ett slags sjelfständighet å det svenska manualets sida: det bär en afgjordt ålderdomlig pregel. Så t. ex. återfinnas såsom regel de antydda afvikelserna först i mycket åldriga formulär, särskildt i de urgamla skrutinieformulären. Denna den svenska medeltidsliturgiens ålderdomliga karakter kan för öfrigt förklaras af rent yttre förhållanden. Redan Sveriges aflägsenhet från dåvarande centra för det kyrkliga lifvet måste i någon mån dertill hafva medverkat. De liturgiska manuskriptens utomordentliga dyrbarhet, särskildt i den fjerran norden, torde varit en annan faktor[1]). Så talar mer än ett rent yttre skäl för det antagandet, att det en gång förvärfvade ritualet sedan i århundraden fick gälla såsom norm i vederbörande dioces.

Den företrädesvis af Ol. Petri i Sverige vid denna tid genomförda brytningen med allmän kyrkopraxis på det kultuella området var alltså af lika radikal natur som någonsin den af Luther samtidigt i Tyskland genomförda. Någon anknytning till en för Sverige egendomlig sjelfständighet i kultuelt hänseende kan icke uppvisas.

Deremot är sjelfklart, att detta tyska reformationsarbete varit af genomgående betydelse för Ol. Petris hela liturgiska författareverksamhet och i all synnerhet för hans *Handbok af* 1529. Dock tyckes, hvad särskildt det sistnämda arbetet vidkommer, detta inflytande varit mera principielt än formelt. Det är nämligen föga troligt, att Ol.

---

näml. den del af *Breviarium Scarense* 1498, som innehåller »*actus sacerdotales*» (af boken är blott ett fullständigt exemplar kändt, tillhörande Upsala Bibl.).

1) Så t. ex. omtalar *H. Schück (Sv. Literaturhistoria* p. 76), hurusedes biskop Israel Erlandi hade att 1317 för ett *missale* betala 50 mark, "den vanliga årsinkomsten af ett godt prebende", och hurusedes biskop Magnus i Åbo sålde ett *legendarium* för ett helt jordagods.

Petri härvid haft mer än *en* luthersk, agendarisk urkund att omedelbart tillgå, nämligen *Das Taufbüchlein* af 1523 (näppeligen ens någon senare upplaga af samma bok). Luthers *Traubüchlein* utkom först 1534[1]). Det äldsta af Daniel anförda, lutherska begrafningsritualet är af 1540[2]). Hvarken Daniel eller Bodemann tyckes veta om något formulär för *Det presterliga sjukbesöket* af tidigare dato än 1539. Så tyder allt på, att Ol. Petri, med det anförda undantaget, sjelfständigt utarbetat 1529 *års handbok*, utan ledning af något föreliggande, utländskt ritual[3]), och att alltså denna handbok är att anse såsom icke blott Sveriges utan hela *den lutherska kyrkans första Agenda*[4]).

Att åter Ol. Petri på den korta tiden af endast 2 månader[5]), vid sidan af sin mångsidiga verksamhet för öfrigt hann afsluta ett arbete af denna betydelse, torde bero derpå,

---

1) Jfr *Daniel: Cod. Lit. I:* 315. »*Vulgo libellus anno 1546 confectus esse dicitur: sed exstant duæ catechismi minoris editiones, 1534 et 1545 Erfordiæ et Lipsiæ typis excusæ, quibus ut solet, adnexus est*».

2) Dock är härvid att märka, att åtskilliga tyska kyrkoordningar redan 1525 och 1526 innehålla strödda, agendariska förordnanden angående jordfästningen (*Richter: Die evangel. Kirchenordn. des 16:n Jahrh:s I:* 18 f.).

3) När derför *Anjou (Sv. Kyrkoreform:s Hist. II:* 87) yttrar, att "Olof synes hafwa följt, ehuru med mycken sjelfständighet och frihet, *tyska föregångare*", är detta uttryck mindre exakt.

4) Först 1556 erhöll Danmark sin »*förste Alterbog*» och denna blott innehållande Luthers *Dop- och Vigselbok* och "endeels af Liturgien ved Nadveren" (se *Engelstoft: Liturgiens Historie i Danmark* p. 4). Dock egde Danmark redan 1538 *Palladii Enchiridion* och 1539 *Frands Wormordsens Haandbog*, båda ett slags halfofficiella agendor.

5) I sitt *Företal* uppgifver Olaus sjelf "thet Concilio, som nw j åår stood j Örebro" såsom anledning till handbokens författande. Då nu detta koncilium hölls i Februari och handboken redan »*Vicesima octaua Aprilis*» s. å. förelåg färdigtryckt (se *Beslwtningen)*, kan för bokens författande näppeligen beräknas mer än 2:ne månader.

att han för egen del tyckes haft åtskilliga förarbeten redan undangjorda. Så t. ex. veta vi med temlig visshet, att *Messan* redan vid denna tid förelåg i svensk drägt[1]), ett förarbete af betydelse för såväl vigselritualet som sjukkommunionen. Vidare förefinnas antydningar om ett evangeliskt begrafningsrituals förhandenvaro i Sverige redan så tidigt som 1521[2]). Ja, anledning saknas icke att antaga, att åtminstone en och annan af handbokens öfriga formulär varit redan vid dess utgifvande en längre tid använda i Stockholm (se *Beslutningen).*

Helt och hållet oförberedd torde alltså Ol. Petri icke hafva gått till sitt vigtiga verk För öfrigt tyckes det icke hafva framgått ur några särskilda källstudier eller någon mer ingående reflexion öfver kultens väsen och egendomliga uppgifter. De företagna ändringarne i rådande praxis äro merendels af mer dogmatisk än liturgisk natur; och arbetet i dess helhet bär samma pregel af snarfärdighet och rask företagsamhet, som utmärkte hela Ol. Petris offentliga framträdande.

---

1) Jfr Ol. P. *»tenkie bock Anno D:ni» (Troil a. a. II:* 293): "S. D. *(Feria 2:da ante Pentecostes* 1529) wart och handlat i then Euangeliske sakene innan råds alcena i Her Peder Hårds närwarelse, och samtychte alla at Euangelium skullc reent och clart predikas såå her epter som hit til, och wardt röstat om then swenska meßona om hon skulle *blifua stondande* eller ey. Thå gaf hela rådhet ther sine röster til, at hon skulle hållas ...". — Jfr äfwen *Messenii Rimcrönika* (anförd af *Hallman*):

"På Mäster Oluffs Bröllopsdag (1525),
War Lutherskom så til behag,
At första Swenska Mäßa tå
Blef hållen then alla förstå,
Mäster Oluff hade så sedt,
J Wittenberg förr wara skedt,
På Carolstadii Bröllops fest
Ther hölt först Tysk Mäßa en Präst".

2) *Celsius: Gustaf den Förstes Historia I:* 184: "Sönerna (Olof och Lars) beslöto, at ehwad det gälde låta begrafwa honom (fadren) efter Evangeliskt sätt".

Een handbock

[Ai]

påå Swensko/ Ther doo
pet och annat mera
vthi ståår.

O. P.

Stocholm

MD xxix

Olauus Petri til then Christeli gha läſaren.

Thet haffuer ſå warit hår til dags godh Chriſten låſare/ ath alt thet ſom epter gudz befalnīg haffuer j thn̄ Chriſteligha forſamblingen wordet handlat/ medh ſacrament och annat/ år ſkeedt påå itt fremmande tungomåål/ emoot gudz ſinne och mening genom ſin vthkorade apoſtel Paulum/ then ther icke wil at noghot ſkall ſkee j then helga Chriſtenheet/ vtan thet ſkeer til forbåtring/ nw kan thet jw icke ſkee fo̊rſamblingenne til forbetring medh mindre thet år fo̊rſtondelighit/ Och epter thet itt fremmāde tungomåål haffuer wordet brukat/ ther fo̊re år och fo̊rbettringen til baka bliffuen/ ja ey aleena thet/ vtan år och ſå når ther til kommet at ther år blijffuen fo̊gho better ån en faſtelaghen aff/ gudz ordh och ſacrament til en håån och ſtoor fo̊rachtilſe/ thz aldrigh ſkeedt hade/ hwar man hade brukat thet tungomåål ſom oſſ allom fo̊rſtondelighit år/ thet hwar och en fo̊rſtondigh menniſkia bekenna moſte/ Såå haffuer thet ſkeedt medh dopet/ Preſten ſom do̊pt haffuer han haffuer talat gudfadher och gudhmodher til på latine then the jntit fo̊rſtode/ och likawel ſkulle the ſwara ther til/ The moſte på barnſens wegna ſeya/ Jach affſegs/ och wiſte doch jntit hwadh thet war ſom the affſeyas eller wederſaka ſkulle/ Preſten ſporde om troona/ och the ſkulle ſwara at the trodde/ och wiſte doch jntit hwad then troon inbåra hade/ epter thz the icke fo̊rſtode målet ther the worde tilſporde mz/ Hwad år thetta annat ån ſom en halff faſtelaghen? Så år thet och medh the bo̊ner ſom preſten medh hela fo̊rſamblingene ſkulle bidhia til gudh at thet ſkulle lyckoſambligha tilgåå ſom ther fo̊r handenne war/ Preſten ſade/ Oremus/ thet år/ Låter oſs bidhia/ ſom han wille ſeya til heela fo̊rſamblingena/ Wij wilie nw alle bidhia thēne bo̊on til gudh fo̊r barnnet/ eller och hwad ſom thå fo̊r handenne war/ Och the ſom ſkulle bidhia medh honom och ſeya Amen til hans bo̊on/ wiſte intit hwad han ſade/ eller hwar bo̊nen lydde vppå ſom the ſade

Aij Amen til/ ja presten wiste thet nåpligha sielffuer/ Hwad haffuer thetta warit vtan en galenskap bådhe för gudh och menniskior[1]? Och epter man haffuer så ofornuffteligha farit her mz/ är nogh befruchtandes at gudh haffuer och låtet så fruchtena komma ther aff/ Thet synes lititt påå barnet når thet vpuexer at thet haffuer fååt gudz nådh j dopet til at föra jtt gott leffuerne/ ja såsom wij haffwe bidhit til/ så haffuer och barnet fååt nådena til/ som och synes wel på fruchtene[2]/ Och når mau sådana föregiffuer och rådher ther til at doop och annat sådana som j Christenhetene handlas at thz skulle skee påå jtt förstondelighit måål/ Thå fåå wij för swar/ ja thet haffuer warit så wijst folk til förene/ tu skulle haffwa komet för/ och annor sådana spottisk ordh moste man höra för the godha och Christeligha rådh wij vthgiffue/ Wij geffwe them wel thet til förenne at för oss haffuer warit mong förstondigh man/ Men the moste och låta thet til/ ath för wår tijdh haffuer och warit mykit galet folk så wel som nw/ the förstondige haffua altijdh lijtet wordet hörde/ Doch ware nw så wijse och clooke som the kunne noghon tijdh wara/ haffuer thet doch waret itt galet rådh/ at then ene skulle swara them andra til itt fremmande måål/ j så dråpelig stycke besynnerligha/ ther man handlade om trona och wår siels saligheet.

Och såsom man haffuer brukat jtt fremmande tungomåål/ så är och ther aff mong otaligh misbruck vpkommen och mong stycke åre satt j the latineske handböker/ messoböker och andro tidheböker som ther til intit tiåna som the haffua warit brukat til/ och mong stycke åre twerdt emoot gudz ordh/ som huar och en förstōdigh mēniskia wel merkia kan then them wel öffueruågha wil epter scrifftenne/ Ther före/ på thet at här epter motte noghot redeligare tilgå än här til skeedt är/ haffuer iach epter som gudh haffuer giffuit nå-

1) Jfr *Das Taufbuechlein, verdeutscht durch D. Martin Luthern 1523:* "Weyl ich teglich sehe vnd hore, wie gar mit vnvleyß, vnd wenigem ernst, will nicht sagen, mit leychtfertickeit, man das hohe heylige trostlich sacrament der tauffe handellt vber den kindeln, wilchs vrsach ich achte der auch eyne sey, das die, so da bey stehen, nichts dauon verstehen, was da geredt vnd gehandellt wirt, Dunckt michs nicht alleyne nütz, sondern auch not seyn, das manns ynn deutsche sprache thue .... Denn wo der priester spricht, Lasst vns beten, da vermanet er dich yhe das du mit yhm beten sollt ....".

2) Jfr *Taufbuechlein 1523:* "Vnd ich besorge, das darumb die leutt nach der tauff, so vbel auch geratten, das man so kallt vnd lessig, mit yhn ymbgangen vnd so gar on ernst fur sie gebeten hatt ynn der tauffe".

dhena/ taghit mich före ath vthsetia ena litzla handboock på Swensko/ besynnerligha och for then skul at j thet Concilio som nw j åår stood j Örebro wardt noghot handlat ther om at döpelsen wel motte skee på Swensko/ och at noghon vnderuisning skulle vthgå för det siuka folk skul som begiära theras redho til theras dödh/ ath thet enfoldigha clerekrij haffua noghon rettilse huru the them som liggia på theras sottaseng lära skole[1])/ Aff thesse tw stycke sō j Concilio forhandlat woro/ haffuer iach taghit tilfelle och vthsat flere stycke/ Och haffuer iach icke j all stycke folgdt til pricka then latiniske handboken/ för ty samma handboock haffwer icke så draghit öffwer eens medh scrifftenne som henne boorde/ Hoppes mich doch at thenne Swenska handboock skal better komma öffwer eens medh gudz ordh än then andra/ Ey haffuer iach heller satt så monga böner som then latiniska jnneholler/ huilkit mich ey heller syntes skola göras behooff/ För ty gudh seer icke epter mong ordh j woro böner/ vtan han förbiudher oss mong ordh/ han wil haffua jtt gott hierta medh woro böner/ Doch setter iach ingō her noghen regle före at man skal så enkom wara bebūden til thet sett iach haffuer föregiffuit om sådana böner[2])/ Thn̄ ther haffuer lost til ath bruka alla the böner som ståå j then latiniska handboken/ honom låter iach bliffua mechtigh j sitt sinne/ doch så at bönen icke finnes wara emoot scrifftenne/ Men thet will iach rådha honō/ hwar mitt rådh noghot gella motte at han sådana böner satte vth påå Swensko/ at heela församblingen kunde förstå hwad som sadhes/ epter thet sådana böner skee på församblingenes wegna/ Skole the haffua theras hogh och sinne til gudh medh prestenom som bönena framförer/ såå moste the jw förståå hwad thet geller vppå som the medh honō aff gudhi begiära skole/ Och wore thet ganska nyttigt at presten som sådana böner låsa skal/ gåffue heela forsamblingenne ther ena förmanīg vppå för än han begynnar bönena at the bidhia och samtyckia medh gudhelig hierta samma böön medh honō/ och låsa så

1) Dessa (troligen under förhandlingarnes gång uttalade) önskningsmål återfinnas icke i det af *Stjernman (Riksd:s och Mötens Besluth I: 92)* anförda *Beslutet.*

2) Med dessa ord betonas arbetets rent privata natur. Då det likväl längre fram tillstädjande heter, att »*hwar och een Christen menniskia måå tagha här aff hwad henne tyckes*»; så tyder dock detta å andra sidan på, att bakom den lilla skriften stod en vida högre auktoritet än den ringe rådhussekreterarens i Stockholm.

bönena longsambligha och forstondeligha/ at heela forsamblingen kan ther aff vpweckias til gudheligheet och begiära aff itt ymnoght hierta thet som bönen lydher vppå/ och samtyckia så henne medh prestenom och seya ther til Amen/ thet är Skee som nw bidhit är.

Så haffwer iach och j thenne minne handboock låtit bestå j thet nesta the Ceremonier eller bruknigar sō haffua her til warit holdna/ the j sich sielfue icke haffua warit emoot gudz ordh/ Doch nidherlagdt misbrukit som j förberörda Concilio beleeffuat war/ epter thñ låghligheet her är j landet/ ther folkit ganska litit haffuer her til dagx hördt aff gudz ordh/ Och wore thz wel nyttight at presterne wiste göra folkena vnderwisning at the ey goffwe the Ceremonier mera tilförenne än them boorde/ Förty wij haffue moga Ceremonier och bruknigar når sacramēten förhandles/ them sacramēten j sich sielff wel kunde wara förwtan/ Så brukar man salt/ Chrismo/ Olio/ liwsz och hwijt cläde j döpelsen/ Plågade man och foordom dagx bruka miölk/ hanigh eller wijn j döpilse/ Hwilke Ceremonier/ meera äre dopene til een prydning/ än til nogher besynnerlig krafft/ för ty dopet j sich sielft är lika gott/ än thå at sådana Ceremonier intit wore ther mz/ som the ey heller brukades först i Christenhetenne/ Samaledes är thet och j annor flere sådana stycke[1]).

Haffwer iach och sat itt sätt til then ytterste olningen effter hon haffuer j en long tijdh warit j jtt stort misbruck/ Man haffwer smordt the siwka/ til dödz och icke til lijffz/ emoot then brukning som apostlane hadhe medh sådana smörielse/ För ty the brukade kosteligit watn eller smörielse them siwka til läkiedom/ och hade sidhen theres böner til gudh at han wille giffua them siwka sina helso igen/ icke smorde the noghñ j then acht at sådana smörielse skule wara honom för itt weghabreff eller beskerm emellen dieffuullen och hans siel och borttagha hans synder för ty thet hadhe warit troone för når/ Aleenest brukade the sådana smörielse til en lekamelig läkiedō/ ther lydha och the böner vppå som j then latiniske handbokēne stå om sāma olning/ Effter thz nw ther haffuer warit sådana

---

1) *Taufbuechlein 1523:* "So gedencke nu, das ynn dem teuffen, disse eusserliche stücke das geringste sind, als da ist, vnter augen blassen, creutze an streychen, saltz ynn den mund geben, speychel vnnd kot ynn die oren vnnd nasen thun, mitt öle auff der brust vnnd schuldern salben, vnnd mit Chresem die scheytel bestreychen, westerhembd antzihen vnnd brennend kertzen ynn die hend geben, vnnd was das mehr ist, das von menschen die tauff zu zieren, hyntzu gethan ist".

misbruck mz/ Teslikes och epter thet mā nw icke sådana smörielse haffuer som apostlana brukade/ wore thz wel alla likast epter scrifftenne/ at samma olning bliffwe til baka/ Men hwar thz icke så skee kan/ most man skona the swagha och lära them för hwadh the skole halla then smörielse at the icke giffua hēne mera macht än tilbörligit är/ Och therföre haffuer iach sat ther een liten vnderwijsning vppå/ Och giffuit ther uppå itt besynnerlighit sätt mz olningen som kan j sijn motto bliffua bestondandes medh scrifftenne/ om thet bliffuer widh then mening som iach föregiffuit haffuer.

Teslikes haffuer iach och giordt ena vnderuisning huru man skal handla medh them siwka/ hwadh tröst och hugswalilse honom skal giffuas/ än thå thz är thå ganska seent ath lära then som ligger j sitt ytterste/ besynnerliga om han intit haffuer welet låta lära sich thå han war j sin welmacht/ doch skal man likauel icke wara miströstigh om honom/ vtan lära och trösta honom epter som läghligheten thå tilsegher/ och bidhia innerligha ath gudh wil giffua honom nådhena at han måå döö en Christen menniskia/ Och skal presten altijdh förmana sitt soknafolk ath the giffua acht påå gudz oord j theres welmacht/ medhan the haffua godh tijdh ther til/ Och at the seya bitidha til när them komber noghor siwkdom vppå/ så länge the än äre widh theres wett och skäl/ och dröye icke til then yttersta stundena/ för ty thz wil thå wara förseent til at anamma noghon godh lärdom när man dragher epter andan.

Såå haffuer iach och vthsatt jtt sätt huru man skal haffwa sich j then stadh man skal wiya lijck/ Teslikes huru man skal iorda lijck/ som mich hopas thet better skal komma öffuer eens medh scrifftenne/ än thz som ståår j then latiniske handbokēne/ Och ther medh setter iach nw tesse Swenske handbock j hwar och eens Christen menniskies wilkor ath hon måå tagha här aff hwad henne tyckes/ ingen nödhgar iach här til/ Men thz törß iach wel seya ath thetta iach här föregiffuit haffuer skal better bliffua beståndandes mz scrifftenne än then Latiniske handboock/ än thå iach mog stycke haffuer her tillåtit för theres skul som swage äre/ them man elles wel motte haffua låtit bliffua til baka[1])/ Men gudh giffue oß alla sina helga nådh til at bliffwa widh hans oord/ AMEN.

---

1) *Taufbuechlein 1523.* "Ich hab aber noch nichts sonderliches wollen verendern ym tauff büchlin, Wie wol ichs leyden möcht, es were besser gerüst, denn es auch vnvleyssige meystere gehabt hatt, die der tauffe herlickeyt nicht gnugsam bewogen. Aber die schwachen gewissen zu schewen, lass ichs fast so bleyben . . .".

Aiiij

Döpelsen på Swensko/

Förſt ſpör preſten hwadh barnet ſkall heta/ och ſidhan ſegher han offuer barnet theſſe ordh.

Faar här vth tu orene diäffuul och giff them helga anda rwm/ genom hans krafft ſom komma ſkall och döma liffwandes och dödha/ Amen[1]).

Her ſkal preſten göra kors j barnſens anſichte och bryſt[2])/ och ſeya.

Tagh thet helga kors tekn bådhe j titt anſichte och bryſt[3])/

---

1) Detta moment, ſom benämnes än *exsufflatio* och än *insufflatio*, är att anſe ſåſom en *förberedande exorcism*. Jfr *Harduini Coll. reg. Concil.* (anf. af Binterim): »*deinde exorcizamus sive adjuramus ipsos ter simul in faciem eorum et aures insufflando*».

Motſwarande moment har i *Man. Linc.* följande lydelſe: »*Statuantur masculi ad dexteram femine ad sinistram et mittat manum super caput eius et sufflet in faciem eius dicens Recede dyabole ab hac ymagine dei increpatus ab eo & da locum spiritui sto. Exi ab eo immunde spiritus & da locum spiritui s. In nomine patris etc. Hic sufflat Accipe spiritum s. Tu autem effugare dyabole & sit in isto habitaculum preparatum domino Qui vi* ...».

Sjelfva *insufflationshandlingen* uteſlutes alltſå af Ol. P., häri afvikande från Luther, ſom åtminſtone 1523 ännu bibehåller denna handling och förſt i 1524 års upplaga af *Taufbüchlein* uteſluter den.

2) Denna *signatio* var uttrycket κ. ἐξ. för de gamles *christianum facere* (jfr *Binterim: Denkwürdigk. der christkathol. Kirche. Mainz* 1837. *I:* 1 § 2).

3) Formeln är ordagrann öfverſättning af Luthers: »*Nim das zeichen des heil. Creutzes, beide an der stirn vnd an der brust*». De

Presten legger handena på hoffwudet å barnet och segher.

Låter oss bidhia.

O alzmechtige ewige gudh/ wor herres Jesu Christi fadher/ werdes til at see vppå thenna thin tiänare † N. thn̄ tu til troona kallat haffuer/ driff vth jfrå honō † alla hans † hiertes blindheet/ och riff sönder all dieffuulsens band ther han † är bunden medh/ lått vp för honom † thina welgerninges dör/ på thet han † måå warda beteknat medh thin wisdoms tekn/ at honom † förgåß alla onda lustar/ och at han † måå epterfölia thin helga bodh och gladeligha tiäna tich j thinne helga Christenheet/ formeeras til thet betzsta/ at han † måå bequemmelig wara at komma til titt helga döpelse/ och få ther en sannan låkedom genom Jesum Christum wor herra. Amen[1]).

† tienar̄ine † henne † hēnes † hō † hēne † hon † henne † hon † hon

Låter oss bidhia.

O alzmechtige gudh/ tu som år alles theras odödeligha tröst som noghot begiära/ alles theras frelsare som ropa til tich/ och alles theras frijdh som bidhia tich/ tu som est theres lijff som troona haffua/ och theres vpston=

---

inhemska formulären hafva här en något rikare form, såsom t. ex.: »*Signum salvatoris domini nostri ihesu christi in frontem tuam pono; signum salvatoris dom. n. ihesu chr. in pectus tuum pono*» *(Man. Linc.)*.

1) *Oratio manus impositionis.* Jfr *Höfling: Das Sakrament der Taufe. Erlangen 1859. I:* 339: "Was nun weiter den zweiten liturgischen Hauptakt des Proselytenkatechumenates, das *catech. facere*, anbetrifft, so kann nach Allem, was an Nachrichten und urkundlichen Zeugnißen auf uns gekommen ist, nicht der mindeste Zweifel darüber obwalten, daß derselbe überall durch *Gebet unter sollenner Handauflegung* zum Vollzuge kam". —

Denna bön är en nästan ordagrann öfversättning af den uråldriga *oratio ad faciendum catechumenum: Omnipotens sempiterne deus — respicere dignare* ... Den återfinnes såväl i samtliga våra inhemska medeltidsformulär som hos Luther (intill 1524). Luther utesluter dock *manus impositio.*

delse som dödhe äre/ iach ropar til tich öffuer thenna thin tienare † som thin döpelses gåffuo begierandes är/ och åstundar thina ewigha nådh/ genom the nyia födhelsen som j andanom skeer/ Tagh honom † til tich Herre/ epter som tu sagdt haffwer/ bedher och j skolen få/ sökier och j skolen finna/ clapper och idher skal warda vplåtit/ Såå gör och nw som tu bidhin warder och vplåt dörena för honom † som påclappar at han † måå vndfå thes andeligha döpelsens ewigha welsignelse och warda delachtigh aff thet rike som tu vthloffwat haffuer/ genom Jesum Christum wor herra/ Amen[1]).

† tienarinne
† henne
† henne † hon

1) Denna bön, som återfinnes på samma plats i Luthers dopritual (och för öfrigt äfven i *Sacram. Gelas.*, *Miss. Gellon.* o. s. v.), antages, underligt nog, af *Daniel (Cod. Liturg. II:* 191) vara af Luther sjelf författad *(»Hæc oratio ab ipso Luthero confecta esse videtur»).* Den är dock för vårt inhemska ritual välbekant, ehuru för öfrigt, såsom det tyckes, okänd för den yngre medeltidsliturgien. Dock är deß plats i det svenska medeltidsritualet en annan än i *1529 års handbok:* den är der inflätad i *exorcismerna.* Deß latinska form är följande: *Deus immortale præsidium omnium postulantium liberatio supplicantium pax rogantium vita credentium resurrectio mortuorum te invoco domine super hunc famulum tuum N. qui baptismi tui dona petens eternam consequi gratiam spirituali generatione desiderat accipe eum domino & quia dignatus es dicere Petite & accipietis querite & invenietis pulsate et aperietur vobis petenti itaque premium porrige & januas pande pulsanti ut celestis lavachri benedictionem consequutus promissa tui muneris regna percipiat per christum . . .»*

En och annan smärre afvikelse från såväl grundtexten som den lutherska öfversättningen är icke utan intresse. När t. ex. Ol. P. utesluter orden: *»petenti itaque premium porrige . . .»* och omskrifver Luthers *»dieses himmlischen Bades»* med *»thes andeligha döpelsens»;* så beror detta uppenbarligen på dogmatiska betänkligheter.

Att dertill Ol. P., i strid med samtliga de inhemska ritualen, förlägger denna bön till just den plats, den i det lutherska formuläret innehar, är ett af de mer påtagliga bevisen på hans omedelbara beroende af detta formulär.

Her görs ey behooff beswåria saltet som her til dags skeedt är för ty thet är aff sin skapelse gudz reena creatwr[1])/ Men presten giffuer barneno salt j mwnnen[2]) och segher.

Gudh som tich skapat haffuer/ han vplyse tich och giffwe tich wijzdomsens salt so̅ thin leedhsagare wara skal til ewinnerlighit lijff/ Amen[3]). Haff fridh.

Låter oss bidhia.

O alzmechtige ewighe gudh tu som epter thinne strenga retwises dom/ haffuer genom syndflodhena fördömdt then otroghna werldena/ behallandes genom thina stora barmhertigheet then troghna Noe sielff ottonde/ och haffuer födrengt then förstockade Pharaonem/ och all hans håår j thet rödha haffuet/ och haffver fördt thin almogha Israel torskoddan ther jgenom/ ther thin helga

1) Denna uteslutning af *Benedictio salis* sker i strid med samtliga våra medeltidsformulär, hvilka, i olikhet med samtida, utländska ritual, upptagit denna *benedictio* såsom fast moment af dopritualet.

Reformatorernas lifliga afsky för särskildt denna "påfviska ceremoni" har kommit till följande, kraftiga uttryck i *Laur. Petri Kyrkio Stadgar af 1566 (Wittenb. 1587* bl. 70): "Therföre skal man och för intet annat rekna en papistisk prest ther han vppenbarliga står, och medh sin beswärielse och ochristeliga wiyselseböner — wiyer och leffiar, salt, watn, eeld, quistar, än för en vppenbara och oförskemd leffiokarl, Runokarl eller trulkarl, werre än någor aff them wara kan".

2) Angående den symboliska betydelsen af *Datio salis*, jfr. den uråldriga benedictionsformeln: »*proinde rogamus te, domine deus noster, ut hæc creatura salis in nomine trinitatis efficiatur salutare sacramentum ad effugandum inimicum; quem tu, domine, sanctificando sanctifices, benedicendo benedicas, ut fiat omnibus accipientibus perfecta medicina, permanens in visceribus eorum*».

3) Sjelfwa formeln behandlas af Ol. P. temligen sjelfständigt. I "Den latinska handboken" lyder den: *Accipe sal sapientie ut sit tibi dominus propitiatus in vitam eternam Amen* (med tillagdt: *pax tecum Brev. Scar.)*. — Luthers *Taufbüchlein* 1523 har: »*Nimm N. das Salz der Weisheit, die dich fördere zum ewigen Leben. Amen. Habe Friede*».

döpelse mz beteeknat warder Tu som och genom thin
helga sons Jesu Christi wor herres döpelse giorde jordan
och all watn til enne helsosāma syndflodh/ och insatte
döpelsen ther synderne j Jesu nampn afftwaghna warda/
† tienarīne Så werdas nw milleliga see til thenna thin tienare † N.
† henne Vi och giff honom † ena rätta troo/ och förnyia honom † j
andanom genom thesso helsosamma syndflodena/ at ho-
† henne nom † motte här förgåsz all then synd som honom † aff
† hon Adam påkommen är/ och then han † sielff gioordt haffuer/
och at han † motte skilias jfrå then ogudhachtiga hoopen/
och komma jn j then helga archen som är thin helga
Christenheet/ ther vpfyllas medh them helga anda/ och
komma til thet ewinnerliga liffwet genom Jesum Chri-
stum wor herra. Amen [1])/

Jach beswäär tich tu orene ande widh gudhfadhers
+ och sons + och then helgha andes + nampn/ ath tu
† tienerīne vth faar aff thenna gudz tiänare † som then helga andes
tempel wara skal/ Och kān thin doom tu fwle dieffuul/
läät thn̄ retta och leffūades gudhen haffua ärona/ läät
hās son Jesum Christum och then helga anda haffua ärona/
† tienerīne och rym jfråå thenna hans tienare † N. för ty gudh och
† henne wor herre Jesus Christus haffuer kallat honom † til sina
nådh/ welsignelse och doop/ Så fly nw bort tu fwle
† tienerīne dieffuul och haff jntet skaffa medh thenna gudz tiänare †
som wedhersakar thina werld/ och söker epter ther gudhi
tilhörer [2]).

---

1) Denna bön är okänd för det katolska manualet. Höfling anser icke utan skäl, att den är af Luther sjelf författad.

Man skulle tro, att en bön, som efter all sannolikhet omedelbart flutit ur Luthers penna, skulle utan betänkande af Ol. P. oförändrad återgifvas. Så är dock icke förhållandet. Ännu här preciserar han i dogmatiskt intresse enskilda uttryck (t. ex. »*thin helga döpelse*» i stället för »*dis Bad deiner heil. Taufe*» — ett i allmänhet för Ol. P. anstötligt uttryck); dertill förkortar han bönens afslutning.

2) "Der Exorcismus ist die Beschwörung der bösen Geister" (*Binterim: Denkwürdigkeiten I:* 1: 45) — en qvarlefva af det hedniska proselytdopet.

Låter os bidhia/

O helge fadher alzmechtige ewige gudh som all sanníndenes liwſs kommer aff/ wij bidhie tich för thina ewigha och obegripeliga godheet/ at tu wille låta thin welsignelse komma offuer thin tiånare † N. och vplysa honom † tienerine † och giffwa honom † en rett kundſkap at han † måå wara † hene † ho werdigh at komma til thin helga dőpelse/ och bliffwa widh thin helga ordh genom wor herra Jesum Christum/ Amen[1]).

Låter osſ höra thet helga Euangelium/ hwilkit S. Marcus beſcriffuar.

J thn̄ tijdhen hadhe the barn fram för Jesum at han ſkulle tagha på them/ Men låriunganar nåpſte them som thm̄ fram hade/ thå Jesus thet ſågh wardt han mislynt och ſade til them/ Låter barnen komma til mich/ och förmeener them icke/ för ty ſådana hörer gudz rike til/ Sannerligha ſågher iach idher/ Hoo som helſt icke vndfåår gudz rike ſåsom itt barn/ han kommer ther

---

Detta moment förekommer i den petriska handboken i en, jemförd med det hittills i Sverige brukade formuläret, starkt sammandragen form (*Man. Linc.* har här icke mindre än 7 olika moment, *Brev. Scar.* 5 o. s. v.). Af dessa moment bildar Ol. P. ett enda, lånande strödda uttryck särskildt af de 3:ne moment, som Luther ännu 1523 bibehåller: *Ergo maledicte diabole* ... *Audi maledicte Sathana* ... och *Exorcizo te, immunde spiritus*... (1524 har Luther endast denna formel: »*Ich beschwere dich du unreiner Geist, bey dem Namen des Vaters* ✠ *vnd des Sons* ✠ *vnd des heil. Geistes* ✠, *das du ausfarest, vnd weichest von diesem diener I. Chr. N.*»).

1) Denna bön, öfwersättning af *Aeternam ac justissimam pietatem*, återfinnes på samma plats i såwäl de äldre, svenska ritualen som i *Taufbüchlein af 1523* (redan 1524 dock utesluten, till hwilken upplysning Daniel fogar denna, på svenska handboken icke tillämpliga, anmärkning: »*hæc oratio nusquam quoad scio repetita est, nec Eisl. quidam eam retinuit*»). Ol. P. tyckes hafwa utgått från den tyska texten, likwäl fritt omgestaltande bönens afslutning.

aldrigh jn/ Och han toogh them vp j fampnen och ladhe hendrena på them och welsignadhe them[1].

Ther epter skall presten leggia sina hand påå barnsens hoffuudh och falla medh gudhfadher och gudhmodher påå sijn knåå och bidhia Fadher wor[2]/

Fadher wor som år j himblomen/ Helgat warde titt nampn/ Tilkomme titt rike/ Warde thin wilie så på jordenne som j himmellen/ Giff oss j dagh wort dagheligheit brödh/ Och förlååt oss wåre skuld/ so och wij förlåtom thm oss skyldige åre/ Och jnleedh oss icke j frestilse/ vtan frelsz oss aff oondo/ AMEN[3].

---

1) Ol. P. utesluter den *salutation*, som såwäl hos Luther 1523 (*»Der Herr sei mit Euch.* Antw: *Und mit deinem Geist.»)* som i det svenska ritualet (*»Dominus vobiscum»)* inleder *Lectio evangelii.*

Texten är den vanliga: Mk. 10: 13—16 (det s. k. *Barnaevangeliet). Man. Ab.* har Matt. 19: 13—15 (med orätt angifvet: *»secundum Ioannem»); Man. Linc.* Matt. 11: 25—30 (en mer owanlig text, som först i de uråldriga scrutinierna återfinnes).

2) Här möta vi åtskilliga afwikelser från det äldre, latinska formuläret. Först och främst uteslutes den urgamla *traditio s. redditio symboli*, ett för våra 3:ne kända medeltidsritual gemensamt moment. Widare införes här i det svenska dopritualet en på detta ställe dittills okänd *impositio manus.* Ej heller vet detta ritual här förinnan om en uttryckligt påbuden *knäböjning.*

Samtliga afvikelser återfinnas hos Luther: *»Dann lege der Priester seine Hände auf des Kindes Haupt und bete das Vater Unser sammt den Pathen niedergekniet».*

3) Till jemförelse meddelas här den några år äldre, svenska öfwersättning af *Pater Noster*, som förekommer i *Den svenska tideboken* (Stockh. 1854): *Fadher waar som är j himblom hälgat wari thit nampn. Tilkome thit ryke. Warde thin wili swa j jorde ryke som j hymmeryke. Giff oss j dagh waart daghlighit brödh. Ok forlaat oss waara synder, som wy ok forlaatom thöm mothe oss bryta, Ock leedh oss ey j frästilse, Wthan frälsa oss aaff ondho. Amen».* — På intetdera stället förefinnes *doxologien.* Den infördes först 1614 i vårt dopformulär.

Ther epter[1]) tagher presten barnet j handena och ledher thet in[2]) så seyandes/

Herren beware thin jngong och vthgong nw och til ewigh tijdh[3]).

När barnet halles öffuer funten[4])/ spör presten epter barnsens nampn[5])/ och sedhan skal gudhfadher och gudhmodher på barnsens wegna affseyas dieffuulen[6])/ Presten spör.

N. Affsegs tu dieffwulen?

The swara.

---

1) Här utelemnar Ol. P. ett helt moment, det s. k. *Effeta-momentet: ad aurem eius dexteram tangens eam de humo & dicit Effeta quod est adaperire. Ad nares In odorem suavitatis. Ad aurem sinistram Tu autem effugare dyabole; appropinquabit enim judicium dei (så Man. Linc.;* för öfrigt välkändt moment inom medeltidsliturgien). Härmed afviker Ol. P. äfvenledes från *Taufbüchlein*, som ännu 1523 har detta moment under följande form: "Darnach nehme er mit dem Finger Speichel und rühre damit das rechte Ohr und spreche: Ephtah, das ist, thue dich auf. Zu der Nase und zum linken Ohr: Du Teufel aber fleuch, denn das Gericht Gottes kommt herbei".

2) Daniel anmärker här: »*Ex ritu ecclesiæ catholicæ (qui tamen non semper observatur) omnes cærimoniæ usque ad Salivam, Abrenuntiationes etc. peraguntur in limine ecclesiæ vel ante introitum baptisterii: dein introducitur baptizandus in ecclesiam*»

3) Sjelfwa formeln för denna, alltså äfwen af Ol. P. bibehållna, *Introductio in ecclesiam* är den lutherska (»*Der Herr behüte deinen Eingang und Ausgang von nun an bis zu ewigen Zeiten*»). Den förekommer deßutom redan 1491 i *Ag. Bamb.* — *Man. Linc.* har följande formel: *Ingredere in templum dei ut fias habitaculum Sp. s. & vivas in secula seculorum»; Man. Ab.: Ingredere in templum dei: habeasque vitam eternam & vivas cum deo in secula seculorum amen*».

4) "Funten eller Funtkaret har stådt straxt in om kyrckedörena, där medh at beteckna, det Döpelsen wore the christnas första ingång i Gudz Församling (»*Dijkman: Antiq. Eccles.* pag. 294).

5) Denna fråga, som saknas hos Luther, har här inslutit från det äldre ritualet: *ante baptisterium interroget sacerdos nomen infantis (Man. Linc.)*.

6) "Die Abrenuntiation u. das Bekenntniß der Gnade des dreieinigen Gottes im Symbolum sind bei Menschen von entwickeltem Bewußtseyn u.

Ja.

Och alla hans gerningar?

Swar.

Ja.

Och alt hans wesende?

Swar/

Bij

Ja[1]).

Sedhan[2]) tagher presten Olio gör ther medh jtt kors för brystet och annat emellan skuldroner på barnet[3]) och segher/

Gudh som aff sinne stora miskund tich til döpelsen kallat haffuer/ han smörie tich medh glädhennes Olio[4])/

Willen die subjektiven Bedingungen des Empfangs der Taufgnade u. die Erfüllung der Form des Sakramentes nach der subjektiven Seite hin, oder die vor Menschen allein mögliche Bürgschaft dafür, daß die Sakramentsgnade nicht nur nicht *nescientibus* u. *nolentibus*, sondern wirklich *scientibus et volentibus* dargeboten wird". (*Höfling* a. a. *I:* 376).

1) Formeln, som är uråldrig, öfverensstämmer med såwäl den latinska som den lutherska texten.

2) I *Taufbüchlein 1523* förekommer det nu följande momentet (liksom i *Ag. Bamb.*, *Ag. Mogunt.* m. fl.) först *efter Interrogatio de fide.* Ol. P. följer den ursprungliga ordningen i likhet med föregående, svensk praxis.

3) Enligt vesterländskt åskådningssätt är *Unctio quæ fit oleo* att närmast hänföra till *abrenuntiationen:* »*ungitur vero pectus, ut signo crucis Chr. excludatur satanæ introitus et paretur introitus Christo Domino*» (*Magni Senon.: Tract. de Bapt.*, anförd af *Höfling*). Den först efter *immersionen* inträdande *Unctio chrismatis* är deremot att hänföra till den *positiva* sidan af dopet.

4) *Man. Linc:* »*Et ego linio te oleo salutis in Chr. I. dom. n. ut habeas vitam eternam et vivas in secula seculorum amen*».

Redan Luther hade 1523 i någon mån dämpat denna formels sakramenterliga karakter genom att utesluta deß slutord: »*ut habeas vitam eternam . . . .*» Ol. P. stannar icke härvid. Han gör 1) *Gud sjelf* till handlingens subjekt; 2) han inskjuter ett ord om »*Guds stoora miskund*»; 3) han omskrifver »*heilsamen Oele*» med »*glädhennes olio*». Först i denna grundliga omgestaltning tillstadde alltså honom hans protestantiska medvetande att bibehålla ett från evangelisk ståndpunkt så tvetydigt moment som *Unctio quæ fit oleo.*

Ther epter spör presten om trona och segher.

Troor tu påå gudh fadher alzmechtighan hemmelrikes och iorderikes skapare?

Swar.

Ja.

Troor tu på Jesum Christum hans eenda son wor herra föddan och dödhan[1])?

Swar.

Ja.

Troor tu påå then helga anda/ Ena Christeligha kyrkio helga manna samfund/ Syndernes förlåtilse/ Lekamens vpstondelse/ och epter dödhen jtt ewinnerlighit lijff[2])?

Swar.

Ja.

Presten spöör.

Wilt tu warda döpt?

Swar.

Ja.

Thå spöör presten barnsens nampn och tagher och döper thz tree resor[3]) och segher.

---

1) Den under medeltiden allmänt brukade förkortningen af 2:dra artikeln (jfr *Taufbüchlein:* "Gleubestu an Jhesum Christ seinen einigen Son vnsern Herrn, geborn vnd gelitten?").

2) Från den *latinska* texten afviker Ol. P. genom att med Luther återgifva grundtextens *ecclesiam catholicam* med »*Ena Christeligha kyrkio*» (*Taufbüchlein:* "eine Heilige Christliche Kirche"; *Wårfrutider* deremot enl. Wieselgren: "The helga almenneliga kirkio"); från den *lutherska* texten afviker han genom att bibehålla det gammalsvenska »*Likamens opstandilse*» för *carnis resurrectionem* (*Taufbüchlein:* "Aufferstehung des Fleisches").

3) »*Κατάδυσις ista et Ἀνάδυσις ideo in Baptismo fuit adhibita, ut sepultura et resurrectio Christi hac ratione adumbrarentur, id docent veteres*» (*Suicerus: Thesaur. Eccles. 260*).

Att ännu 1522 barndopet i Sverige skedde under form af verklig *immersio*, angifves uttryckligen i *Man. Linc.*: »*deinde baptizet infantem sub trina immersione*» (*Man. Ab.* likaså). Wi hafva alltså att tänka oß dophandlingen ännu 1529 ske under samma form, för så vidt föreliggande formulär härutinnan icke angifver någon ändring (en uppfattning,

Och iach döper tich j nampn fadhers/ och sons/ och then helga andes. Amen[1]).

När presten haffuer taghit barnet vp aff funten/ gör han jtt kors på thes hiessa medh Chrismo[2]) och segher.

---

som ytterligare bekräftas af titelplanschen till 1529-års dopformulär). Dock talar Laurentius Petri redan 1571 om *adspersio* såsom rotfästadt, kyrkligt bruk (jfr *Then Swenska Kyrkeordningen:* "Döpelsen må man ock så wäl giffua, som sedher warit haffuer, nemligha, at man allenast blottar och medh watnena begiuter huffuud och skuldror på barnen"). — Till hvilken grad denna nya plägsed till en början stötte det rådande trosmedvetandet, framgår af följande Bugenhagens ord (anförda af *L. J. Funck: Geist u. Form des v. D. M. Luther angeordn. Kultus):* "Da ich war zu Hamburg, stund ich Gevatter, da nahm der Täufer das Kind zu sich in den Kleidern und Windeln, und teufets alleine oben auf dem Kopfe: da erschrak ich vor, weil ichs nie gesehen noch gehöret hatte, auch hatte ichs in keiner Historien gelesen, daß es ie so geschehen wäre ausserhalb der Noth". —

Enligt *Dijkman* (a. a. p. 178) har "Gudfadren fordom hållit Barnet til deß det wardt döpt, men sedan tog Gudmödrarna emot thet" (jfr *Westgötal. K. B.:* "gudfaþir a haldæ"). Han omtalar äfven, huruledes vid sjelfva dophandlingen presten var iklädd "förkläde, stundom medh ächta hwita pärlor och små wapnar af silfwer öfwerdragit".

1) Att i sjelfva döpelseformeln barnets namn icke förekommer, anför Laur. Petri *(K. O. 1571)* såsom en egendomlighet för Sverige: "Är ock så en liten åtskilnad medh nempningerne. Ty sommestädz nempner allenast Gudhfader och Gudmoder barnet til Döpelsen, såsom hoos oß är sedh, och sommestädz nempner ock Presten, som döper sägandes: Hans, eller hwad barnet heter, jagh döper tig j nampn o. s. v". Wi ega alltså i detta yttrande ett ytterligare bewis, att, *historiskt* taladt, det i dopformeln förekommande namnet ingen annan betydelse har än den rena vocativens.

Det *Amen*, som afslutar dopformeln, har hit inkommit ifrån medeltids-formuläret. Det tyckes för öfrigt vara okändt för den romerska medeltidsliturgien.

2) Den liturgiska betydelsen af *Unctio chrismatis* angifwes af *Suicerus* (a. a. p. 1535) sålunda: »*Chrismate baptizati ungebantur, ut participes fierent regni Christi, dum scilicet eodem unguento linebantur, a quo ipsi Christo nomen*».

Alzmechtige gudh wor herres Jesu Christi fadhr̄ som tich haffuer genom watn och then helga anda födt vppå nyyt/ och förlåtit tich thina synder/ han styrke och stadhfeste tich j sinne nådh/ och smörie tich medh then helga anda til ewīnerligit lijff/ Amen[1]).

Sedhan clådher presten jtt hwitt clådhe påå barnet[2]) och segher.

Jesus Christus clådhe tich j thet reena clådhet som tu skalt båra obesmittat för hans domstool[3]).

Ther epter fåår presten barneno jtt liws j handena[4]) seyiandes/

Tagh thina brinnande lampo j thina hand och be=wara titt doop ostraffeligha/ på thet at når herren kom=ber til bröllopet/ at tu medh all hans helgon måå gåå vth emooth honom/ och jngåå mz honom j ewinnerliga glådhi[5]). Amen[6]).

---

1) Formeln är väsentligen den sedvanliga. Dock har Ol. P. omgestaltat slutet i evangelisk rigtning. Grundtexten lyder: »*ipse te liniat crismate salutis in Christo J. dom. n. in vitam eternam*». Så äfven Luther intill 1526, då han ändrar formeln till: »*der stärke dich mit seiner Gnade zum ewigen Leben*».

2) *Τὸ μέντοι λαμπροφορεῖν τοὺς βαπτιζομένους τῆς τῶν ἀγγέλων ἐστὶν σύμβολον λαμπρότητος (Suicerus* a. a. *II:* 213).

3) Den vanliga, romerska formeln lyder: »*Accipe vestem candidam et immaculatam quam proferas ante tribunal domini nostri I. Chr. ut habeas vitam eternam et vivas in secula seculorum amen* (så äfven vårt inhemska medeltidsritual och i det närmaste äfven Luther 1523). Ol. P. gör alltså ännu en gång Kristus till handlingens subjekt och utelemnar orden: »*ut habeas vitam eternam . . .*».

4) Utan tvifvel har Höfling rätt, då han i detta moment ser blott en qvarlefva af vigiliegudstjensten, ursprungligen främmande för det egentliga dopritualet. — Enligt *Gregor Nazianz. (Orat. 40 de bapt.)* betecknades härmed det ljus, med hvilket den döpte skulle invänta den kommande brudgummen.

5) Här öfversätter Ol. P., liksom före honom Luther, nästan ordagrant från latinet.

6) Något formulär för *Nöddopets bekräftelse* förefinnes icke i *1529-års handbok.* Ett sådant införes först 1548 i svenska handboken. Härutinnan qvarstår alltså Ol. P. på den romerskt katolska ståndpunkten, från hvilken

Itt sett huru handlas skal

medh them som wilia giffwa sich j echteskap.

Först och fremst wore ganska nyttight at presten förmanade them wel som echteskap achta byggia til hopa/ at the på bådha sidhor wel besinna och öffwerwegha hwad the göra för en contract sich j millen/ at the icke så löpa tilhopa aff itt löst afftonsnack och oberådt moodh, at them sidhan ångrar thet så lenge the liffua/ och fölier så ther aff/ at the ther skulle mz alla största semio och kerleck liffua til samman gudhi til loff och prijsz/ liffua til hopa medh haat och kijff til gudz stora förtörnilse/ Wore och teslikes ganska nyttigt ath presten gåffue them på bådha sidhor noghon godh vnderwisning för ån the gåffues tii hopa huru the skole skicka sich emoot hwar annan widh thetta settet[1]).

---

ett sådant formulär måste principielt förkastas. Ty om hvarje enskildt moment af dopritualet anses vara af *väsentlig* betydelse, måste naturligtvis detta *i sin helhet* utgöra nöddopets komplement (jfr *Stat. Synodal. Johannes Ep. Scar. 1472. Troil* a. a. *III:* 287: »*primo autem sic baptizato in necessitate per laicum, omnia sacerdos suppleat, si puer supervixerit quæ soleant fieri ante immersionem et post circa ipsum puerum baptizatum*»). Den lucka, som härigenom uppstått i vår första, evangeliska handbok, blottar onekligen denna för följande skarpa och träffande anmärkning i *Braunschw. K. O. 1528:* "Overs de Prester schal nicht over dem so gedofften Kyndeken den Exorcismum lesen, den Düvel uththobannen, dat he mit dem Lesen den hilgen Geist lestere, de gewislick bij dem gedofften Kynde is".

1) Att den här följande *Allokutionen* icke är att räkna med till det egentliga vigselritualet, framgår otvetydigt af Ol. P. egna ord vid deß slut: "när som nw sådana vnderwisning gioord wore och tre resor wore förkunnat aff prediko stolen, epter gammal pläghsidh, at sådana personer achta byggia echteskap til hopa, Och the komma för kyrkiodörena, Thå skal presten . . .". Den är alltså att förlägga till den *proklamationen föregående* akt, som plägar benämnas *Sponsalia coram parocho*, och är följaktligen af mer

Kåre wener j skole her besinna/ at gudh haffuer satt mānen til qwinnones hoffwudh/ ath han skal wara hennes forman regera och styra henne j gudz fruchtan til thet betsta och haffua henne kåra/ såsom Christus elskadhe sina Christeligha försambling then han gaff sich j dödhen Ephe. v. före/ Och skal mannen grant besinna ath ån thå han år satt qwinnone til forman/ så år honom icke för then skul giffuin then macht/ at han skal illa trachtera henne epter sitt eghit sinne/ som (ty wår) man offta seer/ Men han skal offta skona och vndragha medh henne hennes skröpeligheet/ och (som S. Petrus segher) giffua thet j Pe. iij qwinligha kårellet/ såsom thet ther swaghligast år/ sina åro/ Och såsom mannen begåffuas medh större förnufft och starkare natwr ån qwinnan/ såå skal han och sådana gudz gåffuor bruka sinne hustru til bestond och icke til nedhertryckelse/ Han skal skicka sich så emoot henne/ såsom emoot then ther lika arffwadeel skall haffua medh honom j gudz rike/ Och haffuer Christus så dyrt köpt qwinnona som mannen/ och hon år så wel Christi ledhamoot som han/ Ther före skal han såå skicka sich emoot henne som han wil at Christus skal skicka sich emoot honom/ För ty såsom mannen år qwinnones hoffuud/ så år och Christus mandzens hoffuud/ Medh sinne förnufft och starcheet/ skal mannen skyyla qwinnones brister och skröpeligheet/ han skal wara hennes beskårm och förswar/ j Cor. xj. och elska henne såsom sitt eghit kööt och bloodh/ för ty hon år skapat honom til godho/ epter thet gudh sadhe sielff at thz war mannenom icke gott wara aleena/ ther före skapte han honom qwinnona til hielp/ Och epter thet at qwinnan år honō skapat til hjelp/ så skal hā och tacka gudhi för sådana hielp/ elska hēne och halla hēne

---

pastoral än *liturgisk* natur. Den är dock icke utan intreße från den svenska kulthistoriens synpunkt, då mer än ett drag af vårt närvarande vigselformulärs inledande allokution är att från denna källa härleda.

till tocht och sinne för gudz skul som honō hēne giffuit och befalat haffuer/ Teslikes skal och qwinnan wara manneno lydhig och hörig/ elska honō för sitt hoffuud och förman tenkiandes ther vppå at hon år skapat mānenom til hielp/ hon skal icke biudha til at wilia regera öffwer honom/ för ty qwinnan år skapat för mandzens skul och icke mānen för quinnones skul/ Hon skal tagha exempel och effterdöme aff helighа qwinnor som woro j thz gambla testamentit/ såsom Sara som kalladhe sin man Abraham/ herra/ och andro flere helgha qwīnor som theres men lydiga och höriga wore/ Hon skal jw så sicka sich at hon kan teckias sino manne hwilkom hon giffuin år til hielp[1])/ Och såsom hon år giffwen honom til hielp/ så skal hon och altijdh skickia sich at hon kan wara honom til hielp/ Quinnan år mandzens åra som Paulus segher/ ty skal hon jw skicka sich ther epter och tenkia vppå at hon år aff gudhi satt vnder mandzens lydhno/ Och summa summarum/ Mannen och qwinnan skole påå bådha sidhor såå elska hwar annan/ at the inga menniskio haffua kårare ån the haffua sich sielffua jnbyrdes/ For ty scrifften sågher at mannen skal öffuergiffua fadher och modher och bliffua når sinne hustru/ så at then kårleck han skal haffua til sina hustru/ han skal gåå öffuer then kerleck han haffuer til fadher och modher/ medh quinnone skal thet wara sammaledes/ Och skola the wel besinna at the giffua sich j then stadhga ther gudh haffuer mannen och quīnona så samman föghat/ ath ingen menniskia kan them skilia ååt[2])/ Skal och mannen jntit twifla ath såsom gudh gaff Adame Euo til hustru/ så giffuer han och

j Cor. ix

1) Jfr *1811-års handbok:* "och så skicka sig, att han må täckas den make, hvilken han gifven är till hjelp".

2) Jfr *1811-års handbok:* "Man och hustru böra det väl besinna, att de ingått i det stånd, der deras gemensama sällhet fordrar, att de å ömse sidor obrottsligen hålla deras äktenskapsförbund".

hwariom och enom sina besynnerliga hustru/ och hwario qwīno sin besynnerliga man/ Ther före ligger them stoor [Biiij] macht ther vppå/ på bådha sidhor at the bidhia gudh om en sådana maka som the kunna liffua i semio och kerleck och gudz fruchtan medh/ så ath theres echteskap motte begynnas j gudhi epter gudz sinne[1])/ och icke epter noghon lößachtigheet eller menniskio sinne/ och thå skeer them lycka och saligheet på bådha sidhor mz theres giff-termåål[2]).

När som nw sådana vnderwisning gioord wore och tre resor wore förkunnat aff prediko stolen/ epter gammal plåghsidh/ at sådana personer achta byggia echteskap til hopa[3])/ Och the komma

---

1) Jfr-*1811 års handbok:* "Ty ligger der magt uppå, att bedja Gud om en sådan maka, hvilkens hjerta, öppet för Sanning och Dygd, känner sina pligter och sällheten i deras utöfning. Då begynnes och fortsättes Äktenskapet efter Guds vilja...".

2) Författareskapet till denna sant biblifkt-pastorala *allocutio* torde med full trygghet kunna tillskrifvas Ol. P. Detta redan af det skäl, att någon tidigare, *agendariskt formulerad* förmaning af denna art näppeligen torde kunna uppvisas (ännu Luthers *Traubüchlein af 1546* vet icke om någon dylik förmaning; först i agendor från senare hälften af 1500-talet, såväl katolska som protestantiska, börjar ett dylikt moment mer allmänt framträda i vigselritualet t. ex. *Ag. Mogunt.* 1551, *Hzg. Friedrich's K. O.* 1643 o. s. v.). Deßutom bekräftas detta antagande af styckets hela hållning och anda.

3) Enligt *1571-års K. O.* hade *Proklamationen* på 1500-talet i Sverige följande lydelse: "N. och N. haffua achtat j Gudh then helga Treefallligheetz nampn byggia Echtenskap tilhopa, och begära ther til godha Christna menniskiors förbön, at thet må wara Gudhi teckt, och skee them til lycko och saligheet, Men om någhor är, som här vthi haffuer någhra insagho, eller weet någhot hinder wara på färde, han tale ther om j tijdh, eller haffuet sedhan fördragh, Gudh giffue them sina nådh. Amen". — Jfr *Dijkman* a. a p. 312: "Alt derföre, när så wijda kommet war, at man och qvinna wille låta sig sammanbindas medh kyrkiones band, så skulle det kungiöras Prestenom, hwilken denna deras loflige Intention, vppå 3:ne Söndagar lysa och kungiöra borde, vthi Kyrckedörarna, twifwelsuthan, som Dahlelagen förmäler vthi *Sanghuus durum* (d. ä. Högechorsdören); Med hwilken lysning gafs tilkänna *At thän Hion fäst woro medh Landzlagom och their wilje med Kirkiu rätt sammanwighies*». — Att lysa *från predikstolen*, är alltså icke *ursprunglig*, kyrklig sed i Sverige.

för kyrkiodörena[1]/ Thå skal presten bespöria begges theras wilia[2]/ så seyandes til mannen.

Jach spör tich N. til första reso/ andro reso och tridhie reso[3])/ om tu wilt haffwa tesse persone til thin hustru och elska henne j nöödh och j lost.

Mannen swarar.

Ja.

---

1) Att hela den väsentliga delen af vigseln *(copulatio et benedictio)* af ålder förlagts af katolska kyrkan *ante portas ecclesiæ*, kan svårligen annorledes tolkas än såsom ett uråldrigt erkännande å kyrkans sida, att här ett i wiß mening *utomkyrkligt* sakrament är före (jfr *Διδαχὴ τῶν δώδεκα ἀποστόλων*, hvarest äktenskapet kallas *μυστήριον κοσμικὸν ἐκκλησίας*).

2) "Die Fragen an die Brautleute, die wir jetzt bei der Einsegnung zweimal wiederholen, kennen die alten liturg. Ordines nicht. Sie kommen erst im 10:ten Jahrh. vor" *(Binterim)*.

Dessa frågor utgöra ett högtidligt erkännande å kyrkans sida, att det äktenskapet ytterst konstituerande momentet är icke hennes *conciliatio* utan kontrahenternas fria *mutuus consensus*, den af Gud sjelf lagda grundvalen för äktenskapet *(consensus facit nuptias.* Jfr *Binterim* a. a. VI; 2: 55). Att deremot betrakta den kyrkliga kopulationshandlingen såsom *fundamentum matrimonii*, är ett åskådningssätt, som är lika främmande för urkatolicismen som för urlutheranismen. På båda hållen betonas nämligen uttryckligen, att den kyrkliga vigseln endast afser att å Guds vägnar *erkänna*, *stadfästa* och *välsigna* det väsentligen redan afslutade förbundet *(Binterim* a. a. VI: 2: 53). — Härmed är nu icke sagdt, att kyrkan någonsin skulle varit omedveten om, att äktenskapet såsom *yttre rättsförhållande*, såsom *samhällsinstitution*, fordrar, utöfver den blotta *consensus nubentium*, äfven en *yttre sanktionshandling*, och att rätta forum för denna sanktion just är kyrkan sjelf, såsom den mer omedelbare bäraren af den gudomliga auktoriteten. En sträfvan i denna riktning är fast mer allt ifrån kyrkans äldsta dagar tydligt skönjbar (se *Cremer*: *Die kirchl. Trauung*. Berlin 1875. p. 104 f.)

3) Frågans *trefaldiga* upprepande tyckes vara en egendomlighet för det svenska ritualet *(Ag. August. 1587* upprepar frågan med någon ändring 2:ne gånger).

Sedhan spör presten henne samaledes om hon wil haffua honom til sin echta man etc[1]/ Når thz år giordt/ luta the hoffuuden til hopa[2]) och presten segher.

Låter oss bidhia.

O gudh fadher alzmechtige ewige gudh tu som man och quinno ther til skapat haffuer at the skola wara til hopa itt kööt och bloodh/ wexa til epter thin we(l)signelse och föröka sich och vpfylla iordena/ giff nw tesse thine tienare nådhena/ at the så må epter thin helga wilia och skickelse samankomma/ ath thet må wara tich (O himmelske fadher) till priijß och åro/ och them til nytto och gagn och ewigha salighet/ genom thin elskeligha son Jesum Christum wor herra/ Amen[3]).

Sedhan tagher presten ringen[4]) och segher.

Låter oss bidhia.

O gudh fadher alzmechtigher som aff thin obegripeligha godheet haffuer all ting skapat at the skole tiena menniskione til godho/ wij bidhie tich at tu wille werdas

---

1) Formeln, som saknas i *Man. Linc.* och *Brev. Scar.*, lyder i *Man. Ab.* sålunda: *Vis tu N. ipsam tibi recipere in uxorem: et habere eam tam in prosperis quam aduersis?* Såsom bekant lydde den lutherska formeln: »*Hans, willst du Greten zum ehelichen Gemahl haben? Dicat: Ja*».

2) Möjligen en för Sverige egendomlig folksed. Jfr *Bil. II. Man. Ab.*: »*postea inclinatis capitibus eorum dicat: Benedicti sitis* . . .».

3) Denna collectabön är uppenbarligen ett slags omskrifning af den bön, som i *Man. Linc. (Troil:* a. a. III. LV.) föregår *Benedictio annuli* (jfr särskildt uttrycket *et in amore tuo viuat & senescat & multiplicetur).* Ol. P. lösgör den dock helt från deß förbindelse med ringen och gör den i stället till en *Benedictio sponsi et sponsæ.*

4) »*Non est annulus in re nuptiali vetustissimæ antiquitatis . . . Equidem conjecerim annulos, Nuptiales cumprimis, Ecclesiæ inductos post tempora, ubi Episcopi initiati sunt annulo (Calvör: Rituale Ecclesiast.* I: 17).

til at senda tesse thinne tienarinne som thenna ring til sins echteskaps wårteekn berandes warder/ thin helga welsignelse ✠ ath hon måå ostraffeligha liffua j then helga stadhga som tu henne tilkallat haffuer/ genom thin son Jesum Christum wor herra/ Amen [1]).

Ther epter tagher brudgummen ringen och segher til brudhena/

Jach N. tagher tich N. nw til mina echta hustru til at elska tich j nödh och lost/ och til itt wårteekn giffuer iach tich thenna ring.

Brudhen swarar

Jach N. tagher tich N. nw til min echta bonda/ til ath elska tich j nödh och lost/ och til itt wårteekn tagher iach aff tich thenna ring [2]).

Sedhan setter brudhgummen ringen påå henne hand [3])/ först på thet fremsta fingret så på thet långsta/ och sidhan på thz ther

---

1) Liksom den förra bönen var en fri bearbetning af benedictionsbönen *Benedic domine*, så är denna bön en än tydligare omskrifning af den egentliga *Benedictio annuli*: *Creator & conservator humani generis*... (jfr *Bil. II* — i utländska ritual något olika enligt *Calvör:* a. a. I: 129).

2) Denna formel, som helt och hållet saknas i *Man. Linc.* och *Brev. Scar.*, har i *Man. Ab.* följande lydelse: »*Tunc sponsus respondens sacerdoti, vertens se ad sponsam dicat: Ego te recipio N. exnunc mihi in uxorem in nomine domini*». Ol. Petris tillägg: »*och till itt wårteekn giffuer iach tich thenna ring*» — tyckes inom den lutherska liturgien vara enastående (åtminstone förekommer det icke bland de 35 olika, lutherska vigselformulär, som Höfling samlat i sin *Liturg. Urkundenbuch)*. Det är troligen en svensk omskrifning af de äldre, latinska formlerna: »*hoc annulo te desponso; hoc annulo in uxorem meam te accipio*» o. s. v.

3) Då i vigselritualet blott *bruden* erhåller ringens wårdtecken, torde detta förhållande bero på den uråldriga uppfattningen af kopulationen såsom ett slags *köpekontrakt* (jfr *Loccenius: Antiqvit. Sveo-Goth.* p. 152: »*quam firmat ista vetus sueonum formula: Brudköp dricka*»*):* bruden öfverlemnas i »*mandzens wold*» i och med kopulationen; men innan så sker, fordra hon och hennes anhöriga en *borgen*, en *pant*, att hon gent emot denne man erhåller *den lagligt äktade makans* ställning; denna pant räckes henne med *ringen* (jfr *Calvör:* a. a. I: 130: »*In Rituali*

nåst och ther bliffuer ringen[1]/ och widh han så setter ringen/ segher han.

I nampn fadhers/ och sons/ och then helge andes[2]).

Såå segher presten.

Idher alla godha Christna menniskior som her tilstådes åre tagher iach til witne hwad hår skeedt år/ fórmanādes jdher at j wele thet jhoghkomma[3]).

Segher presten ytterlighare.

Låter oss hóra thz helga euangelium som S. Mattheus bescriffuar[4]).

Anglicano vetusto postquam sacerdos ante ostium ecclesiæ interrogavit dotem mulieris, vir arrhas sponsales i. e. Annulum vel pecuniam vel alias res dandas a sponso sponsæ (quod subarratio dicitur, sicut quando fit per Annuli dationem, Desponsatio) cunctis audientibus explorat ... postea — dicit: Annulo hocce te subarrho»).

1) *Man. Ab. et Brev. Scar.: »et accipiat sponsus annulum de sacerdote docente et incipiente. Ad pollicem sponse dicat: In nomine patris. Ad indicem. Et filij. Ad medium. Et spiritus sancti. Et ibi dimittat annulum».*

Att låta ringen stanna på det finger, som är *»minimo proximus»*, tyckes varit det vanliga och ursprungliga bruket (jfr *Aulus Gellius*, anförd af *Binterim: »veteres græcos annulum habuisse in digito accepimus sinistræ manus, qui minimo est proximus, quod — repertum est, nervum quendam tenuissimum ab eo uno digito, de quo diximus, ad hominis cor pergere et pervenire»).*

2) I *Man. Linc.* (liksom i åtskilliga, utländska ritual) uttalar blott *presten*, icke brudgummen, orden: *I nampn fadhers* o. s. v.: *»deinde ponens annulum inter tres digitos sponsi teneat manum eius et imponat eum super pollicem dicens in nomine patris...».*

3) Med denna enkla proklamationsformel afslutar Ol. P. kopulationsmomentet. *Man. Linc.* har såsom afslutning till samma moment: *Ps. 68: 29—31. Gloria. Kyrie. Pater noster. Benedicamus patrem & filium. Benedictus es. Fiat pax. Domine exaudi.*

4) Här möter oß i det svenska ritualet en påfallande öfverensstämmelse med Luthers *Traubüchlein:* äfven hos Luther följer nämligen på kopulationen (i motsats till det svenska medeltidsritualet) en *proclamatio*

J then tidhen kommo the phariseer til Jesum och sadhe til honom/ är thet losflighit ath en man skil sich widh sina hustru för alla handa saker skul? Thå swarade han och sadhe til them/ Haffuen j icke låset/ ath then som gioorde menniskiona aff begynnelsen/ man och quinno gioorde han them? och sagde/ For then skul skal man öffuergiffua fadher och modher och bliffua när sinne hustru/ och the tw warda jtt kööt/ Så äro the nw icke tw/ vtan jtt kööt/ thz nw gudh haffuer samman föghat skal menniskian icke åtskilia[1])/ Gudhi wari loff.

Och såå segher presten til them.

Tencker påå tesse gudz ordh/ och minnens them grant/ och setter ther fulla troo til[2]).

Ther epter segher presten.

("Weil denn Hans N. und Greta N. einander zur Ehe begehren, und solches hier öffentlich vor Gott und der Welt bekennen... so spreche ich sie ehelich zusammen im Namen Gottes des Vaters...") samt derefter *skriftläsning*. Denna senare är dock af Luther förlagd till *altaret* och icke, såsom af Ol. P., till kyrkdörren; den innefattar dessutom helt andra texter: Gen. 2: 18–21. Efes. 5: 25 f. Gen. 3: 16 f. 1: 27 f.

1) Denna text hör med bland dem, som »*in diversis Agendis nuptiarum foedera sanciunt atque sanctificant*».

2) Denna korta *Allocutio*, som påtagligen är af Ol. P. fritt tillagd, är af historiskt intresse på den grund, att den utgör den nucleus, kring hvilken *1811-års förmaning: Betänker dessa Herrens Jesu Christi ord*... så småningom bildat sig, ett intresse, som blir desto större, när vi erinra oss, huruledes denna specifikt inhemska förmaning är med bland de moment af vår handbok, som influtit i den ryktbara, preussiska *Hofagendan af 1822* (Preussens alltjemt gällande, officiella handbok). Jfr *Nitzsch: Theol. Votum über die Neue Hofkirchen-Agende*. Bonn 1824 p. 69: "Gewiß ist, daß die Schwedische Agende vorgelegen, denn z. B. das Hauptgebet für die Beerdigung und mehreres zur Ordinationshandlung gehörig, ist wörtlich aus derselben entlehnt". När derför *Engelstoft (Liturg:s Hist. i Danmark* p. 309) talar om den "efter den preussiske formede Svenske Liturgie", är detta en temligen grof förvridning af det historiska sakförhållandet.

Herren ware medh jdher.

Swar/

Såå och medh thinom anda.

Låter oss bidhia[1]).

O alzmechtige ewige gudh/ som sadhe om mannen når tu honom först skapat hade/ at honom icke war gott wara aleena/ ty skapte tu och honom qwinnona til hielp/ och föghade them så samman at the tw skulle wara itt kööt/ Wij bidhie tich alzmechtighe fadher at tu wille medh thin helga anda vpfylla tesse thina tiånare/ som tu til echteskaps stadga samman föghat haffuer/ at the mågha honom retzliga och ostraffeligha holla/ och giff thin welsignelse offuer them at theras echteskap måå beprydhas medh then frucht som tu haffuer thet skickat til/ som tu gioorde medh Abraham/ Isaac och Jacob/ Och bewara them O barmhertige fadher jfråå dieffuulsens eggelse/ som tu genom thin ångel bewarade thin tiånare Thobiam/ ath the icke warda bedraghne medh oreenligh losta och okyscheet/ vtan at the mågha j en sanskyllog troo och eendreghtig kerleck liffua til samman til en godh åldet/ tich til prijß och åre/ genom thin enfödda son Jesum Christum wor herra/ hwilken som liffwer och regnerar medh tich til ewigh tijdh. Amen[2])/

När the komma för altaret[3])/ segher presten.

---

1) Här följer nu den egentliga *Benedictio*, hvilken alltifrån Clemens Alexandr. utgjort ett af vigselritualets grundmoment (*Bælter: Kyrkoceremonier* p. 444).

2) Ol. P. förefann på detta ställe såväl i *Man. Linc.* som i *Man. Ab.* den vanliga benediktionsformeln: *Deus abraham deus ysaac deus iacob ipse vos conjugat impleatque benedictionem suam in vobis Amen.* Denna utelemnar han dock och hopsätter i stället af de båda benediktionsböner, som i *Man. Linc.* följa, ofvan stående bön (jfr uttrycken: *et sicut misisti sanctum angelum tuum raphaelem tobie . . . digneris domine mittere benedictionem tuam super istos*» . . . o. s. v.).

3) I såväl *Man. Linc.* som *Man. Ab.* angifves uttryckligen, att det nu följande momentet är att anse såsom verklig *introductio in eccle-*

Låter oss bidhia.

O Abrahams gudh/ Isaacs gudh och Jacobs gudh/ jngiwt thin helga anda j tesse thina tienares hierta och vpfyll them medh all andeligh welsignelse/ at the så måå liffwa j theras echteskap som the nw haffua giffwit sich til/ at the icke medh noghon oreenligheet förtörna tigh som echteskapet stichtat haffuer/ vtan heller at såsom echteskapet är allom ärlighit och gott/ at the och så måå ther vthi ärliga och wel leffwa tich til åro och prijß/ och sich sielffuom til ena ewigha saligheet/ genō Jesum Christū wor herra/ Amen[1])/

Sedhan begynnas messan[2]).

---

siam: »*Hic introducantur in ecclesiam et psalmus totus legatur donec venerint ad altarem*». *(Man. Ab.)*.

Att denna *introductio* icke, såsom *Ullman (Ev. Luth. Liturgik II:* 362) håller före, är att anse såsom *afslutningen* af vigselaktens »*första hufvuddel*» *(copulatio ante portas ecclesiæ)* utan fast mer såsom *inledningen* till den följande *Missa pro sponso et sponsa*, betonas i en af *Cremer. (Die Kirchl. Trauung. Berl.* 1875 p. 105) anförd, gammal *Missa Redonens.* sålunda: »*Qua finita intrando in ecclesiam missam incipiat*».

1) Åter sker en betydlig reduktion. *Man. Linc.* har från introduktionen och intill messans början icke mindre än 16 olika moment, *Man. Ab.* 15 o. s. v. All denna liturgiska yppighet sammanfattar Ol. P. i ofvanstående, enkla bön. Deß begynnelse är densamma som första bönen i Linköpings-manualet, men för öfrigt tyckes den vara sammansatt af spridda tankar från samtliga bönerna.

2) Den nu följande akten, *missa nuptialis*, ehuru antydd redan i *Sacram. Gelas.*, var dock under medeltiden blott lösligt bunden vid den kyrkliga kopulationen (jfr *Binterim* a. a. VI: 2. 78 f). Daniel anmärker vid deß anförande ur *Rit. Rom.*: »*tamen ut sentiunt plurimi Rubricistæ, Canon ille continet concilium tantum, non præceptum; et sane multa contrahentur matrimonia sine sumptione sacramenti eucharistici*». Deß ursprungliga betydelse torde endast varit meßoffrets vanliga betydelse af en *oblatio* till förmån för de nygifta (jfr den upprepade messan första månadsdagen och första årsdagen efter bröllopet).

När the ståå vnder pellet[1]/ segher presten.

Låter oss bidhia.

O herre gudh see barmherteligha til wåro böner/ och war echteskapena bistondigh/ och epter thet tu haffuer thz skickat til menniskiones forökelse/ såå bewara nw thet som tu sielff sam̄an föghat haffuer/ genom wor herra Jesum Christum hwilkin som leffuer och regnerar medh tich och them helga anda til ewigh tijdh. Amen[2]. Eij

1) Pellets användning på detta ställe är ett i hög grad egendomligt drag i den svenska handboken. Blott i mycket gamla urkunder spåras ett liknande bruk. Så t. ex. finnes hos *Calvör* (a. a. I: 107) följande anmärkning; »*in Anglia olim prostratis sponso et sponsa ad gradum altaris extendibatur super eos pallium*». Skulle månne ett anglikanskt inflytande vara att här antaga, förmedladt genom den äldsta missionsverksamheten i Sverige? *Binterim* (a. a. VI: 2. 158) anför efter *Martene* samma sed såsom »*fordomtima*» brukad.

Båda våra medeltidsmanual omnämna pellet (»*postquam communicauerat sacerdos prosternant se super genua sponsus et sponsa . . . et teneatur super eos pallium . . .*» *Man. Linc.*). Af *Bælter* (a. a. p. 470) beskrifves det såsom "ett fyrkantigt täcke af kostbart tyg, som hålles öfver Brudgummens och Brudens hufvud af fyra ogifta personer, twänne af hwardera könet, medan Brudmässan sjunges".

Hwad betydelsen af detta egendomliga bruk vidkommer, torde följande anmärkning af *Calvör* (a. a. I: 104) på det hafva någon tillämplighet: »*quicquid abdi religio, honestas, necessitas jussit, velo antiquitus obumbrabatur*». I denna riktning pekar nämligen följande förordnande i *1571-års K. O.*: "Men är hon gammal och vthaff barnsbyrd, tå skal thet haffuas medh henne fördragh, ähwadh hon förr haffuer warit vnder Pellet eller ey" (jfr *Emporagrii Kyrkolagsförslag:* "Brudpellet skal ock brukas" öfwer "then ung är och förmenes kunna fruchtsam vara"). Häraf tyckes framgå, att pellet affåg den nu inträdande *cohabitatio carnalis*, från hvilken tanke steget icke är långt till *quod veli vice est* (jfr brudslöjans användning i följande citat efter *Martene:* »*deinde conjungat eos sacerdos et — velet eos ita, virum super scapulam, puellam super caput, et ponat jugalem (brudslöjan) super humeros eorum*»).

2) Här har Ol. P. nästan obetingadt slutit sig till den latinska texten, med undantag af en och annan smärre afvikelse. Bönen har i *Man. Linc.*

Ther epter siunger presten prefationem såå seyandes.

Herren wari medh jdher/ Så och medh thinom anda/ Vphåffuer idhor hierta til gudh/ Wij vphåffue wor hierta/ Lått oss tacka gudhi wårom herra/ Thet år rett och tilbörlighit.

Sannerliga år thet tilbörleghit rett och salight/ at wij alltijdh och allestådhes tacke tich herre helige fadher alzmechtige ewige gudh/ som j thinne krafft all ting aff jntit skapat haffuer: tu som och når all ting skapat wore/ skapte menniskiona som ther offuer skulle wara en herre/ Och sadhe at mannenom war ey gott wara aleena: ty giorde tu honom qwinnona til hielp aff jtt reffben som tu toogh aff hans sidho/ Och gaff ther mz til kenna/ at såsom qwinnā hadhe sitt vrsprung aff mannenom: så skulle the och altijdh blijffua til samman/ O gudh som wille mz echteskapet betekna then stoora hemligheet: at såsom mannen och qwinnan warda jtt kööt/ så år och Chrs jtt mz sinne helga forsambling/ O gudh som man och qwinno haffuer föghat til samman och haffuer giffuit them een sådana welsignelse: at hwarken Adams synd eller Noe flood kunde hēne förtaga/ Såå see nw milleligha til tesse thina tienerinne som giffs j mandzens wold: och begiårar wara aff tich beskermat/ Giff nådena (o gudh) at hon måå vpfyllas medh kårleck och fredh: och wara troghen och kysk: och giffua sig i echteskap epter Christi sinne: och at hon måå j sitt liffuerne epterfölia heligha qwinnor/ Ath hon måå wara kårkommen som Rachel sinom manne: förstōdig som Rebecca: liffua lenge och wara troghen som Sara/ Lått dieffuulen jntit haffua medh henne bestella: vtan at hon måå blijffua fast stondandes j thin helga bodhordh/

---

följande lydelse: »*Propiciare domine supplicationibus nostris & institutis tuis quibus propagationem humani generis ordinasti benignus asiste ut quod te auctore conjungitur te auxiliante seruetur Per dom. n. ihes. chr...*». Bönen är af ålder välkänd.

Giff nådh at hon måå wara til fridz medh sinom eegnom manne: och vndflyy all olofllighen beblendelse: och at hon måå skyla sina skröpeligheet mz tocht och sinne/ Lååt henne wara fruchsamma j barn och blomma: och at hon må kōma til en begierligh ålder/ Ath hon må see sijn barnabarn til tridhie och fierde slechte: och sidhan epter thetta lijffwet komma til ena ewiga glådhi/

Tesse epter scriffua ordh lååss presten.

Genom wor herra Jesum Christum thin son/ hwilkē som leffwer och regnerar medh tich och them helga anda til ewigh tidh. Amen[1]).

Sedhan wender han sich åter til altaret och fulfölier messona[2])

---

1) Denna sköna bön förekommer redan i *Sacram. Gregor.* (*»Deus qui potestate...»)* och har derifrån inkommit såväl i samtliga våra kända, inhemska vigselformulär från medeltiden som i *Rit. Rom.*

2) Vi hafwa ända hittills uppskjutit en för den rätta uppfattningen af 1529-års vigselritual ingalunda ovigtig fråga, nämligen denna: hvad innefattar O. P. under detta sitt uttryck *»fulfölier messona»?* hur mycket af messan bör vid denna punkt anses redan vara undangjordt och hur mycket ännu återstående?

Ullman (a. a. II: 362) svarar på denna fråga: "Derefter tager församlingsgudstjensten sin början och fortgår i öflig ordning till och med *utdelningen af den heliga nattvarden.* Efter dennas slut vidtager... den så kallade brudmessan". Enligt detta svar skulle alltså gudstjensten fortgå intill det *»Herren wari medh jdher»* — som i *1531-års messordning* följer omedelbart på distributionen, hvarefter pellet införts och brudmessans egendomliga prefation sjungits (såsom äfven uttryckligen förordnas 1693). Detta är dock icke ordningsföljden, hvarken i *Rit. Roman.* eller i *det svenska medeltidsformuläret* (se motsvarande mom. *Bil. II).* Då nu intet i *1529-års handbok* ger för handen, att någon ändring här skett i rådande praxis, så måste vi antaga, att äfven för detta ritual ordningen varit den vanliga d. v. s. att den s. k. *Brudmessan äfven här infördes mellan Fader Vår och Agnus Dei* (se *Then Swenska Messan 1531).* Att åter ordningen i *1693-års handbok* är en annan, så att här verkligen den af Ullman angifna ordningen agendariskt påbjudes, torde intet annat innebära, än att, efter halfannat århundrades erfarenhet, det från protestantisk ståndpunkt konstlade i den ur-

Welsignelse j brudhahuset [1]).

O alzmechtige ewige gudh giff thin welsignelse + offwer thetta brudhahws/ at alle the som hår vthi boendes åre/ mågha bliffua j fridh och fôlia thin wilia epter/ och leffwa j thinom kerleck til en godhan ålder/ genom Jesum Christum wor herra. Amen [2])/

Och thetta segher han offuer them/

Gudh alzmechtig welsigne + jdhor lekamen och jdhro siålar/ och låte sin welsignelse komma offuer jdher/ såsom han welsignade Abraham/ Jsaac och Jacob/ Gudz hand beskerme jdher/ och sende sin helga ångel som jdher skal bewara alla jdhra lijffzdagha/ Gudh fadher och son och then helge ande låte sin welsignelse + komma offuer jdher. Amen [3])/

---

sprungliga, katolska ordningsföljden manat till en ändring i angifna riktning (hvarvid är att märka, att denna handbok äfven samtidigt ändrar det hittills förblifna uttrycket *Prefation* till »*Brudawälsignelsen*»).

Anm. Sedan ofvanstående redan var skrifvet, har vår der uttalade mening genom en tillfällighet på ett ganska slående sätt bekräftats. Vid just detta uttryck finnes nämligen i det å Upsala Bibl. förvarade exemplaret af *1548-års handbok* följande, med 1500-talets handstil nedskrifna, anteckning: »*Herrens fridh*». Slå vi nu upp *Swenska Messan*, skola vi igenfinna detta »*Herrens fridh*» — icke *efter kommunionen*, der helsningen är: »*Herren ware medh idher*», utan, i full öfverensstämmelse med vårt antagande, *mellan F. V. och Agnus Dei*.

1) Det nu följande momentet hör icke lägre med till det egentliga vigselritualet. Det är blott en temligen lösligt bifogad ceremoni, förrättad först mot aftonen i brudparets bostad (»*när Brudhen gåår til senga*»: *1586-års upplaga*). Jfr *Binterim* a. a. VI: 2, 179: "In dem dritten Ordo bei Martene sagt die Rubrik: *nocte vero cum ad lectum pervenerint, accedat presbyter et benedicat thalamum*».

2) Bönen är en fri öfversättning af den latinska handbokens: »*Benedic domine hunc thalamum* . . .»

3) Denna bön, som saknas i *Man. Linc.* (hvilket manual för öfrigt af Ol. P. här långt mindre följes än t. ex. Åbomanualet) återfinnes i *Man. Ab.* under denna form: »*Benedicat deus corpora vestra et ani-*

Thetta skal läsas när hustru Ciij

ledhes j kyrkio epter barn[1])/

O alzmechtige ewige gudh tu som gaff then welsignelse offuer menniskiona når tu henne först skapat hadhe/

---

mas vestras: et det super vos benedictionem suam sicut benedixit abraham, ysaac et iacob. Manus domini sit super vos mittatque angelum suum ad vos qui custodiat vos omnibus diebus vite vestre. Benedicat vos pater et filius et spiritus sanctus». — Det är från denna källa, som momentet: *Gud Allsmägtig sände sitt ljus!...* i vår n. v. handbok är att ytterst härleda.

Jfr. till momentets ytterligare belysning *Man. Linc.*: »*Cum pervenerint in talamo flectant genua humiliter ante lectum inchoante sacerdote Añ Weni sancte spiritus. reple tuorum corda... Postea surgant et sacerdos facit eos sedere ad lectum versis vultibus ad sacerdotem quo ordinato sacerdos dicat benedicciones thalami ut supra habetur*».

1) *Benedictio mulieris post partum* är af uråldrig dato. Binterim anför både grekiska och etiopiska formulär af hög ålder. Att i aktens ursprungliga betydelse ingått ett starkt, gammaltestamentligt drag af levitisk rening, antyder bland annat den högtidliga *introduktionen.* Dock kan en reaktion mot denna uppfattning spåras redan så tidigt som under Gregorius I (*Binterim* a. a. VI:. 2. 189) Ej heller inlägger *Rit. Rom.* i denna akt någon annan betydelse än den, att *deo gratias agere* samt *a sacerdote benedictionem petere.*

Såväl de tyske som de svenske reformatorerna polemiserade ifrigt mot den ursprungliga reningsteorien. T. o. m. gifves det tyska KOO, som principielt förkasta hela ceremonien (såsom t. ex *Brand. Nürnb. Ag. 1539*: "Darumb ist auch das einsegnen nach dem Kindbett nicht von nütten, dann es aus lautter aberglauben fleust, gleich als wenn sie durch die geburt, die auß Gottes segnen kommbt entheiliget").

Med mera hoffsamhet yttrar sig *1571-års K.O.* i denna fråga: "Om Barnaquinnors Kyrkiogång eller Inledning, skal ock aff Predikestolen, när så synes behöffuas, vnderwijsning giffuin warda/ At slijkt nu ingalund wid then mening brukas som jtt skiffte skeedde, tå man höll thez så före, at thessa qwinnor skulle wara orena, och lika som Bans menniskior, vthan kyrkio at hon skulle wexa til och föröka sich[1])/ tu som och epter samma welsignelse haffuer gioordt tesse thina tienista qwinno fruchtsammeligha/ sää werdas nw see milleligha til henne/ Och såsom tu haffuer gioordt henne fruchtsammeliga epter then lekammeligha welsignilsen/ så lått hēne och fruchtsammeliga blijffua j then andeliga welsignelsen/ at hon måå altijdh wexa til j thin kundskap och liffua epter thī helga bodhordh genom Jesum Christum wor herra. Amen[2])/

Sedhan tagher presten henne j handena och jnledher henne[3]) seyandes.

---

satta för barnsbördena skul, och skulle så icke må komma j kyrkio igen, annars än genom slijka ceremonier oc Judeska rening, vthan rette grunden och meningen j sakenne är thenna, at såsom barnsbörden är Gudz godha ordning och eghit werck, så må ock ingen qwinna för then skul aff hans Försambling lijka- som oreen vthsatt warda, Ja, hwar Barnaföderskonnes macht så tilsade, måtte hon wäl strax samma dagh gå vthan Inledning och allahanda sådana ceremonier j kyrkio, och ther tacka Gudhi för hans gåffuo och förloßning".

1) Jfr *1811-års handbok:* "Allsmägtige, ewige Gud, som gaf den välsignelse öfver menniskan, när Du henne skapat hade, at hon skulle föröka sig och uppfylla jorden..."

2) Då vi icke känna något inhemskt formulär för denna akt, tidigare än det föreliggande, äro vi icke i tillfälle att afgöra, i hwad mån Ol. P. här ansluter sig till föregående praxis. I någon mån erinrar tankegången i denna bön om ett af *Binterim* (a. a. VI: 2. 213) anfördt böneformulär från 1300=talet, så lydande: *Omnipotens sempiterne Deus, Pater Dom. n. I. Chr. benedicere digneris hanc famulam quæ ad imitationem sanctissimæ Virginis Mariæ, sese cum gratiarum actione purificandam in templo exhibet et concede propitius, ut, sicut ei prolis fæcundidatem et vires templum tuum ingrediendi contulisti, ita per intercessionem ejusdem immaculatæ Virginis ab omni mentis et corporis contagio liberatam, ad sancta sanctorum pura mente facias accedere...* Någon närmare anknytning ha vi inom medeltidsliturgien icke lyckats utfinna. Efter alla tecken är den svenska bönen i hufvudsak original.

3) Att denna *introductio in ecclesiam* skedde medels s. k. »*inlezlu lyuus*», angifves uttryckligen i *Östgötalag. Kr. B.* XXXI: "ok gangær husfru i kirkiu æfter barn sit — *þ*o gæri ok tua örtughær ba*þ*e

Herren beuare thin ingong och vthgong nw och til ewig tijdh. Amen[1])/

Huru them skal göras theres redha som siwke liggia[2]).

Först när man kommer til then siwck är skal man giffwa honom noghon Christeligh lärdom före[3])/ Och måå thet skee widh thetta settet eller annat sådana.

---

till offers ok til lius i huarre kirkiu gangunne. þa a (ægher) præstær hana i kirkiu leþa." (Jfr *Rit. Rom.*: »*Si qua puerpera post partum iuxta piam ac laudabilem consuetudinem ad ecclesiam venire valuerit pro incolumitate sua Deo gratias actura, petieritque a Sacerdote benedictionem, ipse — ad fores ecclesiæ accedat, ubi illam genuflectentem et candelam accensam in manu tenentem aqua benedicta aspergat*»). Ännu 1575 omnämnas dessa "inlezlu lynus" i *Nova Ordinantia (Handl. rör. Sveriges Hist. 2:dra Ser. II: 1)*, som förbjuder "lööse quinnor" att af dem begagna sig.

1) Jfr *Rit. Trevir*: »*Dominus custodiat introitum tuum et exitum tuum ex hoc nunc et usque in sæculum*». Den svenska formeln bibehöll sig i vår handbok ända till 1811, då den utbyttes mot den närwarande.

2) Motsvarande de katolska agendornas *Ordo ad visitandum infirmum* och Landskaps-lagarnes »*sjukmansredskap*».

Enligt katolskt åskådningssätt hörde till de sjukes dödsberedelse hufvudsakligen 3:ne kulthandlingar: *poenitentia* (innefattande *bikt, skriftläsning* och *absolution); extrema unctio, poenitentiæ consummatio (Augusti: Handb. der christl. Archäol.* III: 248) samt *viaticum* (ἐφόδιον, nattvarden). Samtliga dessa hufvudmoment återfinnas i det nu följande formuläret, blott (i enlighet med *Man. Linc.)* i den mer ovanliga ordningen: *skrift, nattvard* och *sista smörjelsen.*

3) Liksom vigselformuläret inledes äfven sjukbesöksformuläret af en *allocutio* af allt igenom pastoral karakter. Ol. P. kallar sjelf denna allokution "ena *vnderuisning* huru man skal handla medh them siwka, hwad tröst och hugswalilse honom skal giffuas" (se Företalet).

† syster Kåre brodher † iach ſeer at gudh haffuer kränkt tich/
Såå twiſla tu ther jntit vppå/ at then ſwedha och werck
ſom tu nw lidher/ then haffuer thin himmelſke fadher
lagdt tich vppå för titt beſta ſkul/ For ty han weet wel
hwad tich år nyttigt/ Och år han thin elſkelige fadher
then tich vnnet gott/ ty wil han jw icke förderfua tich/
En godh fadher wil icke gerna forderffua ſitt fatigha
barn/ Och ån thå hã vnderſtundom brukar rijſet/ gör han
thet doch likauel för barnſens beſta ſkul/ Fadheren weet
better hwad barneno år nyttigt ån thet weet ſielfft/ Så
gör och nw gudh medh tich/ Ther fore giff tu tich (kåre
† syster brodher †) vnder hans hand/ och war honom lydigh/ och
lijdh toleligha hans fadherligha rijß/ och tacka honom
for ſijn grundlöſa batmhertigheet och godheet/ at han
wil giffua tich en wederkẽnelſe och icke tilſtådhia at le-
kamenen ſkulle ſåå haffua ſin framgong medh ſin köts-
ligha luſta och begiårelſe at ſiålen worde forderffuat/ ther
böör tich ſtoorligha tacka honom före/ Teſlikes må tu
och kunna beſinna hwilkit jtt vſelt och bedröffuat liff-
werne år j theſſe werldene/ ther wij ſå fortörne wor
himmelſka fadher medh woro gråßeligha ſynder/ at hã
aff ſijn fadherligha barmhertigheet nödhgas til ath vnder-
ſtundom leggia oſs vppa ſådana ſwåran ſwedha och
werk ſom tu nw lijdher/ ſå framt wij icke ſkole förderff-

En dylik *allokution* torde på denna plats icke varit helt och hållet främmande för det katolska ritualet (jfr *Rit. Roman.*: »*deinde piis verbis illum consoletur et... quantum opus sit eius animum confirmet et in spem erigat vitæ eternæ*»). Dock är oß intet tidigare exempel kändt, att den förekommit i *agendariskt bunden* form.

Det presterliga sjukbesökets inledning i t. ex. *Man. Linc.* har en helt annan karakter. Här anslås allt ifrån början en mera liturgisk ton. Så heter det här: »*dum intrat domum sacerdos dicat Pax huic domui et omnibus habitantibus in ea pax ingredientibus et egredientibus ex ea. Postea benedicat aquam et aspergat eam cum Añ. Asperges me domine ps. Miserere mei etc.*».

uas til wora siålar/ Och twifla ther jntit vppå/ at then wedhermodha tu lijdher her j tesse vsla werldēne/ år en rått helewogh til thina siål/ for ty når croppen icke fåår haffua sin framgong thå ståår ther wel til medh siålenne/ Och epter thet thetta år jtt sådana leffuerne/ at wij ther vthi daghlige förtörne wor hēmelske fadher som så myckit gott haffuer forskyllat mz oss och altijdh bewijsar oss sin kerleck/ och haffuer nogh låtit påskina at han vnner oss gott/ ty år thet jtt bedröffwat leffuerne/ Ther moste jw wara jtt bedröffuat leffuerne ther en så godh och mil fadhr̄ warder förtörnat vthi/ Gåår och dieffuulen nat och dagh ther epter som jtt glupande leyon at han wil forderffua oss/ och honom åre wij aldrigh frij så lenge wij hår leffue/ Ther fore måå wij wara gladhe ath wij kunne snart komma til jtt annat liffuerne ther wij icke fortörne then milla och godha fadhren/ ther wij och måghe wara frij for dieffuulsens list och försååt/ Ty giff tich nw [Ciiij] gudhi j wold (kåre brodher †) och lått honom göra medh † syster tich epter sin helga wilia/ giff tich honom j sköön/ han weet wel når tijdh år/ och når thet år tich nyttigt at tu skal skilias jfråå thetta leffuernet/ Och såsom han år tich en mill och barmhertigh fadher/ sää war och tu honom itt lydigt barn[1])/

Och når presten haffuer hallet them siwka thet fore at han skal wara til frijdz ther mz at gudh kallar honom aff tesse vsla werldene/ så at hā icke år gudz kallelse olydigh/ Sää skal och han halla honom fore/ ath om han haffuer noghot vthestondandes medh noghon menniskio j åwund eller ilwilia/ at han jw sådana slåår aff hiertat och giffuer them til aff alt hierta som honom haffua giordt emoot/ och faller til fögho och begiårar theras wenskap som han

1) Denna förmanings evangeliskt innerliga grundton utgör bevis nog, att den icke flutit ur någon katolsk källa. Efter all sannolikhet är den ett fritt utflöde ur Ol. P. eget, varma hjerta. Att i yngre, lutherska formulär (såsom t. ex. den 10 år yngre *KO Hzg. Heinr. af Sachsen)* en och annan mer oväsentlig likhet kan uppvisas, behöfver icke motsäga detta antagande.

förtörnat haffuer/ För ty så framt han wil haffua gudz wenskap/ så moste han först forlika sich medh sin nesta/ Teslikes wore och ganska gott at han giorde noghon vnderwisning om sina tymeligha åghodelar/ om han är noghrom noghot skyllig at han gör ther redho vppå/ at icke epter hans dödh skal komma kijff och tretta ther han thet stilla kunde medh fåå ordh/ Och om han wil göra noghot testamente måå presten förmana honom at han thet giffuer til fatigha/ hwsarme/ siwkastughur/ hospitaler/ fatigha diäknar som gerna wilia studera och haffua ingen hielp/ Och annerstädes ther thet menigha betzsta kan affkomma/ til sådana böör oss göra testamente/ doch så at arffuingomē ey skeer for kort[1])/ Sedhan måå han frågha huru hans samwet är skickat[2]) och låra honom huru han skal forßäkra sitt samwet påå gudz nådh och barmhertigheet genom Jesum Christum/ For ty thet hielper och myckit ther til at menniskian döör gladheliga/ ty jtt förskrächt samwet/ som kenner sina saak ståå illa för gudhi/ thet fruchtar altijdh dödhn/ Men itt trygdt samwet som weet sich wara j gudz ynnest/ thet är oförfärat för dödhen/ Och måå presten halla them siwka thetta fore widh tesse mening.

† syster

Kåre brodher † huru är thet fatt medh titt samwet/ göra thina synder tich noghot bekymber?

Och når then siwke segher sich wara medh sina synder bekymbrat/ måå presten widh thetta sinnet trösta honom.

† syster

Kåre brodher † war widh ena godha tröst och beken thina skråpeligheet för thin himmelska fadher/ han är mill och barmhertigh öffuer alla them som sich bekenna/

---

1) Jfr *Fragmenta Carli Magni* Antv. 1560 p. 60: »*Quando aliquis christianus articulum mortis persenserit imminere, primitus renouet confessionem suam cum puritate ac omni fiducia, deinde distribuat omnia quæ possidet, post hæc dimittat omnibus, qui in se peccaverūt & reconcilietur*». Vi kunna häraf sluta, att detta Ol. P. förordnande framgått ur urgammal, kyrklig plägsed, äfven om ej denna varit agendariskt fixerad.

2) Härmed inledes i det svenska manualet det egentliga *skriftermålet*, motsvarande det katolska manualets *sacramentum poenitentiæ* (jfr *Östg. Lag. Kr. B.* fl. VI: "Nu far præsten buþ at han skal bonda skripta").

falla til fögho och begiera hans nådh/ Han segher sielff at han icke begierar syndarens dödh/ vtan mykit heller wil han at han skal falla til fögho och båtra sich och bliffua widh lijffwet/ Och skal tu fulleliga förlåta tich ther vppå/ at gudh år snarare til at giffua tich thina synder til/ ån ath tu åst til ath bedhas syndernes förlåtilse/ Beken tich j hans åsyyn för en arm syndogh menniskio ath tu altijdh haffuer gäått emoot hans helga bodhoord/ och lååt tich thet ångra/ och twifla intit på hans barmhertigheet/ för ty han haffuer thz fulleligha j sinnet at han wil tagha tich til nådh/ Och måå tu så bekenna tich för thin himmelska fadher/ widh thetta sinnet [1]).

O alzmechtige gudh och kåre fadher/ syy iach titt fatige och ålende barn komber fram för tich full medh synder och skröpeligheet/ iach haffuer ingen then iach kan gåå til/ vtan til tich som fadheren år/ tu haffuer så mykit gott bewisat mich/ och medh otaligha monga welgerningar haffwer tu latit påskijna ath tu haffuer hafft mich kåår/ Tu haffuer giffuit mich lijff och siel/ wett och skål/ tu haffuer födt och clådt mich/ och ey haffuer tu warit ther medh til fridz/ vtan tu haffuer och giffuit thin eenda son j dödhen för mich/ ath iach skulle fåå itt ewinnerlighit lijff/ Thetta haffuer tu alt giordt/ och bewist ther medh thin stora kerleck/ Men iach arme syndare haffuer thesse thina welgerningar jntit achtat/ vtan haffuer altijdh Dj warit tich otaksamblighen for alla thina welgerningar/ Jach haffuer tich altijdh warit olydhogher/ så at iach år ey werdh heeta titt barn/ Jach haffuer icke så stelt mich ath tu kunde haffwa ther hedher aff at iach war titt barn/ vtan iach haffuer fördt sådana leffuerne som thina helga nampne år til forsmådhelse/ Jach haffuer ey elskat tich offuer all ting/ Och ey såå forlåtit mich på

1) Jfr *Man. Linc.: »Hic audiat confessiones»*.

thin helga ordh ſom iach ſkulle/ Intit hallet mich jn til
thin kåra ſon Jeſum Chriſtū ſom iach ſkulle/ Jach haffuer
ey elſkat min neſta ſom mich boorde/ vtan bewijſt honom
alt ondt/ Och medh fåå ordh/ Jach haffuer intit aff thin
bodhordh hallet/ Illa haffuer iach låtit påſkina at iach
ſkulle wara titt barn/ Sãå at iach bekenner mich aldeles
haffua fortient ewinnerlighen fordömelſe/ om tu ſkulle
ſå löna mich ſom mina grooffua ſynder tilkreffia/ Och
weet iach mich nw jngen annen tröſt vtan then aleena/
ath tu åſt mill och barmhertigh offuer alla them ſom
falla til föghọ och wilia bettra ſich/ Sãå flyyr och iach
nw til tich (O hīmilſke fadher) aff alt mitt hierta/ och
bedher tich at tu icke gåår til retta medh mich arma ſyn=
dare/ titt fatiga ålenda barn/ iach bedhes nådhena och
icke retten/ göör nådh medh mich ſom tu vthloffuat
haffuer/ och icke ſom iach fortient haffuer/ O min gudh
och kåre fadher förſmå mich doch icke arma ålenda ſyn=
dare/ titt fatigha creatwr/ Jach bekenner mich haffua illa
gioordt/ Alla thina gåffuor ſom tu mich giffuit haffuer
at iach ſkulle bruka thm̄ tich til prijß/ och minom neſta
til godho/ them haffuer iach brukat tich til fortörnelſe
och minom iemchriſtē til ſkada och förderff/ ſå ogudh=
achtigh blind och forſtockat haffuer iach warit/ at iach j
mijn welmacht intit haffuer kunnet beſinna huru ſwår=
ligha iach haffuer tich förtörnat/ och hwadh iach medh
mitt oonda leffuerne haffuer förſkyllat/ Meu nw medhan
tu wilt kalla mich aff thetta vſla leffuernet/ beſinnar
iach at mich wil ſtåå en hårdh rekinſkap före/ om tu icke
will göra miskund medh mich/ See (o kåre fadher) iach
ligger her thin fatighe fånge/ och haffuer en ſtoor reken=
ſkap på mich then iach aldrigh kan göra fylleſt/ ty bedher
iach tich ſom thin elſkelige ſon och min kåre brodher
Jeſus Chriſtus mich lårdt haffuer/ ath tu förlater mich
mina ſkuld/ jach haffuer intit thet iach kan betala medh/
jach flyyr till thina barmhertigheet/ forlat mich mina

skuld/ jach giffwer mich j thina hender/ å huru stoor syndare iach år/ såå år iach doch likawel titt barn som thin elskelige son Jesus Christus haffuer lidhit dődhen főre/ O kåre himmelske fadher see icke til mina groosfua synder hwadh the haffua fortient/ vtan see til then hårda och bittra dődhen som thin son och min kåre brodher Jesus Christus haffuer lidhit for mina skul/ Forlåt mich mina skul (O kåre fadher) thinne barmhertigheet til prijß och åro [1]).

---

1) Denna *confessio generalis* (hvilken i våra medeltidsritual på detta ställe icke verbotim anföres) bär likaledes en så afgjordt evangelisk pregel, att hvarje tanke på lån från något katolskt ritual af den uteslutes.

Såsom exempel, i hvilken helt annan tonart de katolska "skrifftorden" gingo, anföras här dessa, såsom de stå att läsa i den redan anförda *Svenska Tideboken:* "Jach arm syndogh menniske owerdog j gudz aasyn ffor myna margfallaligha synder schuldh, Jach affegx dieffwllen ok alla hans onda gerningh ok insckyutilse, Jach tror j almectoghen gudh, och j alt thz the helga kirke bywder mik troo, Mäder thenne sama helgha crisna troo, giffwir iak mik arma syndoga menniske gwdhi skyllogha, ok alt hymerikis herskap, for alla the synder iak haffwir tänkt talat ok giort, fraa then tydh iak först wisthe göre synd, ok in tyl thenne närwarandis stwnd, Som först är j mynom fäm synnom saa nadha mik gwdh iak haffwir ekke styrt them gwdi tyl heders ok myne fatyge siel tyl gagns, Ty wär iak haffwir opta syndaligha seeth, hört, lwctat (sic!), hanterat, ok smakat, och gaangith tyd iak haffuir brvkat ok hafft tilfelle tijl ath göre synd, och mädher hiertana opta syndaliga tänkt thes nade mich gwdh, Och ty wär Jach haffwir hafft allan myn licama osparan och redaboen tyl syndena holkit iach lather mich gherne angra aff alla siäl och hiärtha, Framdelis haffwir iach warith myn gwdh aa moth j VII dödeliga syndher ok j alla the onda grener ther aff gaa, som är j högfärd mz gerninga ok tankar, j schörheet mz tankar oc gerninga, j affwndh, ok wredhe tyl min iemcristen, j giri, j läti, serdeles tyl gwdz tiänisth j öffwerflödigheeth til maath och dryk holkith iach lather mich gerna angra aff alla hierta, Ther nest haffwir iach syndat moth gwdh y x. hans helgha bwdord. Som först är ath iak haffuir ekke älskat myn gudh öffwir all tingh ok myn jemcrisnan som mik sielwan. Jak haffuir ty wär swrit mik opta men bwrit falsk witne Ekke haldit helga dagha, ekke älskat fader ok moder gwdfader heller gudmoder skrifftafader ok kirkenna forman, Afhändat nogot aff androm mz orätta, än hurw ledz iak haffwir brwtith mooth hans

Och när then siwke haffwer så bekendt sich för gudhi/ och haffwer än thå noghon synd som honom naggar j hiertat then han gerna qwit wore/ Så må han then bekenna för prestenom och bedhas godh rådh och aflösning aff honom[1]/ Och sidhan han sich scrifftat haffwer/ Må presten widh thetta sinnet trösta och hugswala honom.

† syster

Käre brodher † sō tu nw haffuer gioordt thin scriff-temåål och bekēnelse för gudhi och mich/ så segher iach (epter gudz befalnīg) tich fulleligha syndernes forlatilse til[2])/ sätt ther fulla lijt och troo til/ gudh är mill och

helga bwdordh, later iak mik gerna aangra aff alla mina hierte, Framdeles haffwir iak syndat j VII kirkenna sacrament, Jach haffwer ekke hallit mina döpilse, mina färmilse, och ekke giord min scriptamal redaliga ok welfor-tänkther, ekke hallit rättha synda boot som mik haffuir sat warin, ok ekke seet ok anamat wärdalig gudz helga licama, holkit iak lather mik alt gerne angra aff alla hierta Item jak haffuer ekke öffwat mik j VII miskunsamliga gerninga andeliga ok lykamliga tes nade mik gwdh, Jak haffuir ty wär opta warit myn gudh aa moth j VII then helgands gaffuir j so mate, ath iak haffuir ekke begärat ok reet mik til at ffaa tem som mik haffwir rätte-liga bort, Item j XII stykke j then helga crisna troo, saa ath iach haffwir antige trot meer heller mynne än mik haffuir boorth tro saa nade mik gudh, Item iak haffuer ok ty wär fyndat moth min gudh och skapare j VIII saloghеter, j fyre ropande synder, j IX främande synder j XIIII for-tungada synder, j XII forbannade synder, y VI synder moot ten helga ande För thenne här ok all andra synder som iak arm syndok menniske är brotz-lige vti begerer ok bedis iak naadh ok miskund aff alsmectogen gudh hwarför flyer iak nu innerliga aff alla myna hierta til miskundenes ok nadenes moder jomfrw maria, min helga ängil, min helga apostel, och min helga patrone, Ath the alla wille wärdogas bedie för mik til alsmectogen gud min aterlö-sare cristum ihesum, Then iak haffwir opta ok otalige mangha synner for-törnath met mina manga ok stora synder. ath iagh magh nw faa her alle mine synders forlatilse ok seden äwerdeliga glädi j hymeriki Amen".

1) Här följer alltså på den allmänna bekännelsen en *confessio specialis*. Den katolska ordningsföljden tyckes varit den motsatta: först den speciella, sedan den allmänna syndabekännelsen (se *Binterim* a. a. VI: 3. 73).

2) Denna absolutionsformel ansluter sig nära till den af *Dijkman* (a. a. 325) från "ett gammalt Pergamentstycke" anförda, latinska *Forma absolutionis plenissimæ remissionis: »Dominus Jesus Christus per meritum suæ passionis te absolvat. Et ego auctoritate*

barmhertigh offwer alla them ſō falla till fögho och begiera miskund/ hās barmhertigheet år mykit ſtörre ån alla werldenes ſynder/ Tu åſt icke then eendeſte ſom ſynd haffuer/ alla menniſkior åre groffue ſyndare/ och likawel haffuer han ſagdt them allom til at når the wilia bekenna ſich och falla til fögho/ thå wil han göra nådh och miskund medh them/ Han haffuer monga ſtoora och grooffua ſyndare taghit til nådhe/ och tagher dagheligha Dij them ther förlåta ſich platt jn vppå hans nådh och barm=hertigheet/ och giffua ſich honom ſkyldoga/ ſåå haffuer han gioordt konung Dauid/ S. Pedher/ Röffuaren påå koßet och andra otaliga monga/ ſå wil han och nw göra miskund medh tich/ ther ſkal tu ſettia fulla troo till/ Thz tu haffuer illa giordt thet år alla redho offuertalat och förlikt medh thin himmelſka fadher/ Chriſtus Jeſus haffuer taghit thina ſynder vppå ſich och giordt ther fylleſt före/ ſå at ån thå tu haffuer illa gioordt/ wil doch gudhfadhr̄ ſee genom finger medh tich och icke ſtraffa tich ther före/ för ſin ſons Jeſu Chriſti pino ſkul/ hwilken ſom haffuer ſtådt j thin ſtaadh och betalat for tich/ For ty alt thet han haffuer lijdhit thet haffuer han alt gioordt for thina ſkul/ at gudh ſkulle giffua tich til thz tu haffuer giordt honō emoot/ ſå at thet år nw alt wel förlijkt/ Chriſtus haffuer taghit tich (ſom war en ſtoor ſyndare och j dieffuulſens hechtelſe) och gioordt til ſin brodher och medharffuinga/ ſå at tu ſkal beſittia gudz rike medh honom til ewigh tijdh/ Chriſtus thin kåre brodher år

---

ipsius, & apostolica, mihi in hac parte commissa & tibi concessa, te absolvo ab omnibus peccatis tuis, in nomine Patris & Filii & Spir. Sancti.» (jfr *Brev. Scar:* *»Forma absolutionis private confitentium: Et ego auctoritate eiusdem domini nostri Jhes. Chr. et auctoritate mihi commissa in quantum fragilitate mea permittitur, te absolvo ut sis absolutus et restitutus hic et ante tribunal eiusdem dom. n. J. Chr.: et habeas vitam eternam cum eo et sanctis eius in secula seculorum. Amen»).*

vpfaren til himbla/ och sitter på gudh fadhers høghra hand och manar gott for tich/ och haffuer bereedt tich rwm j sino rike/ Och haffuer sagdt at alle the som are fortungadhe och beswåradhe aff syndenne/ the skole koma til honom/ han wil wedherquekia them/ Såå war nw widh ena godha tröst kåre brodher †/ tich warder intit skadhandes/ gudh haffuer loffuat tich gott/ thet haller han tich wel/ Hã haffuer sagt at j hwad stũd och tijma thr̄ syndareu bekenner sich och faller til føgho/ thå wil han förlåta honom alla synder/ Tesse ordh wil han halla widh macht/ hã göör sin ordh icke omyndogh fot thina synder skul åå huru stoora och grooffua the åre/ medhan tu faller til føgho och bedhes fore/ såå år thet alt öff= uertalat/ Christus haffwer thet alt forsonat och forlijkt/ Såå måå tu och wel wara widh ena godha tröst/ för ty tu haffuer en millan domare/ ty Jesus Christus år then sc(o)m skal döma tich/ och han år sielff then samme som haffuer lidhit dödhen för tich/ Epter thz han nw haffuer hafft tich så kåår at han wille lijdha dödhen för thina skul/ måå tu wel kunna tenkia at han icke wil låta do= men gåå tich vnder öghonen/ För ty om han fördömde tich som han sielff hadhe lijdhit dödhen före/ såå gioorde han sin eeghen dödh och bittra pino om jntit/ men thet gör han jngalunda/ Ther före må tu nw wara gladh/ och skilias gladeligha widh tesse arma och vsla werldena/ medhan tu haffuer en sådana domare som tich wil frelßa och icke fördöma/ Her skal tu settia fulla lijt och troo til som iach tich sagdt haffwer/ thet år gudz eghen ordh/ thm̄ iach haffuer sagdt epter gudz befalning/ tich ligger nw största machten hår vppå/ ath tu setter troo och lijt til thet nw år sagdt/ for ty som tu troor til så skeer tich och til/ Troor tu at tich skal wedherfaras miskund/ såå skeer tich och så/ troor tu thet icke såå sker thet icke heller/ Thet henger nw alt påå troone/ ty troon göör

† syster

menniskiona saliga/ bidh for thn̄ skul gudh om ena stadegha troo til hās helga ordh och tilseyelse[1]).

Når presten sådana förmaning giordt haffuer them siwka til tröst/ så må han och förmana/ them som ther når åre at the falla på sijn knåå och bidhia innerliga til gudh ath han wille giffua honom ena retta Christeliga troo/ Och presten låse thenne bóón.

Låter oss bidhia.

O alzmechtige ewige gudh wors herres Jesu Christi fadher/ tu som aldra best kenner menniskiones ogudhachtiga och otroghna hierta/ tu som aleena år then samme som thz förwandla kan/ Såå falle wij nw eendreghteligha til tich bidhiādes at tu wille ingiwta thin helga anda j thn̄a thin tiånares † hierta som hår ligger thin fånge påå sina sottaseng/ wij bidhie tich som thina helga apostlar bådhe om troona/ O herre förōka hans † troo styrck och stadhfest honom † at åå hwadh anfechting eller frestilse honom † påå komma kan/ at han † jw blijffuer fast stondandes j troone/ genom Jesum Christum wor herra. Amen[2]).

† tienarīnes † hennes † henne Diij † hon

Sedhan må presten spória then siwka til om han wil anāma Jesu Christi lekamē och blodh och halla hās natward[3])/ Och hwar

---

1) Såsom synes, utvidgas här absolutionen till en ny allokution af helt och hållet pastoral karakter. *Agenda Austriaca* 1571 inbäddar på liknande sätt absolutionsformeln i en längre allokution under rubriken *Trost*.

2) Äfven denna böns starkt evangeliska hållning röjer deß oberoende af det katolska manualet. Dock saknas icke helt anknytningspunkter i detta. Så t. ex. finna vi i såväl *Man. Linc.* som *Man. Ab.* på just detta ställe en följd af *orationes*, hvilkas enskilda tankar mer än en gång erinra om den svenska bönen (jfr följande uttryck: »*omnipotens et misericors deus, quæsumus .... ut hunc famulum tuum in hoc habitaculo fessum iacentem salutifere visitare digneris .... libera cor famuli tui de malarum temptatione cogitationum* etc.".

3) Denna fråga bildar öfvergången till sjukbesökets 2:dra hufvudmoment: *kommunionen*.

han år thet begierandes/ thå må presten halla honom före hwadh sådana natward haffwer betydha/ widh thetta sinnet/ eller och annat epter som then siwke kan begripa och förstå[1]).

† syster

Kåre brodher † epter thz tu begierar anamma Christi lekamen och blodh/ såå moste tu först besinna hwadh sådana natward haffuer betydha och j hwadh acht han hallas skal/ Och skal tu först weta ath gudh wil at wij icke skole halla oss förbättre ån wij åre/ syndare åre wij/ thet wil han at wij skole aff alt hierta bekenna/ När wij nw thz retzliga kunne besinna at wij åre grooffue syndare för gudhi/ åå huru helige wij synes vthwertes för menniskiom/ kan thet ey annars wara ån at wij iw fåå en förskreckelse j wort hierta ther aff ath wij see huru wij haffue förtörnat gudh och förwerffuat ewinnerlighit fördömelse/ och wore thå för then skul syndenne gierna qwitte och såghe gierna at wij wore forlijkte medh gudhi/ När wij nw åre kompne til ena sådana wederkennilse ath wij kunne besinna hwadh wij åre för creatwr/ och hwadh wij medh woro synder förwerffuat haffue/ och fruchte för gudhi som för en hard och streng domare/ at han skal låta ewigh fördömelse komma öffuer oss/ Såå skole wij icke thå tagha sakena såå före ath wij wilie sielffue medh woro eegna gerningar och krafften hielpa oss ther vth/ För ty thz år oss omögelighit at wij skulle sielffue kunna komma oss aff then wånda som wij medh syndenne vthi kompne åre/ wij moste platt förtwifla påå wor eeghen macht/ ath wij ingalunde kunne komma oss sielffue ther vth/ Och om wij ån fast toghe oss så före at wij sielffue wille hielpa oss ther vth/ thå kan likauel wort samwet aldrig giffua sich til fridz medh wora ger-

1) Det nu följande aktstycket är af föga liturgiskt intresse. Af mißtro till presternas förmåga, indrar Ol. P. allt emellanåt rent homiletiska moment i sin handbok. Så är den följande underwisningen synbarligen intet annat än ett slags agendariskt affattadt *skriftetal*.

ningar/ vtan thet haffuer iw altijdh then fruchtan at the gerningar som giorda warda/ skola icke wara så fulkommeliga ath the skola kunna så mykit blijdhka gudh/ som synderne haffua honom förtörnat/ och bliffuer så samwetit lijka förskrecht och förfärat för gudz doom/ åå huru mykit man gör fyllest för synderne medh sin eeghen krafft och gerningar/ segher doch likauel altijdh wort samwet/ thz är icke än nw betalat (som thet j sannindenne ey heller är betalat) synderne äre fleere än the godha gerningana/ gudh är än nw vreedh vppå mich/ ther medh lychtas thet at wij aldrigh kunna stilla samwetet mz wora gerningar/ Nw moste thz jw wara stillat såå framt thet skal gåå wel til/ Thet moste wara så til fridz at thz fulkommeliga weet sich wara wel förlijkt medh gudhi annars ståår thet illa til/ men thet kan ingalunde skee genom wor eeghen krafft och gerningar (som sagdt är) Och epter thet wij icke sielffue kunde blijdhka gudh och förlijka oss medh honom som wij förtörnat hadhe och stilla samwetet/ Ther före förbarmadhe gudh sich öffuer oss och sende oss her nidh sin enfödda son Jesum Christum at han skulle trådha j wor stadh/ betala och fyllest göra för wora synd/ och göra förlijkning emellan gudh och oss/ hwilkit han och såå gioordt haffuer/ Medh sin bittra dödh och pino haffuer han gudhi betalat och fyllest giordt för then förtörnelse och hoghmoodh wij honom mz woro synder giordt hadhe/ och han haffuer bidhit sin hemmelska fadher medh stoor hiertans begierelse ath han skulle tagha oss til wenskap jgen/ hwilkit och så skeedt är/ at wor hemmelske fadher haffuer taghit oss til nådh jgen och vnner oss nw gott/ och wil nw icke straffa oss som wij förtient hadhe/ och thet gör han icke för woro förskyllan skull/ ty wij hadhe intit vtan alt oondt förtienat/ men han gör thet för sin käre sons Jesu Christi förskyllan skull som toogh sich wåra säck före och giorde fyllest för oss/ Her skole wij settia fulla troo och lijt til at wij äre medh gudhi wel förlijkte/ och ath Christus medh alt thet han haffuer hörer oss til/ och alt thet wij haffue hörer honom til/ så at han haffuer giordt en sådana contracht medh oss/ ath wore synder höra honom til/ och hans rettferdigheet hörer oss til/ Och när wij ena sådana troo haffue/ thå stille wij wort samwet såå ath thet giffuer sich til fridz och segher/ Nw wel/ epter thet Christus haffuer taghit sich mina sack före och lagdt mina synder på sich/ så ståår thet wel til medh mich/ för ty hans gerningar äre krafftigare til at blijdhka gudh än mina synder äre til athförtörna honom/ medhan han segher mich gott til/ thå kan iach ingelunde warda fördömd/ och såå göra Christi gerningar samwetet gladt och lustigt/ Men aff menniskiones eeghna gerningar kan thet aldrigh skee som sagdt är/ Nw haffuer Christus ey allena giordt fyllest för oss och förlijkt oss medh gudhi/ vtan han haffuer och teslikes lagdt sich stora win ther om ath han kunde komma oss ther til ath wij kunde settia ther fulla troo til/ ath han sådana giordt haffuer och at wij äre medh gudhi wel förlijkte/ at wij motte fulleliga kunna förlåta oss ther vppå at såå är j sannind/ ty haffuer han och jbland annat som han ther om giordt haffuer/ stichtat thet dyrbara sacramentit j wijn och brödh/ j hwilko sacramente gudz stora nådh och barmhertigheet genom Jesum Christum oss förehallen och beteedt warder/ Så at han haffuer giffuit oss thz til een åminnelse/ styrckelse och en wissan pant eller wårdteckn/ ath Christus haffuer lidhit dödhen för oss och är worden wor eeghen/ såå at han är itt medh oss/ och wij äre itt medh honom/ och så wisseliga är och Christus giffuin j dödhen/ och haffuer vthgutit sitt dyrbara bloodh för wora synder skull ath the skulle wara affplanadha/ Ther före (käre brodher †) epter thz tu nw achtar begåå och j åminnelse haffua wor herres Jesu

† syster

Chriſti natward/ j hwilkom hans helga lekamen och bloodh til ſielennes maat och dryck tich giffuin warder/ år tilbörlighit ath tu förſt pröffuar tich ſielffuan/ ſåſom S. Paulus ſegher/ och at tu ſidhan åter aff thetta brödh och dricker aff thenna kalk/ föt ty ingen ſkal anamma thetta ſacramentit vtan een hungrogh ſiel/ then ſina ſynder kenner/ fruchtar för gudz wredhe och för dödhen/ och then ther hungrar och törſter epter rettferdighetenne begierandes warda godh och rettferdigh/ När wij nw pröffue oſs/ finne wij intit annat j oſs ån ſynd och dödhen/ och at wij ingalunde kunne hielpa oſs ſielffue ther vth/ Ther före haffuer Jeſus Chriſtus förbarmat ſich öffuer oſs/ och år för wora ſkull menniſkia worden/ påå thet han ſkulle fulborda laghen för oſs/ ſtåå j wor ſtadh och göra thet oſs borde göra/ och lijdha thet wora ſynder förſkyllat hadhe/ och vppå ytterſte natwarden toogh han brödhet tackadhe gudh och ſadhe/ Tagher och åter thet år min lekamen hwilkin for idher vthgiffwin warder/ Såſom han wille ſeya/ At iach år menniſkia worden thet år ſkeedt för idhra ſkull/ och alt thet iach gör och lijdher thet år alt idhart och år ſkeedt för idhart betſta ſkull/ och teſs til itt worteckn/ giffuer iach idher mitt lekamen för en maat/ Sammalunde toogh han och kalken och ſadhe/ Tagher och dricker her aff alle/ thet år kalken teſs nyia teſtamentzens vthi mitt bloodh hwilkit för idher och för mongan vthgutit warder til ſyndernes förlåtilſe/ Såå offta j thet gören ſå gören thet til min åminnelſe/ Såſom han wille ſeya/ Epter thet iach haffuer låtit mich wårda om idher/ och taghit idhra ſynder vppå mich/ will iach offra mich ſielff för idher/ vthgiwta mitt bloodh/ forwerffua idher nådhe och ſyndernes förlåtilſe/ och j ſåå motto vpretta jtt nytt teſtamente/ j huilkit ſynden ſkal aldeles forglömd warda til ewigh tijdh/ teſs til itt worteckn/ giffuer iach idher dricka mitt bloodh/ Then ther nw ſå åter aff thetta brödh och dricker aff thenna kalk

(thz år) then ther stadeligha troor thenna oorden han
hår hörer/ och thenna wårteknen som han anammar/
han bliffuer j Christo/ och Christus j honom/ och fåår
leffua ewinnerligha/ Ther före skalt tu nw kåre brodher
† j hogh komma hans helga dödh och tacka honom/ och
lijdha toleligha thet han lågger tich vppå/ och haff thin
nesta kåår/ såsom Christus haffuer hafft tich kåår/ forty/
the åre alle jtt brödh och jtt lekamen såå monge som
åre deelachtige aff jtt bröód och aff enom kalk/ Geffue
gudh at tu nw motte thet werdeliga vndfåå/

Ej

† syster

Sidhan fråghar presten honom om hās troo[1]) och segher.

---

1) *Symbolum apostolicum* är i och för sig intet främmande drag i medeltidens sjukbesöksritual. Det förekommer der redan på 800-talet (jfr *erkeb. Theodulfs Sändebref*, anfördt af *Binterim*: »*uncto vere infirmo cum orationibus, ut dictum est, jubetur a sacerdote orationem dominicam et symbolum dicere*». Härmed åsyftas dock näppeligen något annat än den trosbekännelse, hvars högtidliga afläggande, jemte ett *Ave* eller *Pater noster*, kort före hädanfärden lärer varit allmänt medeltidsbruk (jfr *Binterim* a. a. VI: 3. 98).

Deremot är det ytterst sällsynt, att här finna detta moment under form af en *interrogatio de fide*. Det är åter blott i mycket gamla formulär, vi funnit exempel härpå, såsom t. ex. det åldriga, engelska *Rit. Sarisb.* (vid aktens början) och *Sacr. Gregor. Cod. Remens.* (»*ante unctionem palam dicitur symbolum hoc est Credo in D. Patrem . . . Deinde dicatur a sacerdote ad infirmum: Credis frater quod diximus symbolum?*)

Då våra svenska medeltidsmanual icke veta om något symbolum på detta ställe, och ej heller de anförda, utländska ritualen förbinda det hos dem förekommande symbolet med *nattvardsliturgien*, är troligt, att Ol. P. (liksom åtskilliga, yngre, lutherska formulär i utlandet) helt enkelt hit öfverflyttat det symbolum, som i den ursprungliga, lutherska mässan plägade förekomma i förbindelse med *nattvardsprefationen* (jfr *Sw. Messan 1531:* "Sedhan läses Credo, antingen Symbolum Apostolicum eller Nicenum . . . Sedhan begynnar Presten Prefationem . . ."; *Ag. Marchica 1540:* "Darauff sol der Priester singen *Credo in vnum deum*, Das *Patrem* . . . Darauff sol der gesang den man hieuor pro *Offertorio* gehalten hat, gesungen werden, Darauff sol der Priester die gewönliche Prefation singen . . ."; *Ag. Würtemb. 1553:* "Nach volendung der predig soll man den glauben Teütsch singen").

Troor tu på gudh fadher alzmechtogan hēmelrikes och jorderikes skapare/ thet år/ troor tu at han haffuer all ting skapat bådhe j hemmellen och påå iordēne/ och at han år en mill fadher och en alzmechtigh gudh/ then tich bådhe wil och kan hielpa.

Swar.

Ja.

Troor tu och påå Jesum Christum hans eenfödda son wor herra/ hwilken som aflat war aff them helga anda/ födder aff iomfru Marie/ Pijnter vnder Pontio Pilato/ Corsfester/ Dödher Jordadher/ och foor til helwetes/ Stoodh vp aff dödha tridhie daghen/ Foor vp til himbla/ Sitter påå gudz fadhers höghra sidho/ Tådhan kōmandes til at döma leffuandes och dödha/ thet år/ Troor tu at gudz son Jesus Christus haffuer alt thetta lijdhit och gioordt for thina skul tich til godho?

Swar.

Ja.

Troor tu på then helga anda/ Then helga Christeligha kyrkio helga mannasamfund/ Syndernes förlåtilse/ Lekåsens vpståndelse/ Och ewinnerlighit lijff[1])/ thet år/ Troor tu på gudh then helga anda som jngiwtas plåghar j mēniskiones hierta til at styrkia och stadfesta henne j alt thet gudhi behagelighit år/ Och at en Christelig försambling eller helga manna samfund år til/ then gudh vthkorat haffuer at hon skal besittia medh honom ena ewigha glådhi/ Och at j samma försambling warda synderna förlåtna/ Och ath samme lekamen som wij nw

---

1) Såsom en egendomlighet må här anmärkas, att Ol. P:s öfversättning på detta ställe af *Patrem* afviker från såväl *dopformuläret* 1529 som *Then Swenska Messan 1531*. Så lyder t. ex. 3:dje artikeln å förra stället: "Troor tu på then helga anda, *ena christeligha kyrkio* . . . och *epter dödhen* jtt ewinnerlighit lijff?"; och å det senare: "Jach troor vppå then helga anda, *ena helogha almenneligha kyrkio* . . . *kötzens vpstondelse* och ewinnerligit lijff".

haffue skal ståå vp aff dödha jghen/ Och at sidhan kōmer jtt ewinnerlighit lijff[1])? Troor tu alt thetta fulkommeligha?

Swar.

Ja.

Sedhan låß presten Epistelen.

Tesse epterscriffna ordh scriffuat S. Paulus gudz sendebodh til the Corinther/

Kåre brödher iach haffuer fåått aff herranom hwilkit iach och jdher giffuit haffuer/ ty herren Jesus j then nattena thå han forrådder wort/ togh han brödhet/ tackade gudh/ bröt thet/ och sadhe/ Tagher/ äter/ thetta är mitt lekamen som för jdher brytes/ thetta görer til min åminnelse/ Sammalunda och calken epter natwarden och sagde/ Thenna kalk är jtt nytt testament vthi min blodh/ Thetta görer så offta j dricken vthi mijn åminnelse/ Ty så offta j äten vthaff thetta brödh/ och dricken vthaff thenne calk/ skolen j förkunna herrans dödh/ til thes han kommer/ men hwilken som owerdeliga äter aff thetta brödh/ eller dricker aff herrās calk/ han bliffuer saker för herrans lekamen och bloodh/ Ther före skall man pröffua sich sielffuan/ och sedhan äta aff thet brödhet/ och dricka aff then calken/ ty then owerdeliga äter och dricker/ han äter och dricker sich sielffuom fördömelse/ icke åtskiliandes herrans lekame/

När Epistelen är låsin måå presten thå låsa thȳne epterföliande Christi ordh för them siwka/ honom til tröst och ytterligare stadhfestilse.

Tesse epterscriffna ordh bescriffua oss S. Mattheus/ S. Marcus/ och S. Lucas Jesu Christi Euangelister om

1) Den nästan kateketiska utveckling af trosartiklarnes innehåll, som Ol. P. här infört i sitt sjukbesöks-ritual, tyckes vara ett för detta helt och hållet egendomligt drag.

hans yttersta natwardh/ thå han stichtade thetta hög-wårdugha sacramentit.

När the åto toogh Jesus brödhet/ loffuade gudh/ brööt och gaff låriungana/ och sadhe[1])/ Tagher/ åter/ thetta år min lekamen/ som for idher giffuen warder/ Thet görer til mijn åminnelse/

Sammalunda toogh han och calken sidhan han nat-warden gioordt hadhe/ loffuade gudh/ gaff them och sadhe/ Dricker hår aff alle/ ty thetta år min blodh som år tess nyia testamentzsens/ hwilken vthgutin warder för mongom/ til syndernes förlåtilse[2])/

Sedhan spör presten then siwka om thetta sacramētit.

---

1) Jfr *Then Swenska Messan 1531:* "Om natten, thå han förrådhen wardt, hölt han en natward, j hwilkom han togh brödhet j sina helga hender, tackade sin himmelska fadher, welsignade, brööt thet och gaff sina läriungar och sade . . ." *(Missale Upsalense Vetus: »accepit panem in sanctas ac venerabiles manus suas: et eleuatis oculis in celum ad te deum patrem suum omnipotentem tibi gratias agens benedixit fregit dedit discipulis suis dicens . . .»).*

2) Att intetdera af dessa 2:ne skriftställen är att anse såsom *konsekrationsmoment,* angifves uttryckligen dermed, att det förra betecknas såsom »*Epistelen*» och det senare säges blott afse den sjukes »*tröst och ytterligare stahdfestilse*». Någon *konsekration* af nattvardselementen förekommer alltså icke i vårt första, evangeliska sjukbesöksritual; utan fasthåller Ol. P. ännu 1529 uppenbarligen det katolska bruket, att *i kyrkan* konsekrera det för de sjuke affedda brödet.

När åter Olaus anför instiftelseorden 2:ne gånger, under det att de helt och hållet saknas på detta ställe i det latinska ritualet; då sker detta utan tvifvel i polemiskt intresse: han hade i sitt arbete nått fram till den punkt, der det gälde att nedskrifva det djerfvaste draget i hela hans handbok, *nattvardens utdelande sub utraque* (jfr *Man. Linc.:* »*det ei corpus domini dicendo . . .*»). Detta djerfva drag vill han synbarligen i rikaste, möjliga mån bibliskt motivera och nöjer sig derför icke med, att blott anföra instiftelseorden under deras vanliga gestalt, utan citerar derjemte Paulus *omedelbart.*

Troor tu fulkommeligha at thet år Jesu Christi lekamen och blood som tu nw anammar til tich[1])?

Swar.

Ja.

Ter epter beretter han honom och sågher..

Wårs herres Jesu Christi lekamen beware thin crop och siel til ewinnerlighit lijff.

Wårs herres Jesu Christi bloodh beware thin crop och siell til ewinnerlighit lijff[2]).

Sedhan bidhie presten tesse bôôn.

O herre Jesu—Christe tu ewige gudh fadhers ord/ tu werldenes frelsare/ tu som år sanner gudh och menniskia/ forlatt thenne thin fatiga tienare † och ledhamoot genom thin helga lekamen och bloodh alla hans † synder/ hielp och tröst honom † at han † måå fulboorda thin helga wilia/ och icke skilias jfråå tich til ewig tijdh/ Amen[3]).

† tienerine
† henes
† henne † hon

---

1) Jfr *Man. Ab.*: »*Postea lotis manibus offerat sacram communionem infirmo dicens Credis quod hoc quod manibus teneo sit verus deus et verus homo creator et saluator et iudex mundi. Quo respondente Credo*».

2) Denna distributionsformel återfinnes ordagrant i *Man. Ab.*: »*Corpus domini nostri iesu christi custodiat corpus tuum et animam tuam in vitam eternam. Amen*"(jfr *Missale Ups. Vetus*:» *Sanguis domini nostri iesu christi custodiat animam meam et corpus meum in vitam eternam. Amen*»). Deremot lyder samma formel i *Man. Linc.*: »*Corpus et sanguis domini nostri ihesu chr. perficiat te ad salutem perpetuam hic et in eternum. Amen*».

3) Denna bön är tydligen en fri bearbetning af den välkända bönen: »*Domine iesu christe fili dei viui qui ex voluntate patris cooperante spiritu sancto per mortem tuam mundum viuificasti: libera me queso per hoc sacrosanctum corpus et sanguinem tuum ab omnibus iniquitatibus meis et ab universis malis: et fac me tuis semper obedire mandatis: et a te numquam in perpetuum separari. Qui viuis*... (bönen återfinnes äfven i *Missale Ups. Vetus*, omedelbart före prestens sjelfkommunion).

Ther epter måå man spöria then siwka til eller elles förhöra hans mening/ om han wil låta olia sich[1])/ och hwar han sådana begiärar/ thå skal presten göra honom ena vnderwisning/ hwad sådana olning haffuer medh sich[2])/ epter thet besynnerliga at hō haffuer j en long tijdh warit j stoor misbrukning/ Och skal honom hallas före at han jw hardt haller sich widh thet som föresagdt är/ at all saligheet ståår j Jesu Christo och j intit annat creatwr j himmellen eller på iordenne/ så at han jw icke skal förlåta sich på then olning han tagher/ vtan på blotta gudz nådh och barmhertigheet som Jesus Chrs honō forskyllat och foruerfwat haffuer/ Och ath sådana olning giffs honom icke heller j sådana acht och mening at han skal sökia ther noghō saligheet vthinnā/ vtā aleenest epter en gammal sidwane hwilken sin vrsprung haffwer aff thet som brukades j apostlanes tijdh/ ther the plågade komma til then som siwck war/ och hadhe mz sich kostelighen smörielse eller watn[3]) som krafftigt war til ath styrkia thes siwkes ledhamoot/ ther smorde the thå honom medh/ och bådhe så innerligha til gudh för honom som siwck war at han wille giffua honom sina helbregdo igen/ så ath then smörielsen skeedde j then acht at then som siwk war skulle få sina lekameliga helso igen/ icke smorde the honom j then acht at han skulle döö/ och ey gåffwe the honom sådana olning til noghot weghabreff/ som nw j en long tijdh vtan all skäål och redeligheet haffwer warit föregiffuit/ Gudz ordh är aleeua wort wegha-

---

1) Härmed öfvergår alltså Ol. P. till *Unctio sacrati olei.* — Att *nattvarden* å ena sidan och *extrema unctio* å den andra voro fullt sjelfständiga moment af *siukmans redskap*, framgår klarligen af följande ord *Westg. Lag. K.B. fl.* 27: "þorf mather husl (begå nattvarden) oc annar olnengh. förra skal man husla æn olia" (jfr *Binterim* a. a. VI: 3. 86. "Morinus führt aus einem alten Codex der Kirche v. Tours den Krankenritus an, wo blos die Eucharistie ohne heil. Oelung administrirt werden soll").

2) Enligt *Constit. Apost.* VII: 22. var unctionen det symboliska uttrycket för »*participatio Spiritus*». Jfr *Cyrillus Hieros.* (anf. af *Casalius Rom.*): »*Illud ergo exorcizatum oleum symbolum est pinguedinis Christi nobiscum communicatio et quod omne vestigium diabolicæ operationis in nobis deletum sit*».

3) Hvad stöd Ol. P. menar sig ega för denna sin uppgift, att apostlarne brukade vatten i brist på olja, känna vi icke. Möjligen ligger till grund för denna uppgift följande ställe i *Constit. Apost.* VII: 22: »*Sin autem non fuerit oleum . . . satis erit aqua ad unctionem*».

breff ther skole wij halla oss hart widh hwadh wij mera leffwe eller döö/ Så haffwer och S. Jacob scriffwit om then olning eller smörielse som j apostlenes tijdh skeedde/ och är aff hans ordh clarligha merkiandes at hon skedde til lijffz och icke til dödz/ Lydha och så teslikes the böner som stå j then latiniske handbokēne/ at thenne olning skeer j then acht och mening at then som siwck är skal få sina helso jgen/ ther före kan hon jw icke wara hans weghabreff til dödz/ Ther före moste jw presten lära then som olningena begierar at han ingalunde setter tröst eller lijt til sådana olning/ hans saligheet stäär aleenest j Jesu Christo som honom medh sin harda dödh och pijno frelsat och jfrå dödhen/ syndenne/ helwetit och dieffuulen igen löst haffwer/ Och när hā haffwer sådana lerdt then siwka och han begierar än thå sådana olning/ må han göra epter hans begier widh thetta settet som her epter fölier eller annat som icke finnes wara emoot gudz oord.

Eiij

Först lääß presten thenne böön.

Låter oss bidhia.

O alzmechtige ewighe gudh wor herres Jesu Christi fadher/ tu som för menniskiones synder skul epter hennes förtienta löön legger henne pläghor och straff vppå ath hon skal lära kenna tich som skaparen är/ Tu som och genom thin tienare Mosen sagdt haffuer/ at hwad tu slaghet haffwer thet kan tu heela igen/ Så wendt nw titt fadherliga ansichte til wore böön/ Hoor oss/ O himmelske fadher/ och werdas nw see milleliga til thenna thin fatige tienare † som tu medh swäär och starck siwkdom slaghet haffuer/ giff honom † epter titt godha behagh sina helso igen/ och ath han † määmedh thet fadherliga rijss som tu honom † för syndenne skul pålagdt haffuer/ lära kenna tich för en sannan gudh och then tu vthsendt haffuer Jesum Christum/ och leffua så j thetta leffuerne/ at han † må bliffua medh tich til ewigh tijdh/ Amen [1]).

† tienerine
† henne
† hon
† henne
† hon

1) Denna bön är sannolikt original. En och annan enskild tanke erinrar om de böner, som i detta sammanhang föresinnas i det katolska ritualet.

När thenna bööн låsen år måå presten tagha oliona[1]) och smória then siwka som plåghsedh år/ och seye widh hwart ledhamoot som han smórier som her epterfólier.

När han smöör ôghonen.

Alzmechtigh gudh som tich krånkt haffuer han styrkie thina syyn[2]).

Til óronen.

Alzmechtig gudh som tich krånkt haffuer/ han styrkie thina hórlsle[3]).

Til nåsana.

Alzmechtigh gudh som tich krånkt haffuer/ han styrkie thina nåsar och titt luchtande[4]).

Til lepparna.

Alzmechtigh gudh som tich krånkt haffuer/ han styrkie thin smaack leppar och mwn[5]).

---

1) Oljan *(oleum olivæ seu ex olearum baccis)* var på "skära Toorsdagh" *ab episcopo consecratum* (jfr. *Augusti* a a. III: 265).

2) *Man. Linc.*: »*Ad oculos. Ungo oculos tuos infirmos oleo consecrato ut quidquid deliquisti per visum ista sancta unctio aboleat. In nomine* . . .» Jfr *Pontificale Tilianum*, från Carl d. st. *(Binterim* a. a. VI: 3. 273): »*ungo oculos tuos de oleo sanctificato: ut quidquid illicito visu deliquisti, huius olei unctione expietur. Per* . . .».

3) *Man. Linc.*: »*Ungo has aures corporis tui ut per has fenestras recipias auditum gratie remissionis Christi in vitam eternam*» (gammaldags formel: *Daniel* a. a. I: 311. anm. 6).

4) *Man. Linc.*: »*Ungo has nares oleo sancto ut quidquid noxie ex hiis superfluo contractum est odoratu ista medicatio euacuet. In nomine* . . .».

5) *Man. Linc.*: »*Ungo labia ista consecrati olei medicamento ut quidquid ociosa vel etiam criminosa peccasti locutione diuina clementia miserante expurgetur. In nomine* . .».

Til hendrene.

Alzmechtig gudh som tich kränkt haffuer/ han styrkie thina hender och armar[1]).

Til föttrene.

Alzmechtig gudh som tich känkt haffuer han styrkie thina fötter och been[2]).

Sedhan läß presten thesse bööň/

Låter oss bidhia.

O herre Jesu Christe tu som för alles wores helso och saligheetz skull gaff tich hijtt nidh j werldena/ och anammade mandom/ lärde och predikade salighetennes wägh/ och gaff otaliga monga menniskior som medh allahandra siwkdom kommo til tich/ theres helso igen/ Tu som och samma macht och befalning gaff thina vthkorade apostlar/ ath the gingo vth och predikade himmelriket/ smoorde the siwka medh olio och giorde them helbregda/ Såå werdas nw til ath giffua thenna wor siwka brodher † then nw medh olio smorder är/ sina helso igen/ styrck och vpretta hans † kranka och wanmechtiga ledhamoot/ och ingiwt then helga anda j hans † hierta/ at han † medh itt helbregda lekamen måå tiena tich j thin helga bodhoord/ och sedhan medh alla Christna menniskior komma til titt ewiga rike/ Tu som leffuer och regnerar medh gudh fadher och them helga anda/ för vtan ända/ Amen[3]).

[Eiiij]
† syster
† hennes
† hennes † hon

1) *Man. Linc.*: »*Ungo has manus de oleo consecrato vt quidquid illicito vel noxio opere pergerunt per hanc vnctionem euacuetur. In nomine* . . .».

2) *Man. Linc.*: »*Ungo hos pedes de oleo benedicto, ut quidquid superfluo vel noxio incessu commiserunt ista aboleatur vnctione. In nomine* . . .».

I de utländska medeltidsritualen förekomma äfven *unctiones ad pectus, in gutture, ad scapulas* etc.

3) Utgångspunkten till denna bön är troligen en på detta ställe i *Man. Linc.* förekommande *oratio (Deus qui peccatores et scelerum onere uulneratos* . . .*)*. Den är dock ända till oigenkänlighet omgestaltad i evangelisk riktning.

När thz är giodrt måå preſten åter förmana honom ſom ſiwker är/ ath han giffuer ſich platt j gudz hender och låte honom göra medh ſich hwad honom teckes/ åå hwadh han mera wil kalla honom her aff werldenne/ eller wil han och låta honō liffua/ ſåå at han ſetter thz alt j hans ſköön/ och låte gudh rådha ther före han weet wel hwadh honom nyttogaſt är bådhe til lijff och ſiel/ Och måå thå åter preſten göra honom then förmaning at gudh är honom mill och barmhertigh ſåå ath han jw ingalunde förtuiſlar på gudz nådh och barmhertigheet/ för ty Chriſtus haffuer giordt fylleſt för hans ſynder och giordt förlijkning emillan gudh och honom/ ſå at han är nw föreenat mz Chriſto ty haffuer han och nw åtit Chriſti lekamen och drocket hans bloodh/ Teslikes ſkal och preſten förmana them ſom wachta then ſiwka at the-iw altijdh beſynnerliga j hans ytterſta/ halla honom thet ſamma före och tröſta honom at han ſkal förlåta ſich ther vppå at Chriſtus leffuandes gudz ſon är hans förſwarare och beſkerm för alt ondt/ han wil frelſa honom/ och at the iw altijdh nempna Jeſu Chriſti nampn för honom/ at Jeſus Chriſtus är hans frelſare och åter-löſare/ ther ſkal han intit twiſla vthinnan/ och måå preſten göra honom thenna hughſwalilſe förra än han gåår jfråå honom/ widh thetta ſinnet/ om honom ſynes ſåå behooff göras[1]).

Käre brodher † bekymbra tich nw medh ingen ting/ vtan halt tich man faſte in til Chriſtum och tenck vppå hans tröſteliga oord/ och halt tich ther widh medh enne ſtarka troo/ och än thå tu haffuer warit en ſyndare/ ſåå haffuer doch likauel Chriſtus taghit tich til ſich och ſagdt/ ſom Mattheus ſcriffuar j thet niyonde capitel/ Them ſom helbregda äre görs icke läkiare behooff/ vtan them ſom kranke äre/ jach är icke kommen til ath kalla the rettfer-diga vtan ſyndare til bettring/ Och är Chriſtus then ſanne läkiaren ſom allom ſyndarom kan rådha boot/ ty ſegher han och j thet elloffte capitelet/ Kommer til mich j alle ſom arbeten och ären betungade och iach wil we-dherqwekia edher/ Nw komber man aleenaſt til Chriſtum medh enne ſtadige troo/ j thet wij troo at gudh är oſs mill och barmhertig/ vnner oſs gott och haffuer förlåtit

† ſyſter

1) Efterföljande ſtycke är af allt igenom *pastoralt-homiletisk* karakter och alltſå främmande för agendan i ſträngare mening.

oſs alla wåra ſynder/ ath Chr̄s haffuer gioordt fylleſt för alla wåra ſynder/ ath wij äre gudz barn och arffuingar/ å hwad wij mera äre liffuandes eller dödhe/ ſå ſegher Chriſtus ſielff/ ſom Johannes ſcriffwar j thet ſette/ Hwilken ſom komber til mich han warder icke hungrande/ och huilkin ſom troor på mich han warder aldrig törſtande.

The menniſkio ſom troona haffuer til Chriſtum kan ingen ting wara ſkadelighen/ hwarken ſynd/ dödh eller dieffuul/ hon kan och aldrig warda förtapat/ vtan j thet hon haller ſich jn til gudz nådhe och barmhertigheet genom Jeſum Chriſtum/ ſåå warder hon ſaligh/ Såå ſegher Chriſtus/ Johannis j thet femte/ Sannerliga ſannerliga ſegher iach idher/ hwilken ſom hörer mitt taal och troor honom ſom mich vthſendt haffuer/ han haffuer ewinnerligit lijff och kommer icke j fördömelſe/ vtan gåår jfråå dödhen och til lijffuet/ Ey ſkal heller en Chriſten menniſkia ſom haffuer troona til Chriſtum fåå ſee dödhen ſom han ſielffuer ſegher Johannis j thet ottonde/ Sannerliga ſannerliga ſegher iach idher/ hwilkin ſom gömer mitt taal/ han ſkal icke ſee dödhen til ewigh tijdh.

Thet är nw gudz godha behagh och wilie/ ath then ſom haffuer ena ſtadiga troo til Chriſtum hans enfödda ſon/ at han ſkal warda bewarat til ewigh tijdh/ och ſåſom dödhen/ dieffuulen eller heluetit icke hade macht medh Chriſto/ ſå haffua the ey heller uoghon macht öffuer the menniſkio ath göra henne ſkadha ſom förlåter ſich påå honom/ för ty Chriſtus förwarar henne ſom han ſielff ſegher/ Johannis j thet ſette/ Alt thet min fadher giffuer mich thet komber til mich/ och then til mich komber/ kaſtar iach icke vth/ ty iach är nidherkommen aff hiṁelen/ icke på thz iach ſkal göra min wilia/ vtan hans wilia ſom mich vthſendt haffwer/ och thet är min fadhers wilie ſom mich vthſendt haffwer at iach intit borttappa ſkal aff allo the han mich giffuit haffuer/ vtan vpweckia thz på then ytterſta daghen/ Thetta år nw hans wilie ſom mich vthſent haffuer at hwar och en ſom ſeer ſonen och troor på honom/ han ſkal haffua ewinnerlighit lijff/ och iach ſkal honom vpweckia påå then ytterſta daghen.

För ty ſådana befalning hadhe Chriſtus aff ſin hem=melſka fadher at han ſkulle alla frelſa ſom troo på honom/ Ty ſegher Chriſtus/ Johãnis j thet tridhie/ Så haffuer gudh elſkadh werldena at han gaff vth ſin eenda ſon/ på thet ath hwar och en ſom troor på honom ſkal icke förgåtz vtan fåå ewinnerlighit lijff/ ty ath icke haffuer gudh ſendt ſin ſon j werldena at han ſkal döma werl=dena/ vtan vppå thet ath werlden ſkal warda ſaligh genõ honom/ Hwilken ſom troor på honom han warder icke fordömd.

Then ſom nw troor påå Chriſtum han år worden gudz barn/ och Chriſtus ſielff medh alt thet han haffuer hörer honom til/ Så ſegher Paulus til the Romare j thet ottonde/ Hwadh wilie wij thå ſeya ther til? medhan gudh år medh oſs/ hoo kan thå wara emoot oſs? Huilken ſom och icke haffwer ſkonat ſin eeghen ſon/ vtã giffuit honom vth for oſs alla/ huru kũde thet thå wara at han ſkulle och icke giffua oſs all ting mz honom? Hwil=ken wil beclagha them ſom gudh haffuer vthkorat? Gudh år then ſom retferdigar/ Huilken år then ſom wil för=döma? Chriſtus år then ſom lijdhit haffwer dödhen/ ja han år och then ſom år vpſtonden/ then och ſitter påå gudz högre hand/ then och manar gott för oſs.

Såſom nw Chriſtus haffuer öffuerwunnet dödhen/ heluitit och dieffuulen/ ſå ſkal huar och en Chriſten men=niſkia göra/ och the ſkola ey kunna göra henne mera ſkadha ån the giorde Chriſto/ Ty ſå ſade han Johãnis j thz ſextonde/ J ſkolen haffua fridh j mich/ j werldenne haffuen j twång/ men waren widh ena godha tröſt/ iach haffuer öffuerwunnet werldena.

Then som troona haffuer/ han haffuer öffuerwunnet werldena/ Så segher Johannes j sin epistel j thet femte capitel/ Thetta är seghren som öffuerwinner werldena/ wår troo.

Hwarken synd/ dieffuul/ dödh eller heluite haffuer macht emoot then som är j Christi förswar/ som han och sielffuer segher Johannis j thet tiyonde/ Mijn fåår kenna mina röst/ och iach kenner them/ och the fölia mich/ och iach giffwer them ewinnerlighit lijff/ och the skola icke förgåå ewinnerliga/ jngen skal heller ryckia them vthur minne hand/ min fadher som mich them giffuit haffuer är större än alle/ och ingen kan ryckia them vthur min fadhers hand.

Ther före kan en menniskia aldrig bätter göra/ än at hon antwardar sin anda j gudz hender/ och segher medh Christo/ Fadher j thina hender befalar iach min anda/ För ty then siel som är j gudz hender hon kan iw aldrigh warda förtapat/ Såå gör och nw tu käre btodher †/ Sägh medh Christo thin käre brodher/ til thin hemmelske fadher/ Fadher j thina hender befalar iach min anda/ Amen.

† syster

Gudh beware tich[1]).

Fi

Huru man skal wiya lijck[2]).

Epter thet nw så vpkommet är at lijket skal wiyas förra än thet båårs aff huset/ må thet thå skee widh thetta settet eller annat

1) Enligt *1571-års K.O.* var ännu detta år sed, att "giffua then siuka liws j handena, ta han ligger j sielatogen" (jfr *Daniel* a. a. I: 338: »*Lumen illud significat fidem defuncti, quæ neque per mortem extincta est*»).

2) Om denna *Vigning af liket* förordnar *Östg. Lag. Kr. B.* VII: "Nu dör bonde. þa skal prastær til hans koma. lik hans wighia. vm nat ni (like) uaka ænkte firi taka. uakær egh præstær iui liki um nat. ok hauær

sådana/ at thz kan Christeligha tilgåå[1])/ Och må presten först göra them ena förmaning/ och trösta them som hans wener äre som dödher är/ at the ey alt for mykit söria och bekymbra sich för hans skul/ widh thetta sinnet.

Kåre wener/ thet är oss wel naturligit ath wij sörie och äre bedröffuade thå woro wener skilias jfrå tesse werldenne/ ja wij see och aff scrifftenne/ at monga heliga män och qwinnor haffua så giordt både j thet gambla och j thet nyia testamentet/ hwilke j thet stycket intit straffandes äre/ vtan the äre heller prisandes/ Ther före är thet oss och wel lofligit at så skee måå medh oss/ doch så at wij haffue ther måtteligheet medh/ så at wor sorg icke är sådana som hedhningenes sorg the ther intit wiste seya aff gudhi/ För ty wij som Christne äre haffue thet hopp at wij skole alle samman ståå vp aff dödha och bliffua liffuandes igen/ såå at thetta förgengeligha och syndafulla liffuernet som all sorg och bedröffuilse haffuer medh sich/ skal wendas til jtt ewinnerligit lijff/ ther wij kunne liffua vtan all synd/ sorgh och bedröff-welse/ Och är thenne lekamelige dödhen som en Christen menniskia här lidher ey annat än een åndalycht på the synder och bedröffuilse som wij här j werldene medh be-swårade och bekymbrade äre/ och en ingong til ewinnerliga

egh forfall. ælla lof af bondanum. þa böte præstrin þrea markær arua bondans". Ursprungligen skulle ringningen ske samma dag, dödsfallet egt rum (*Dijkman* a. a. 329).

Enligt *Rit. Rom.* bestod denna vigning i *beständkning med vigvatten* och *böner: »Deinde corpus de more honeste compositum loci decenti cum lumine collocetur: ac parva crux super pectus inter manus defuncti ponatur... interdumque aspergatur aqua benedicta et interim donec efferatur, qui adsunt sive sacerdotes sive alii orabunt pro defuncto»*.

1) *Bælter* a. a. 543: "Det stadgades wäl strax wid Reformationen år 1528, at owigt lik kunde saklöst föras til kyrkio (*Westerås Stadga* § 18); dock, til förargelses undwikande, infördes uti Handboken 1529 något, som skulle likna den vanliga wigningen".

ſaligheet/ och kallas j ſcrifftenne en ſömpn/ at the Chriſtna menniſkior ſom döödha äre ſeyas ſoffua j herranom/ til then ytterſta vpſtondelſen på doma dagh/ thå ſkole wij ſom och Chriſtne äre komma til ſamman medh them igen och bliffwa ſåå til hopa j ewinnerliga glädhi medh gudhi/ ther wij aldrigh fåå then ſorgh at wij noghon tijdh ſkole mera ſkilias j fråå hwar annan/ Och epter thz ſå är at wij haffue ſådana förhopandes och förmodhandes/ ther före ſkole wij ey alt för mykit bekymbra oſs öffuer wora framledhna wener/ vtā loffua och priſa gudh ſom oſs haffuer giffuit ena ſådana tröſt och thet fulkomeliga tilſagdt oſſ/ ath wij ſkole vpſtå aff döödha igen och liffua medh honom til ewigh tijdh/ och ther aff wilie wij nw höra thet helga euangelium ſom S. Johannes oſs beſcriffuar[1]/ ſå lydhandes.

J then tijdhen/ ſadhe Martha til Jeſum/ Herre hadhe tu warit her/ hade min brodher icke bliffuit döödh/ Men iach weet än nw/ at alt thet tu bedhes aff gudhi/ thet warder gudh giffuandes tich/ Sade Jeſus til henne/ Thin brodher ſkal ſtåå vp igen/ Sade Martha til honom/ jach weet han warder vpſtondandes j vpſtondelſen påå ytterſte daghen/ Sade Jeſus til henne/ jach är vpſtondelſen och lijffuet/ Hwilkin ſom troor vppå mich han ſkal liffua/ än thå at han döödh bliffue/ Och hwar och en ſom leffuer och troor vppå mich/ han ſkal ey döö ewinnerliga/ Troor tu thet? Sadhe hon til honō Ja herre/ Jach troor ath tu eſt Chriſtus gudz ſon ſom komma ſkulle j werldena/

Gudhi wari loff.

Her haffue wij hördt aff gudz ordh (käre wener) at Jeſus Chriſtus wor frelſare och återlöſare ſom haffuer

1) Angående denna bibellektions beteckning ſåſom *Evangelium*, jfr *Binterim* a. a. VI: 3. 331: "Die Weihe geſcha echemals, wie jetzt, in der Meſſe vor dem *Pater noster*».

giffuit ſich j dödhen för oſs ſegher/ at then ſom troor
vppå honom han ſkal icke döö ewinnerliga/ Och än
thå han wore dödh̄ medh then lekāmeligha dödhen/ ſåå
ſkal han doch fåå lijff jgen/ Mådhan wij nw ſkole alle
blijffua leffuandes jgen til ewigh tijdh/ Så måå wij jw
wel wara ther medh til fridz at wij miſte wora wener
på en lijten tijdh til görandes/ wij miſte them j thetta
förgengeligha liffwernet på thet wij ſkole fåå them jgen
j thet ewigha lijffuet/ The ſkilias widh oſs medh en ſkrö- Fiij
pelig/ ſyndaful och dödhelig lekamen/ och wij fåå them
jgen j en åraful/ retferdig och odödhelig lekamen/ wij
byte til bettring/ ty ſkole wij och giffua oſs til fridz och
tēkia til at wij icke alt för mykit bekymber göre oſs
medh thet ſom förgengeligit är/ epter thet wij wete at
wij ſkole få thet ſom ewight är/ Hedhningana ſom jntit
haffua wiſt aff noghon vpſtondelſe aff dödha/ the haffua
hafft ſtoor bekymber och ſorg ther aff at the miſte theras
wener/ för ty the hadhe icke thz hop at the ſkulle noghon
tijdh fåå them jgen/ Men wij Chriſtne ſom wete at wij
ſkole fåå thm̄ bettre jgen än wij them miſte/ wij ſkole
icke haffua ſådana bekymber/ vtan heller tenkia ther til
at wij äre och redho när gudh wil kalla oſs här aff
teſſe arma och vſla werldēne/ ſåſom han medh thenna
wor wen gioort haffuer/ Gudh geffue oſs allom ſina
nådh at wij icke ſå bekymbre oſs medh thet ſom forgen-
gelighit är/ at wij förtappe thet ſom ewight är/

Sedhan lååß preſten teſſe böön.

Låter oſs bidhia.

O alzmechtige och barmhertige ewige gudh/ tu ſom för
ſyndēnes ſkul haffuer lagdt menniſkione thet vppå at hō döö
moſte/ tu ſom och på thet wij icke ſkulle til ewigh tijdh
blijffua j dödhen/ haffuer lagdt dödhen på thin elſkeligha
ſon Jeſum Chriſtum ſom jngen ſynd hade/ och haffuer ſå j
thin ſons dödh föruandlat wor dödh at han jntit kan

wara oss skadelighen/ Wendt nw titt fadherliga ansicht til oss thin fatiga barn och hôôr wora bôôn/ at om thenne wår framledne brodher † som tu genō dôdhen kallat haffuer aff thetta ålende leffuerne/ år stadder j sådana skickelse at wåra bôner kunna komma honom † til godho/ så werdas til (o himmelske fadher) at wara honō † mil och barmhertig/ bewara honō † j Abrahams skôôt/ och på then yttersta domen vpweckia honō † j the retferdighes vpstondelse/ genō samma thin son Jesum Christum wor herra/ Amen[1]).

† syster

† henne

† hēne

† henne

† hēne

---

1) Denna i flera hänseenden historiskt intressanta bön är utan twifvel författad af Ol. P. Till deß *förra* del (t. o. m. "och höör wora böön") har han (delvis ända till ordalydelsen) synbarligen byggt den på tankegången i den redan anförda bönen omedelbart före *unctionen:* "O alzmechtige ewige gudh — tu som för menniskiones synder skul, epter hennes förtjenta lööu, legger henne plåghor och straff vppå... tu som och genom thin tienare Mosen sagdt haffuer, ath hwadh tu slaghet haffuer, thet kan tu heela igen; så wendt nw tit fadherliga ansichte til wore böön...". Till deß *senare* del är den åter uppenbarligen intet annat än en fri omskrifning af följande bön i *Man. Linc.:* »*Oremus fratres karissimi pro spiritu cari nostri N. quem dominus de laqueo huius seculi liberare dignatus est cuius corpusculum hodie sepulture traditur ut eum pietas domini in sinu abrahe ysaac et iacob collocaret ut cum dies iudicii aduenerit inter sanctos et electos tuos eum resuscitare facias...*».

Såsom *agendarisk förbön för den döde*, torde denna bön wara enastående inom den lutherska liturgien.

Af särskildt kulthistoriskt intresse blir den vidare — icke blott af det skäl, att vår än i dag gällande begrafningsbön: »*Allsmägtige, barmhertige och evige Gud! Du, som för syndens skull...*» är hufvudsakligen samma, 3 1/2 sekel gamla bön, utan äfven af det, att den från *1811-års handbok* nästan ordagrant influtit i *Preuss. Hofagenda 1822* (jfr denna agendas begrafningsritual: "Allmächtiger, barmherziger, ewiger Gott! Der Du um der Sünde willen dem Menschen auferlegt hast, zu sterben, der Du aber auch, auf daß wir nicht ewiglich in des Todes Gewalt bleiben möchten, den Tod auf Deinen eingebohrnen Sohn Jesum Christum gelegt hast, auf ihn, der ohne Sünde war, der Du alsa Durch seinen Tod unsern Tod umgewandelt hast, daß er uns nicht schade, wende nun zu uns Deinen Kindern Dein väterliches Angesicht..."). Häraf framgår alltså det historiska

Huru man skal

iorda lijck[1]).

Först når lijket komber til graffuena legges thz strax j graffuena/ och presten tagher ena skoffwel och kastar tree resor ioord påå lijket[2])/ och segher.

---

factum, att den bön, som än idag läses öfver tusentals öppnade grafvar i ett af verldens främsta kulturland, bevisligen är i hufvudsak författad af svensk man.

1) När Ol. P. omedelbart öfwergår från likets vigning till sjelfwa *jordfästningen*, anger han härmed, att han förkastar den dittills brukade *Missa pro defuncto*. Han ställer sig alltså här på samma ståndpunkt som *KO. für die Stadt Hall* 1526 (*Richter* a. a. I: 47): "Manh at bißhieher fur die todten Vigilien vnd meß gehalten... Auch dieweyl by dem Sacrament raichen der abgestorben verkundiget ward habens die vnuerstendigen dahin zogen eben als opfert man das Sacrament fur die todten... Wie sol man sich dan gegen Inen halten. Sol Ir gar nit geacht werden? In keinen weg es geburt sich ye nit das man sie hinwerff als ein schelmen Dan die abgestorben sein ye noch vnser bruder vnd durch den tod nit auß vnser gesellschafft gefallen. Wir bleyben noch glider eins einigen Corpers darumb sol die Christenlich versamlung fleyssig ermant werden nit zu Vigilien vnd selmessen wie biß hieher. Sonder nach dem ersten gebrauch der Kirchen fleyssig zu dem grab die abgestorbnen zu beleytten".

2) Den *presterliga jordpåkastelsen* är urkristlig sed. Jfr *Binterim* a. a. VI: 3, 454: "So beschreibt das *S:t Eligius-Ritual* diesen Ritus: *Statim sine quolibet intervallo ponitur corpus in terram; iterumque aqua benedicta aspergitur et incensatur. Tunc operculo ligneo aperitur. Sacerdos autem cum pala ter mittens aliquantulum de terra super illud, subjungit has orationes*... Diesen Ritus, der doch in mehrern Ritualbüchern vorgeschrieben wird, berührt Durand nicht". *Daniel* a. a. I: 345: »*Silentio prætermittit Rituale Romanum ritum grandis ac tremendæ maiestatis: dico morem proiiciendi pulverem in loculum defuncti, iam in Rituali Eligiano commemoratum*».

Ol. P. ansluter sig i denna punkt omedelbart till medeltidsritualet: »*Et ponat terram super corpus*» (*Man. Ab.*). Dock nämner intetdera af wåra medeltidsmanual om en *trefaldig* jordpåkastelse.

Aff ioord åst tu kommen/ och ioordh skal tu bliffua jgen/ Jesus Christus thin frelsare skal tich vpweckia påå then ytterste daghen[1]).

Ther epter lååß presten tesse bǒǒn.

Låter oss bibhia.

O alzmechtige ewige gudh/ tu som menniskiona aff ioord giordt haffuer/ Tu som och epter hennes fǒrtienta lǒǒn ladhe henne then plicht vppå/ ath hon dǒǒ moste och warda ioord igen som hon aff ioord kommen år/ See nw medh thin barmherteliga ǒghon til oss thin fatiga ålende barn/ som her kompne åre medh thenna wor brodher † och som oss hoppes thin kåre sons Jesu

† syster

1) Hwad angår denna mycket omtwistade formels historiska ursprung, tyder mycket på, att den af Ol. P. sjelfständigt bildats. De båda inhemska manualen hafwa här formeln: »*de terra plasmasti me et carne induisti me redemptor meus domine resuscita me in nouissimo die*». Jfr *Ag. Monaster. (Daniel* I: 345): »*et pariter immittat aliquid super illam terræ, dicens: de terra plasmasti eum, pelle et carnibus vestiisti eum, resuscita eum in novissimo die*». För så widt *Richters KOO. des 16:n Jahrh:s* gifwa för handen, är *Kliefoths* uppgift *(Liturg. Abhandl.* I. 291), att "die alten Agenden der deutschen luther. Kirchen diesen Ritus nicht kennen", riktig. Från intetdera hållet kan alltså formeln gerna hafwa inkommit i *1529-års handbok.*

Deremot återfinnes den, i det närmaste lika lydande, i den s. k. *Malmoeske Haandbog* af 1539: »*Af Jorden haver Gud skabt dig, og til Jorden est du nu kommen igjen, men Gud skal opreise dig igjen paa den yderste Dommedag*». Men om denna handbok anmärker *Engelstoft* uttryckligen (a. a. p. 3), att "den maa ansees for grundet i særegen skaansk Skik"; hvilket åter tyder på ett möjligt, swenskt inflytande (först på 1680-talet blef denna formel agendariskt fixerad i det danska ritualet, der den än i dag qwarstår under formen: »*Af jord er du kommen! Til jord skal du blive! Af jorden skal Du igjen opståe*»).

Att formelns förekomst i n. w. *preussiska begrafningsritual* ifrån 1822 måste bero på swenskt inflytande, framgår af detta rituals ställning till den swenska handboken öfwer hufwud. Från *Preuss. Hofagendan* har den troligen influtit i *Baierska Agendan* af 1852, ehuru här i annat sammanhang.

Christi ledhamoot/ then tu aff thetta ålende liffuerne kallat haffuer/ och wij nw låggie hår nidh j iordena/ ther han † skal epter thin befalning warda til iordh/ See til os (o himmelske fadher) och hóór willigha woro flijteliga bóón/ at om thenna wor brodhers † skickelse nw så tilstådhia ath wij kunne bidhia fór honom † Såå falle wij endrechteliga til tich och bidhie ath tu wille bewisa honom † thina barmhertigheet/ låta honom † hwilas medh thina vthkorade wener/ Abraham Isaac och Jacob/ och låta thin son Jesum Christum vpweckia honom † på then yttersta daghen j the retferdiges vpstondelse/ och giff os thina helga nådhe ath thenna wor tienist måå wara tich taknemeligen/ och at wij huar j sin stadh motte så begå thn̄na begraffning at wij thet altijdh j sinnet haffue/ huru och wij når thin helge wilie så tilsegher/ at tu os kalla wil/ aff thenna arma och vsla werldenne/ skole komma til iordenne igen/ och merkia thet granneliga j wort hierta/ ath wij j thetta ålende liffuerne icke haffue nogon warachtig stadh/ Giff (o barmhertige fadher) nådhena/ at wij thå eptersókia kunne thet som ewigt år/ och wandra såå j thin helga wilia j thenna ålendheet/ at wij medh thenna wor brodher † moghe på then yttersta domen vpstå til ewinnerlighit lijff/ genom samma thin son Jesum Chr̄m wor herra/ Amen[1]).

† hon · † systers · † henne · † hen̄e · † henne · [Fiiij] · † syster

Sedhan medhan iorden kastas påå lijket måå the siwnga thn̄e sång eller och noghon annan[2]).

---

1) Wid en jemförelse med närmast föregående bön *(»O alzm. och barmh. ewige gudh, tu som för syndenes skul ...»)* faller strax i ögonen, huruledes det föreliggande böneformuläret intet annat är än samma bön i något utwidgad form. Hwad wi derför sagt om det förra formulärets historiska genesis, gäller äfwen i allt wäsentligt om det senare.

2) Psalmsång, icke blott på wägen från och till grafwen utan äfwen *vid* grafwen, war katolsk kultsed (jfr *Binterim* a. a VI: 3. 452 om uråldrig praxis i detta hänseende: "Während die Leiche ins Grab gelassen wurde, sang die Geistlichkeit Psalmenlieder oder betete abwechselnd; die übri-

Wij som leffue påå werlden her/ åre dödzens fånga/ hwem få wij som hielpen år/ then wij epter longa? thet åst tu herre aleene/ wij måå wel gråta bitterligh/ ty wij haffue förtörnat tich/ Helige herre gudh/ Helige starcke gudh/ Helige barmhertigh frelsare tu ewige gudh/ lått oss icke falla j then bittra dödzens nödh/ war oss barmhertigh.

Wij som åre aff syndom swår/ måghom alle qwidha/ hoo år then som för oss gåår/ och wil dödhen lijdha? Thet giorde Christus aleena/ han haffuer lidhit hårdan dödh/ och frelst oss aff dödzens nödh/ Helige herre gudh/ Helige starcke gudh/ Helige barmhertigh frelsare tu ewige gudh/ lått oss ey bortkastas/ j brinnande heluetis glödh/ war oss barmhertigh/

Wij som leffue ey som oss böör/ j synd altijdh falla/ hoo år then oss starcka göör/ emoot synder alla? Then helge ande aleena/ som driffuer synd aff hiertat bort/ hans år thz som wel år giordt/ Helige hetre gudh/ Helige starcke gudh/ Helige barmhertigh frelsare tu ewige gudh/ lått oss ey förtappas j then ewinnerligh dödh/ war oss barmhertigh [1])/

Förbarma tich gudh öffuer mich/ för thin stora barmhertigheet/ Och för then nådh som år j tich tagh

---

gen bildeten um das Grab einen Cirkel ... Die Ritualbücher schreiben nicht überall gleiche Psalmen und Gebete bei der Einlassung der Leiche in das Grab vor"). Wårt inhemska medeltidsritual angifwer här *Ps. 139 (»sequitur psalmus legendus dum corpus humatur Domine probasti me et cognouisti me ...»).*

1) Dessa 3:ne wersar äro öfwersättning, ehuru icke ordagrann, af den lutherska psalmen »*Mitten wir im leben sind*» (hwilken åter framgått ur den wälkända, latinska *Antiphona de morte: Media vita)*. Öfwersättningen, som är wäsentligen densamma som i *1530-års psalmbok (Ur en Antecknares Samlingar* Ups. 1880-82 p. 193), antages af Beckman wara werkstäld af Ol. P. (jfr N:o 26 i *1819-års psalmbok)*.

Enligt *Kliefoth* (a a. I: 290) plägade deßa wersar gemenligen inom den äldsta lutherska kyrkan sjungas *på vägen till grafven* (jfr *Richter* a. a. I: 146. 259. 330).

bort min orettferdigheet/ twå aff min synd och gör mich reen/ ty min brist iach wel kenna kan/ moot tich haffuer iach syndat alleen/ at thin oord skole bliffua sann/

See gudh j synd är iach aflat/ j synd aflade modher min/ see sannind haffuer tu elskat/ thin hemligheet gaff tu mich jn/ stenk mich medh helsosam Hysop/ som sniöö warder iach hwijt och reen/ lått mich höra glådhi och hopp/ såå frögdas mijn förskrechta been/

Ifrån min synd wendt titt ansicht/ och min synd tagh bort alla slått/ jtt reent hierta skapa j mich/ gör j mich andan nyy och rett/ kasta mich icke tich ifråå/ och tagh ey bort thin anda godh/ thin helses glådhi lått mich fåå/ sterck mich j andans friya moodh/

Thin wegh iach gerna låra wil/ them som orettwise åre/ at the skola falla tich til/ och giffua tich prijß och åro/ O herre minne helses gudh/ frelsa mich fråå synder mina/ min tunga skal epter titt bodh/ förkunna rettwiso thina/

Om tu hadhe hafft offer kårt/ iach hadhe jw thz giffuit tich/ men thet offer som tu haffuer lerdt/ thet hierta som bedröffuar sich/ gör wel widh Sion herre min/ så warder vpbygd medh thin oord/ Hierusalem then stadhen thin/ ther reen offer warda tich giord[1]).

När the haffua sunget/ segher presten.

Låter os höra hwadh S. Paulus segher om the dödha[2]) j sitt sendebreff til the Tessalonicer/

---

1) Äfwen dessa 5 wersar återfinnas i det anförda fragmentet af *1530-års psalmbok*. De motswara de latinska ritualens: »*Miserere mei deus*» och de tyska agendornas: »*Erbarm dich mein, o Herre Gott*».

2) Införandet af *skriftläsning* wid sjelfwa grafwen är ett afgjordt protestantiskt drag (jfr *Kliefath* a. a. I: 297). Det katolska ritualet har här endast Dawids psalmer och bibliska antiphonier.

I allmänhet gäller om föreliggande formulär, att hela deß anläggning är mera afgjordt protestantisk än något annat i *1529-års handbok*. Det

Brödher wij wiliom icke dölia för idher/ om them som affsompnadhe äre/ ath j icke sörien som the andre ther intit hopp haffua/ För ty om wij troo at Jesus är dödher och vpstonden/ så warder och gudh them som affsompnadhe äre/ genom Jesum/ framhaffuandes medh honom/ Ty thetta seyom wij idher såsom herrans oord/ at wij som leffuom och igen bliffuom vthi herrans tilkommilse/ wij warda ingalunda förekommande them som soffua/ för ty sielffuer herren skal stiga nidher vthaff himmelen medh vthroop och öffuerängels röst/ och medh gudz baswn/ och the dödha j Christo warda vpstondandes j förstonne/ ther epter wij som leffuom och igen leeffde årom wardom til lijka medh them vprychte j skyyn emoot herran j wådhrit/ och så bliffuom wij när herranom all tijdh/ Såå tröster idher nw medh thenne oorden inbyrdes [1]).

---

utmärkande för det urlutherska begrafningsformuläret var nämligen, att hufvudsakligen bestå just af följande fyra moment: *psalmsång*, *lectio*, *»eine kurze Vermahnung»* och *bön*. Å andra sidan måste vi dock ännu här fasthålla vårt antagande, att icke något *visst*, *utländskt formulär* liggat till grund för det svenska. I så fall skulle nämligen Ol. P. näppeligen låtit sig ända derhän bindas af ordalydelsen i *»then latiniske handbokenne»*, att han t. o. m. intagit ett så oprotestantiskt drag som *förbönen för den aflidne*. Troligt är, att Ol. P. antingen genom personlig iakttagelse under sin vistelse i Tyskland eller på någon annan väg blifvit redan tidigt förtrogen med den lutherska jordfästningens *grunddrag* (jfr Celsii förut anförda uppgift, att han redan 1521 lät begrafva sin fader *»efter Evangeliskt sätt»*).

1) I Tess. 4: 13—17. var, enligt *Rit. Rom.*, gifven episteltext i *Missa in die Obitus seu Depositionis Defuncti (Daniel* a. a. I: 342). Gemenligen angafs icke i de gammallutherska KOO. någon bestämd text; blott förordades såsom regel i allmänhet *»sincera prædicatio verbi Dei aut saltem iuxta ipsum brevis admonitio»*. Härutinnan såväl som i hela sin hållning för öfrigt utmärker sig det svenska formuläret för långt större, liturgisk fasthet än de utländska formulären från 1500-talet. T. o. m. är för en icke ringa del af dessa en *kyrklig jordfästning* i egentlig mening helt och hållet okänd (jfr t. ex. *Ordnung der stadt Elbogen 1523:*

När Epistelen är låsen thå måå wel presten haffwa tesse for=maning til folkit/ om honom såå synes och folk är nogh til ståd hes[1])/ och låte sidhā folket gåå/

Käre wener här see wij nw alle wor speghil/ och hwadh affgong thetta arma och vsla leffuernet haffuer/ ath såsom wij åre aff jordh och mull kompne/ så moste wij åter ther til jgen/ Och måå wij for then skul alle wel clagha och begråta thet armoodh och wedhermödho som wij vthi kompne åre medh syndēne/ och hwar wij ey annars kunne besinna wor breck och vselheet/ thå motte wij jw noogh kunna hēne besinna ther aff at wij jw moste ena reso döö och croppen moste forrotna och blijffua til iordh/ Så är menneskiones natur plat för=deeruat/ at henne retzliga jntit stoodh til hielpande til then åre och härligheet som hon war skapat vthi/ medh mindre at sielen moste först skilias wedh croppē/ och at croppen worde til iordh jgen och worde så til jntit/ gioordh/ påå thet han plat motte warda förwandlat til en odödelig skickelse/ Och måå wij här kunna merkia huru swårligha gudh warder förtörnat genom syndena/ För ty/ epter han haffwer lagdt oss ena så swåra pino och förwādling vppå/ kan man jw clarligha merkia at ther haffuer warit en dråpeligh saack til/ then annerlunda icke kunde fortaghas medh mindre wij först moste döö/

"zum zebenden, soll abgestellet seyn die begengknüß der todten". *Landesordn. des Herz:s Preussen 1525:* "Item *So yemant der Capellanen oder diener hierezu begeren wurd*, Sollen sie mit gehen *wie ander freund* ane gesenge....". *(Richter* a. a. I: 16. 32).

1) Härmed följer nu till sist den *Förmaning*, som utgjorde det stående draget i den gammallutherska jordfästningen (jfr *Kliefoth* a. a. I: 294. "Darin sind ohne alle Ausnahme alle KOO. einig, daß sie es nicht bei den Gesängen zur Procession und Bestattung bewenden lassen, sondern irgend wie einen solchen Act (ein Act der Verkündigung des Worts und des Gebets) haben"). Såsom vanligt gifver Ol. P. äfven åt denna *allokution* en rent homiletisk karakter. Den utmärker sig för kraft, klarhet och innerlighet.

och wor lekamen moste blijffua til asko/ så at dödhen är jtt wist tekn ther til at gudh icke kan lijdha syndena/ ty syndenes löön är dödhen/ Och än thå at synden är så jntredt medh os at wij jw för hennes skul döö moste/ Så haffuer doch gudh forbarmat sich offuer os och latit sin eenfödda son Jesum Christum som lijffuet är/ lijdha dödhen påå thet at dödhen skulle j honom warda offuer-wūnen/ och mista så sina krafft at han icke skulle haffua macht til at behalla os som genom dödhen nidherlagdes/ vtan at såsom Christus stoodh vp aff dödha/ så skulle och wij vpstå jgen/ ty at dödhen är nw så machtlööß worden genō Christi dödh/ at han jngen kan befalla som troor påå Christum For ty såsom Christus är vpstonden aff dödha och aldrigh döör meer/ ja dödhen warder ho-nom aldrigh mera offuermechtig/ Såå skal thet och gåå til mz os/ at wij som troo påå Christum och döö medh honom/ wij skole och warda deelachtige medh honom aff vpstondelsen/ såå at dödhen skal sedhan ey mera macht haffua medh os än medh Christo/ och thet är os som Christne äre en ganska stoor tröst/ Och ther före segher nw S. Paulus j Epistelen/ at wij Christne icke skole söria the som framledhna äre/ såsom the ther jntit hop haffua/ Hedhningar och ogudhachtiga menniskior som icke haffua thet hop at the dödhe skole fåå lijff jgen/ the gråta och iembra sich at theras wener falla them jfråå/ epter thet the jntit hopp haffua ther til at the skole noghon tijdh fåå them jgen/ Men the Christne som haffua thz formodha sich/ och haffua hop at the skole vpstå jgen/ the skola icke så iämbra och bedröffua sich/ som the ther sådana hop icke haffua/ Thet är wel naturlighit at wij sörie ther offuer at wora wener falla os jfråå som os haffua warit bijstondige/ Men thet är meera söriande ath wij äre kompne vthi sådana armoodh medh syndenne/ at wij haffue förtient dödhen/ Så at när wij see noghon mēniskio wara dődha/ skole wij meera gråta ther offuer ath wij haffue såå armt och vsselt leffuerne/ at thet moste lychtas medh dődhen/ ån at wij gråte ther offuer at wor wen år oss jfråå fallen/ ån thå at en mottelig sorg offuer wor dődha wen ey år straffelighē for ty man haffuer aff scrifftenne at monge merkelige men bådhe j thet gambla och nyia testamenstit/ haffua sőrgdt őffuer theras dődha/ Såå måå wij och wel gőra/ doch mz mot- teligheet/ så at wij stille wor sorg medh thet hop wij haffwe til opstondelsen/ och icke gråte som the ther jntit hopp haffua ther til/ Főr ty (segher Paulus) om wij troo at Jesus år dődher och vpstonden/ så warder och gudh thm̄ som affsompnade åro genom Jesum framhaff- uandes medh honom/ som han wille seya/ Om wij troo thet at Jesus Christns haffuer giffuit sich vnder dődzens macht/ och ath dődhen icke haffuer warit såå mechtigh at han kunde behalla honom vnder sich/ medh mindre han jw stoodh vpp jgen/ och låt på see at han war star- kare ån dődhen/ och wan honom őffuer/ Såå skal och gudh gőra medh oss som dőő eller affsompne j Jesu Christi troo/ ath han skal haffua oss fram med Christo/ at wij och offuerwinne dődhen och blijffwe leffuandes jgen/ såsom Christus gioordt haffuer/ Och thetta warder wisseligha skeendes/ ty giffuer och Paulus thet főre som herrans oord/ ther jntit feel kan wara medh huru thet tilgåå skal j sådana vpstondelse/ at wij som leffuom och jgen blijffuom j herrans tilkommelse/ wij warda jnga- lunda főrekom̄ãde them som soffua/ thet år/ The menni- skior som thå leffua på iordēne når vpstōdelsen skal skee/ och Christus skal komma til domen/ the skole icke főrra wara redho ån the ther dődhe åre/ såå hasteligha skole the vpståå at the ther mong twsende åår haffua dődhe warit/ skole wara så snart redho som the ther thå leffwãdes åre/ For ty sielffuer herran skal stigha nidh aff himmellen

medh vthroop och öffuerängels röſt/ och medh gudz
baſwn/ och the dödha j Chriſto warda vpſtondandes j
förſtonne/ Ther epter wij ſom leffuom och jgen leeffde
årom/ wardom til lijka medh them vprychte j ſkyyn
emoot herran j wådhret/ och ſå bliffuom wij når herra=
nom altijdh/ Som Paulus wille ſeya/ Thet år ey vnder
at ſådana vpſtondelſe ſkal haſteliga ſkee/ for ty ſielffuer
herren komber nidh aff hemmelen medh ſtoor ſtorm och
buller/ ſom en weldig koning komber til markena/ medh
vthroop och offuerångels röſt och gudz baſwn/ ſå at
omögalighit år ānars ån at jw all creatwr moſte beffwa
och förfåras for honom/ och giffua jgen the dödha krop=
par ſom the til ſich taghit haffua/ Och the dödha warda
vpſtondande j förſtonne/ thet år/ förra ån wij warde
optaghne emoot Chriſto/ och ther epter warda thå the
ſom leffwa förwandlade jfråå theras dödheliga wåſende/
til odödeligheet/ och bliffua ſåå til lijka leffuandes och
dödhe/ then ene medh then andra/ oprychte j ſkyyn
emoot herran j wedhret/ och blijffua ſidhan altijdh medh
honom.

Thå warder ſeghr̄ wunen offuer dödhen/ ſyndena och
heluetit/ Och mz teſſe ordh bedher Paulus at wij ſkole
tröſta oſs jnbördes/ Ja wij måå wel tröſta oſs hår medh/ thet
år en gladelig tijdhende at wij ſkole ſtåå vp aff dödha/ och
bliffua til ſamman medh Chriſto til ewigh tijdh/ Och j then
motte måge wij wel förachta dödhen epter thet han jntit
kan behalla oſs/ vtan han moſte giffua oſs jfråå ſich
jgen/ Ja dödhen år nw worden en jngong til thet ſan=
ſkylloga lijffuet/ Ther före begiårade och Paulus förloſ=
ſas genom dödhen och blijffua medh Chriſto/ och år
dödhē nw ey ānat ån ſom en ſömpn/ och Paulus ſegher
thm̄ ther dödhe åre/ ſoffwa/ O hwilka ena welgernīg
haffuer Chtiſtus giordt oſs/ ſom haffuer taghit dödhen
ſom oſs ſkulle warit til jtt ewight nidherſlagh och for=

derff/ och forwandlat honom at han nw är wordē en jngong til ewinnerlighit lijff/ Ja wij kunne icke warda odödhelige vtan genom dödhen/ Wor dödh är nw genom Christi dödh worden en läkedom til liffuet/ så at när wij begynne döö/ thå begynne wij först til at retzliga leffua/ för ty synden som wij warde födde medh/ är sää hardt jnstighen medh oss ath wij icke kunne warda henne Giij qwitte så lenge wij leffue/ Och ey äre wij beqwemmelighe til thet ewigha liffuet sää lenge wij äre besatte medh syndenne/ som werkar j wor dödheligha ledhamoot/ Ther före är thet aff nödhenne at dödhen komber och slåår menniskiona nidher som synden regerar vthi at kroppen warder om intit gioord/ och så blijffuer och synden om jntit som j kroppenom bodde/ Ther före är nw dödhen en merkeligh lekedom worden/ Och än thå then läkedomen är bitter vppå gåå/ är han oss doch nyttigh/ och kūne wij merkia aff sådana skarp läkedom/ huru hard syndenne siwkdom är/ som wij äre befengde medh/ Och äre wij arme och vsla menniskior så lenge wij äre j thetta ålenda leffuerne/ her är j tesse arma werldenne jngen trygheet/ vtā på alla sidhor äre wij bekymbrade medh syndenne/ Ther fore måå wij jnnerliga falla til wor hēmelska fadher/ och bidhia honom om nådhena/ at wij icke fruchte eller förskreckies för dödhen/ Epter thet är oss nw ganska nyttight at wij til en kort tijdh smake thenna lekameligha dödhen medh Christo/ på thz wij måghe och medh honom vpstå jgen til saligheet/ Och skole wij icke all for mykit söria och bedröffuas ther aff at wore wener äre framledhne/ for ty the äre nw skilde widh thenne ålendheet och farligheet som wij än vthi äre/ och the äre nw kompne til Christi rooligheet/ ther the hwilas skole til then ytterste domen/ thå skola wij medh them kōma til hopa jgen/ och bliffua så medh Chtisto til ewigh tidh/ her skole wij nw trösta huar annan inbyrdes med/ Gudh allzmechtig giffue oss sina helga nådh/ at wij så må wandra i tesse werldt medh thet som tijmelighit år at wij icke miste thet som andelighit och ewight år/ Amen.

Itt sett huru man skal handla mz them som rättas eller aflijffuas skole[1]).

Först må man gå til honom tijtt han sitter j fångelse och hughswala honom och bidhia honom wara widh ena godha tröst widh thetta sinnet eller annat sådana.

Kåre brodher epter tu nw år gripen och satt j hectilse főr thina misgerningar skuld/ så loffwa och tacka gudh főr alla delar/ Och twisla intit ther vppå at thet haffwer jw så warit hans helge wilie at tu skulle warda gripen/ főr ty ingen menniskia ey heller noghit creatwr hade kunnet komma sina hand widh tich medh mindre thet hade så warit gudz wilie/ twisla ther intet vppå at gudh haffuer thz så skickat at tu skulle warda j sådana motto fongat/ så at tu est retzligha gudz fonge/ och icke noghon menniskio fonge/ főr ty gudh haffuer alt regementit i sina helga hender bådhe j hīmelen och på ior=

1) Detta formulär är väsentligen blott en modifikation af det redan meddelade formuläret: *Huru them skal göras theres redha som siwke liggia.*

Troligen hade Ol P. en häfdvunnen praxis att anknyta sig till. Något tidigare formulär för denna *actus sacerdotalis*, vare sig inländskt eller utländskt, är oss dock icke bekant. Det tidigaste spår till förordnande i denna riktning, som vi inom lutherska kyrkan kunnat utfinna, är följande paragraf i *Braunschw. KO. 1528:* "Van misdederen. Prestere schal me nicht alleine laten gan to den misdederen, wen se scholen vthgevoeret werden, sondern ok vakene de wile se sitten, se to leren vnde mit en to reden, dat se mogen kamen to der erkenntnisse des Euangelij . . ." Ett utförligare formulär återfinnes i *Ag. Austr. 1571.*

dēne/ så at en sperff som man kan kőpa főr en halff skerff/ icke kan falla vppå iordena medh mīdre thz skeer Matt. x.
medh gudz fadhers wilia/ ja itt lőőff kan icke falla på jordena vtan medh hans wilia/ mykit mindre skulle noghor menniskia kunna warda gripen vtan hans wilia/ epter thz Christus Jesus wor frelsare och återlősare Lu. xij et xxj
haffuer sielffwer sagt at håren på wort hoffuud åre all samman reknat/ så granna acht haffuer gudh vppå menniskiona/ at han icke tilstedher at jtt håår på hennes hoffuud kan vtan hans wilia főrgåß/ Her aff må tu kunna merkia huru grāna acht gudh haffuer på menniskiona/ at jtt thet minsta håår som år på hennes hoffuud kan icke főrgåß vtan medh hans wilia/ sáå ath thet tu est nw worden gripen och fongat thet år alt skeedt epter gudz wilia och skickelse.

Så skalt tu och intit twifla at gudh år tich en mild och barmhertig fadher och vnner tich gott aff alt sitt [Giij] hierta/ och thet lååt han noogh påskina thå han gaff sin eenda son Jesum Christum j dődhen főe thina skul/ hadhe han icke vndt tich gott thå hadhe han thet icke giordt/ Nw epter thet han haffuer hafft tich sáå kåår at han haffuer giffuit sin son j dődhen főr tich/ ath tu icke skulle warda főrderffuat til ewigh tijdh/ så mååå tu noogh kunna merkia/ at alt thet han lågger tich vppå thet gőr han alt tich til godho och főr titt betzsta skull/ Főr ty han år thin fadher och tu åst hans barn/ En godh fadher plågar vnderstundom bruka riset widh barnet/ når thet bryter/ men thz gőr han főr barnsens betzsta skul/ han slåår icke barnet j then acht ath thet skal warda főrderffuat/ vtan på thet at thet skal warda főrbåtrat/ Sáå haffuer och nw gudh/ som år en godh fadher/ giordt tich/ han haffuer slaghit tich medh sitt fadherliga rijß/ at tu åst worden gripin och satt j fengelse/ och wil han ån ther offuer haffua tich til dődhen/ Men han år tich allikawel en godh och barmhertig fadher och vnner tich gott/ Ther före låter han alt thetta ſkee tich til godho/ och ån thå thet år tich bittert vppå gåå/ Så år thet doch tich ſielffuō nyttycht til thinne ſiel at ſådana ſkeer/ Och weet thin himmelſke fadher better hwad tich år nyttigt/ ån tu weeſt thet ſielff/ Ther före ſkal tu giffua tich honom j ſkóón ath han góór medh tich epter ſin helga wilia/ Och måå tu haffua thz för jtt wiſt tekn at hā vnner tich gott/ epter thet han kaſtar tich ſådana plågho vppå/ för ty then han elſkar then nåpſer han och ſtraffar/ Tu war kommen j dieffwulſens ſnaro och war fallen j thē ſynd ſom tu nw år gripin före/ dieffwelen haffuer beſwikit tich och kommet tich til at göra ſådana misgerning/ och hadhe han thet j ſinnet at han wille medh ſamma gerning haffua draghit tich til ewīnerlig fördömelſe/ Men gudh thin hemmelſke fadher haffuer ſeet til then farligheet ſom tu waſt vthi kōmen/ och haffwer aff ſinne fadherliga barmhertigheet taghit tich aff dieff=wulſens hender/ och legger tich nw jtt timelighit ſtraff vppå ſom icke warar meer ån en lijten tijdh/ at tu icke ſkulle epter dieffwulſens vpſååt warda fordömder/ och lijdha heluites pino och ſtraff til ewigh tijdh/ Och hwar gudh icke hadhe latit tich gripas/ vtan ath tu hadhe vndankommet/ hadhe thet warit farligit at diewulen hadhe behallet tich j ſin hechtelſe och draghit tich til flere och grooffuare miſsgernīgar/ ån tu nw giordt och bedrifuit haffuer/ och ſidhan hafft tich medh ſich til ewinnerligh fördömelſe/ Ther före haffuer nw thin himmelſke fadher gioordt wel emoot tich/ at han haffuer wendt then ewiga dödhen ſom tw fortient hade/ vthi en timeligh och ganſk̄a kort dödh/ ther kan tu aldrig till fullo tacka honō fore/ och måå tu nw kūna merkia huru diwpt tu waſt kommen j dieffwulſens wold/ at tich icke war annor rådh/ ån at tu jw moſte lijdha then lekam=meligha dödhen ſå framt tu icke ſkulle lidha then ewin=

nerliga dödhn̄ bådhe til lijff och siel och är nw then
lekamlighe dödhen som tu nw lijdha skal/ en rett låkedom
emoot then ewīnerliga dödhen som tu fortient hadhe/
Ther fore war nw gudhi thinom fadher lydhoger/ epter
thet han haffuer lagdt tich thēna plicht vppå/ så lijdh
henne toleligha/ och tacka honom at han icke wille låta
tich gåå epter titt eghit sinne och dieffwulsens eggelse/ thr̄
tich hadhe kommet ewinnerlig fordömelse epter/ Gudh
han straffar tich/ doch likawel som en mill och barm=
hertigh fadher plåghar straffa sitt barn thet han haffuer
kåårt/ Giff tich nw plat j hans hender/ tu hörer honom
til/ han haffuer giffuit tich thetta lekameliga lijffuet/ war
til fridz at han taghr̄ thet åter jfrå tich/ han haffuer
thet j sinnet at han wil giffwa tich itt bettre lijff jgen/
Thetta lekammeliga liffuet är fult medh synder/ sorg och
bedröffuelse/ ther före måå man wara gladh ath wij snar=
ligha skilies hådhan/ Men thet liffuet som gudh wil
giffua tich jgen är retferdigt/ heligt/ vtan alla sorg och
bedröffuelse och warar til ewigh tijdh/ tu byter til bät=
ring/ Tacka gudh som titt betzsta wil weta.

Sedhan må presten spöria honom til om hans synder göra Hj
honom noghot bekymber/ och om han haffwer noghot vthestondandes
medh noghon/ och måå presten formana honom ath han bidher
them som han haffwer syndat emoot/ at the giffua honō til sijn
brott/ besynnerliga thm̄ som han haffuer gioordt thn̄ synd emoot
som han skal rettas fore/ Och skal hā förmanas at han platt slåår
all ogönst aff hiertat som han haffwer til them som honom låta
retta/ och ååhoo the äre som honom haffua förtörnat/ såå skal han
doch giffwa them til alt thz the haffua warit honom emoot/ For ty
så framt han wil haffua gudz wenskap/ så moste han och förlåta
enom andrō sin brott/ Och hwar han haffuer noghro werldzliga
åghodelar så måå han göra ther redho vppå/ giffua testamente til
fatight folk/ eller thet meniga betzsta/ epter som thr̄ om til förenne
handlat är/ Och skal honom hallas före ath han slåår all werldz=
lig bekymber aff hiertat/ och låter werldena bliffua mz sitt goodz
och bekymber/ hallandes sich ju til sin hemmelska fadher som honom

nw kalla wil aff tesse werldenna/ Och måå presten halla honom fòre thet som hår til fòrēne ståår/ huru mā skal handla medh them ther siwke åre begynnandes ther.

Kåre brodher huru år thet fatt medh titt samwet/ gòra thina synder tich noghot bekymber? 3c/

Och sedhan skal presten fòrfòlia bådhe medh formanelse/ bekēnelse och scrifftemåål som ther epterfòlier/ Och om han skal anamma Christi lekamen til sich (som ganska nyttigt wore) så skal man giffua honom alt thet fore som ther på lydher och her ståår til fòrenne/ så at han jw wel weet j hwah acht han thet gòòr/ Och når han ledhes vth må presten gåå medh honom och tròsta medh then fòrmanelse som her ståår til fòrenne/ hwilken presten skall haffua til then siwka når han skal gåå jfråå honom/ Och skall han fòrmana honom at han jw jntit twiflar sina synder wara fòrlåtna/ fòr Jesu pino och dòdh skul/ Och thå han komber titt som han skal rettas/ måå presten tròsta honō widh thetta sinnet.

Kåre brodher thet år nw så når kommet at tu skal gåå jfråå tesse vsla werldene til thin himmelska fadher/ såå war widh ena godha tròst thina synder åre tich forlåtna/ och tagh nw exempel aff Christo som war sin hemmelska fadher lydhig in vthi dòdhn̄/ Så war och tu honō lydigh j dòdhē och ån thå thenne dòdh som tu nw lidher år en forsmådelig dòdh epter werldenne anseende/ Såå lijdh honom doch toleliga/ Christi dòdh war och forsmådelighen/ men hā war likauel nyttig och gagnelighen/ såå at ther folgde alles wores saligheet epter/ Såå år och thin dòdh forsmålighen/ och år doch likauel icke vtā frucht/ For ty tu haffuer giordt ena vpenbarliga synd/ hwilken epter gudz retwiso straffas moste/ tilkreffuer och så thet meniga betzsta at sådana straffas skal/ Thr̄ fòre år nw thin dòdh ey vtā frucht och gagn/ Forst tiånar tu gudhi medh thin dòdh j thet hans retwisa haffuer ther vthinnan sin gong/ och gudhi skeer then prijß at thet straffas som illa år giordt/ epter som han haffuer budhit och befalet offuerhetenne/ at han sådana ſtraffa ſkal/ och är thz gudhi en åra at hans befalnīg warder fulgiord/ Så tiänar tu och thin jemchriſten medh thin dödh j thz meniga betzſta/ epter thet at aff thin dödh komber them en reddoge vppå ſom illa wilia göra/ at the måå låta ſådana bliff til baka/ ther ſidhan komber frijdh och roligheet aff j thz menigha betzſta/ Här måå tu nw kunna merkia gudz ſtoora nådh och barmhertig= heet/ at han haffuer taghit tich fråå dieffwulen at han icke ſkulle haffua draghit tich til flere ogerningar och ſedhan til ewigh fördömelſe/ vtan han ſom år thin hem= melſke fadher haffuer latit gripa tich/ och wil nw haffua tich j thenna tijmeliga och korta dödhen/ at dieffwulen icke ſkal fåå tich til then ewinnerligha dödhen ſom han achtat hadhe/ Och haffuer nw gudh wendt thin fortienta dödh ſinne retwiſo til prijß och then menigha man til nytto och gagn/ Ther före war widh jtt gott moodh och tacka gudhi at han thina ſaak ſå ſkickat haffuer at tu nw bådhe kā tiena honom och thin nåſta medh thin dödh/ Lijdh dödhn̄ gladheligha/ ther fölier frucht medh/ lått nw påſkijna ath tu ſöker epter gudz prijß och thin jemchriſtens betzſta/ och twiſla jntit at gudh ſom haffuer wendt thin fortienta dödh ſich till prijß och then meniga man til nytto och gagn/ han haffuer jntit förglömdt tich/ vtan wil j thēne dagh haffua tich jn j Paradijs ſom han giorde röffuaren ſom mz honom korsfeſter war/ Och höör nw thet helga Euangelium thinne troo til een ſtadhfeſtelſe.

Hij

J then tijdhen korsfeſte the twå röffuare medh Jeſu en på hans höghra och then andra på hans wenſtra ſidho/ och ſå bleeff ſcrifften fulboordat/ J bland ogerninges men wart han reknat/ Men en vthaff the ogernīges men ſom vphēgde wore/ hädde honom och ſadhe/ Eſt tu Chri= ſtus/ frelſa tich ſielffuan och oſſ/ Thå ſwarade then andre/ ſtraffade honom och ſadhe/ Fruchtar tu icke heller gudh tu ſom år j ſamma fördömelſen?/ Och år thet wel rett medh oſs/ ty wij lijdhe thet wora gerningar werda åre/ men han haffuer intit ondt giordt/ Och ſade han til Jeſum/ Herre tenk vppå mich thå tu kommer vdi titt rike/ Och ſade Jeſus til honō/ Sannerliga ſegher iach tich/ j dagh ſkal tu wara medh mich j paradijß.

Gudhi ware loff.

Sedhan ſegher preſten til hela förſamblingene.

Kåre wener j Chriſto Jeſu j alle ſom åre her vthkompne medh thenne wor brodher ſom nw ſkal ſkilias jfrå oſs medh dödhen/ iach förmanar idher at j falle medh honom på idhor knå/ och haffwen idhor innerliga böön til gudh för honom at han må döö j enne ſtadhige troo til wor frelſare Jeſum Chriſtum. Låter oſs bidhia.

O alzmechtige ewige gudh/ wor herres Jeſu Chriſti fadher tu ſom låter thina barmhertigheet ſkina offwer alla thina gerningar/ see nw mildeliga till thenna thin fatiga ſonga/ ſom tu j dagh wil kalla aff thetta arma/ vſla och ſyndafulla liffuernet/ giff honom then helge andz nådhe j ſitt hierta/ ath han må ſtå faſte j troonne och döö en rett Chriſten menniſkia/ Låât thin elſkeliga ſon Jeſum Chriſtum ſeya til honom ſom han ſagde til röffuaren på korſſet j dagh ſkal tu wara medh mich j paradijß/ See icke til hans ſtora och groffwa ſynder/ vtan til thina ſtoora barmhertigheet/ Och til then harda och bittra dödhen ſom thin ſon för honom lijdhit haffuer/ Låât honom ſå j dagh ſkilias widh teſſo werldena/ at han må på then ytterſte domen vpſtå j the rettferdiges vpſtondelſe/ och blijffua ſå medh tich till ewigh tijdh/ genom ſamma Jeſum Chriſtum wor herra Amen/ Fadher wor zct.

Ther epter må man ſiunga/ Wij ſom leffwe på werlden her etc./ eller och noghon annan gudhelig pſalm Och når han ſkal thå rettas må preſten ſeya.

Kåre brodher tenck nw på ingen ting vtan vppå Jesum Christū sō haffuer lidhit dődhen főr tich/ twisla intit/ hā år wisserliga medh tich och gőr tich bistondt/ Och ån thå tu lidher dődhen som en ilgerninges man så må tu doch wara gladh at tu lidher medh Christo såsom rőffuaren giorde/ tu dőőr medh Christo/ thet år/ j Jesu Christi kundskap/ ther főre skalt tu och wisseliga komma medh honom j sitt rike/ Och iach segher tich nw fulleligha til på Jesu Christi wegna/ at j dagh skal tu wara medh honom j paradijß/ Ther főre giff tich gudhi j wold och sågh til thin himmelska fadher såsō Jesus Chr̄s thin kere brodher och återlősare giorde på korset Hiij Fadher j thina hēder antwardar iach min anda[1]).

Hwar thet och så hender at then som rettas skal/ som offta skeer/ at hā haffuer ingē skuld j thn̄ saack hā år beclaghat főre[2]) honō må man och hugswala och trősta som nw főregiffuit år/ Och halla honom thet főre at gudh år then som thet haffuer så skickat at han skulu haffuas til dődhen/ och ån thå han icke år brotzligen j then saack som honom tillegges/ weet doch likauel gudh saack medh honom/ han weet all hemligheet/ Han weet well hwadh saack han haffuer ther til/ Therfőre skal man giffwa sich gudhi j hender och låta honom gőra medh oss effter sin helgha wilia/ Och hwar thet ån så kunde henda at wij wore vtan skul főr menniskio őghon/ så kunne wij aldrigh så liffua at wij jw haffue synd főr gudz őghon ther han må straffa oss főre/ hwar honom så teckes/ Ther főre skole wij giffua woro saack gudhi j wold och giffua oss honom skylliga och låta honom regera medh oss epter sin helga wilia/ Och om thet ån så hende at han hadhe platt ingen skul til sådana dődh som han thå lijdha skal/ Så må han thå wara gladh/ at han lidher

---

1) Jfr *Ag. Austr.*: "... Sage nur: Vatter, in deine Hände befehle ich meinen Geist. Du wirst mit dem Schächer hören: Heute wirstu bey mir sein im Paradeyß".

2) Man märke den ringa tillit till den offentliga rättskipningen i landet, som detta uttryck röjer.

en meenlöößz dödh sō Christus leedh/ och icke en förtient dödh som röffuaren giorde/ Thet är bettre båra korset som Christus giorde/ än som röffuaren/ medh sådana stycke må mā trösta honom/ at han är gladh ther aff/ at han icke haffuer sådana bedriffuit som honō warder tillagt/ Och giffua gudhi sin meenlösa dödh j stöön/ han rammar wel hans betzsta.

Beslwtningen.

Her haffuer tu nw godh Chriſten menniſkia ena Swenſka hand=
boock then tu Chriſteligha bruka må j the ſtycke ſom hon år ſkickat
til/ Och haffuer iach her vthinnen (effter mitt fógho fórſtondt)
giffuit mitt rådh/ huru man ſkal handla medh dópelſe/ brudhar/
the ſiwka/ then ytterſte olningen och annat ſådana/ Och kan iach
wel lijdha at en annan gór thet bettre/ iach twingar ingen her til/
then ther will bruka thetta ſettet han må thet góra/ Thet tórſs
iach doch wel ſeya at hā kan thet Chriſteliga góra/ Thn̄ thetta
ſettet icke behaghar han góre jtt bettre/ iach ſeer thet gerna/ men
achte han och ther vppå at han gór thet Chriſteliga/ Jach twiflar
intit at the wel kōma ſkole ſom thetta forachta och fórdóma/ Man
ſkal ſnarare finna tiyo ſō en ting ſtraffa och fórdóma/ ån man
ſkal finna en ſom ſkal kunna góra jtt annat lijka gott/ Thet år nw
ſå når kommet at then ſtraffar meſt ſom ringeſta forſtondet haffuer/
Men ſtraffet hoo ther ſtraffa wil/ iach giffuer doch them allom thet
ena ſwaret/ Góre the thz bettre/ och når the thet gioordt haffua/
wil iach tacka thm̄ thr̄ fóre/ Jach haffuer her ſatt om thn̄ ytterſta
olningen at hon ſkal ſkee til lijffs och icke til dódz/ och ther haffuer
iach ſcrifftena mz mich/ teslikes och the bóner ſom ſtåå j thn̄ la=
tineſka handboken/ Then ther icke wil halla ſamma olning fór thet
ſom iach haller henne fóre/ han måå góra ſom honom tyckes/ Then
ther och ſå år til ſinnes at han wil halla then olning fór jtt vth=
uertes teckn til then jnwertes ſmórielſen ſom ſkeer j them helga
anda/ ſåſom och ſkeer medh Chriſmo ſmórielſe j dópelſen/ honom
later iach blijffua widh ſitt ſinne/ men ther haffuer han icke ſcriff=
tena mz ſich/ Doch wil iach ey gerna tretta j ſå ringa ſaker.

Thet iach haffuer her fóregiffuit huru man ſkal wiya och iorda
lijck/ hopes mich ath thz ſkal wara Chriſteligare ån thet ſom her til
haffuer brukat wordet/ ther preſten haffuer ſtådt och låſit påå jtt frem
mande tungomål thet han nåpligha ſielff fórſtådt haffuer Ther man och
haffuer misbrukat monga pſalmer ſom then ſakene intit haffua gullet

vppåå/ Och än thå wij her j Stocholm warde annerledhes berychtadhe/ så må doch huar och en förstondigh menniskia som thenna haudbock läsandes eller hörandes warder förståå om wij j thenne saker som her föregiffuas handle Christeliga eller ey när wij sacrament och annor stycke driffue widh thz sett som her är vthsatt[1])/ Gudh giffue at the som all ting wilia fördöma ath the wille först granneljgha öffuerwägha och ranßaka hwadh rett eller orett wore/ och sedhan döma ther om/ Men nw dömer then måst som antingen mijnst förståår eller och intit wil förstå/ och likawel skal alt wara rett som thz seya/ Men mich hopes at Christus Jesus som thenne saken geller vppåå/ skal snart komma och skilia tråttona ååt medh then ytterste domadagh/ O giffue gudh ath thet motte snart skee/ Amen/ Amen

Vicesimaoctava Aprilis.

---

1) Härmed antydes, att denna handbok i mer eller midre mån varit redan före deß offentliggörande i bruk i Stockholm.

BILAGOR.

Bilaga I.

(Skarabreviariets dopritual af 1493)[1]

Ordo ad cathecumenos faciendos[2].

Cum venerint ad ecclesiam[3]) *statuantur viri ad dexteram sacerdotis. mulieres vero ad sinitram*[4]). *Et interroget*

---

1) Då *1529-års handbok* uttryckligen betonar *dophandlingen* såsom den hufvudsakliga bland de anförda kultakterna, hafva vi ansett lämpligt, att i främsta hand denna kulthandling i sin inhemska medeltidsgestalt *in extenso* här meddelas. Vi hafva härvid valt det ritual, som bland våra 3:ne kända, katolska ritual är det enda, hvilket, oss veterligen, ännu icke varit i aftryck tillgängligt (*Linköpingsmanualets* dopformulär återfinnes i aftryck hos *Troil: Skrift. och Handl.*; *Åbomanualets* hos *A. I. Hornborg*: *Den Finska kyrkans Barndopsritual.* Helsingf. 1860. p. II f). Med undantag af abbreviationerna, är i aftrycket originaltextens ortografi iakttagen.

2) Redan denna beteckning är ålderdomlig (jfr de gamles: *ad Catechumenum ex pagano faciendum*»). Beteckningen är väsentligen densamma i de två andra ritualen. *Man. Linc.* har: »*Ordo ad Catechuminum faciendum*»; *Man. Ab.*: »*Ordo qualiter cathezisentur infantes*». *Rit. Rom.* har deremot till öfverskrift: »*Ordo baptismi*».

3) Jfr *Westg. Lag K. B.*: »Barn scal brymsingnæ firi utan kirkiu dyr *(præ foribus)*. Siþen scal font wigyæ prester barn döpæ». — Härom heter det närmare i *Rit. Rom.*: »*Omnibus opportune præparatis Sacerdos ad tanti Sacramenti administrationem lotis manibus, superpelliceo et stola violacea indutus accedat .... Ita paratus accedat limen ecclesiæ, ubi foris exspectant qui infantem detulerunt*».

4) Enligt *Dalelag K. B.* var faddrarnes antal lagligen faststäldt: »Är swänbarn, taki twa män ok ena kunu, är mööbarn, taki twa kunu

sacerdos de nomine infantis. exufflans in faciem eius tribus vicibus. dicens.

Exi ab eo immunde spiritus: et da locum spiritui sancto paraclito[1]). In nomine patris et filij et spiritus sancti. Amen. *Item dicat.* Decede diabole ab hoc imagine dei et da locum spirituisancto. In nomine patris etc. *Item dicat*[2]). Accipe signaculum domini patris et filij et spiritus sancti amen[3]). Signum sancte crucis domini nostri Iesu Christi in frontem † tuam pono. Signum saluatoris domini nostri iesu christi in pectus tuum pono †[4]). Dominus vobiscum Oremus. *Ponens manum supra caput infantis dicat.*

Te deprecor domine sancte pater omnipotens eterne deus: ut huic famulo tuo. N. qui in huius seculi nocte vagatur incertus et dubius. viam veritatis et agnitionis tue iubeas demonstrari: quatinus reseratis oculis cordis sui te vnum deum in filio et filium cum spiritusancto in patre cognoscat: atque huius confessionis fructum hic et in futuro seculo percipere mereatur. Per eum[5]).

---

oc en man» (jfr *Book of Common Prayers:* »And note, that there shall be for every Male-child to be baptized two Godfathers and one Godmother, and for every Female, one Godfather and two Godmothers»).

1) Der formeln icke i väsentligare mån afviker från allmän medeltidspraxis, lemna vi den utan vidare anmärkning. Ej heller anmärkas smärre, oväsentliga olikheter emellan de inhemska ritualen, då vår uppgift f. n. v. endast är, att lemna en så fullständig och åskådlig bild som möjligt af vår doppraxis vid slutet af medeltiden.

2) *Man. Linc.* har ännu en tredje exorcism: *hic sufflat Accipe spiritum sanctum Tu autem effugare dyabole & sit in isto habitaculum preparatum domino. Qui vi etc.*».

3) Detta moment motsvarar den egentliga *Brimsigningen* (jfr *Schlyters Glossarium: »brimsigna, signaculo crucis baptizandum in fronte et pectore signare»*).

4) Formeln väsentligen densamma i *Ag. Bamb.* 1491, *Ag. Mogunt.* 1513 m. fl.

5) Denna bön saknas i såväl *Man. Linc.* som *Man. Ab.* Den återfinnes deremot i den ålderdomligt preglade *Ordo bapt. adult. Rit. Rom.*

Oratio. Omnipotens sempiterne deus pater domini iesu christi respicere dignare super hunc famulum tuum N. quem ad rudimenta fidei vocare dignatus es: omnemque cecitatem cordis ab eo expelle. Dirumpe domine omnes laqueos sathane quibus fuerat alligatus: aperi ei domine ianuam pietatis tue: vt signo sapientie tue imbutus. omnium cupidatum fetoribus careat: et ad suauem præceptorum tuorum odorem letus. tibi in ecclesia tua deseruiat: et proficiat de die in diem: vt ydoneus efficiatur accedere ad gratiam baptismi tui percepta medicina. Per eundem [1]).

Sub vtrosque. Preces nostras quesumus domine clementer exaudi et hunc electum tuum. N. crucis dominice † cuius impressione eum signamus virtute custodi: vt magnitudinis glorie rudimenta seruans. per custodiam mandatorum tuorum ad noue regenerationis gratiam et gloriam peruenire mereatur. Per christum [2]).

Item oratio. DEus qui humani generis ita es conditor. vt sis etiam reformator. propiciare quesumus populis adoptiuis: et nouo testamento sobolem noue prolis asscribe: vt filij promissionis quod non potuerunt assequi per naturam. gaudeant se recipisse per gratiam [3]). Per christum.

Exorcismus salis [4]). Exorcizo te creatura salis in nomine dei patris omnipotentis † et in charitate domini iesu christi † et in virtute spiritussancti † Exorcizo te per deum

1) Forntidens stående *Oratio ad faciendum catechumenum*, ett af det katolska dopritualets mest stabila moment.

2) Jfr *Ordo bapt. parvul. Rit. Rom.*

3) Saknas i *Man. Linc.* men återfinnes i såväl *Man. Ab.* som i flera äldre formulär t. ex. *Sacr. Gelas.*, *Miss. Gellon.* o. s. v.

4) *Benedictio* eller *Exorcismus salis* förekommer i samtliga våra medeltidsritual. Deremot tyckes det såsom regel icke såsom fast moment hafva ingått i det medeltida doppritualet för öfrigt (jfr *Rit. Rom.*: »*Sal semel benedictus alias ad eundem usum deservire potest*»). Först i mycket gamla dopformulär (se *Höfling* a. a. I: 309) återfinna vi det inhemska kultbruket.

viuum † per deum verum † per deum sanctum † per deum qui te ad tutelam humani generis procreavit: et populo venienti ad credulitatem per seruos suos consecrari precepit. Ut in nomine sancte trinitatis efficiaris salutare sacramentum ad effugandum inimicum. Proinde rogamus te domine deus noster: vt hanc creaturam salis sanctificando sanctifices † benedicendo benedicas: vt fiat omnibus accipientibus perfecta medicina permanens in visceribus eorum. In nomine eiusdem domini nostri iesu christi. Qui venturus est iudicare.

Hic ponens sal in os infantis dicat[1]). Accipe sal sapientie vt sit tibi dominus propiciatus in vitam eternam. *Amen.* Pax tecum.

Super utrosque. Deus patrum nostrorum deus universe conditor veritatis. te supplices exoramus: vt hunc famulum tuum N. respicere digneris propicius et hoc primum pabulum salis gustantem non diucius esurire permittas: quo minus cibo expleatur celesti: quatinus sit semper spiritu feruens: spe gaudens: tuoque nomini seruiens: et perduc eum quesumus domine ad noue regenerationis lauachrum. vt cum fidelibus tuis promissionum tuarum eterna premia consequi mereatur. Per christum dominum.

Super utrosque[2]). Deus abraham deus ysaac deus iacob. deus qui moysi famulo tuo in monte synai apparuisti et filios israel de terra egypti eduxisti. deputans eis

---

1) Saltet ansågs af våra förfäder ända derhän väsentligt för dopet, att *Westg. Lag. (äldre cod.)* uttryckligen förordnar: »varþær barn til kirkiu boret och beþiz cristnu. þa scal faþir ok moðer fa guðfæþur oc guðmoþor oc salt oc uatn. þæt scal bæræ til kirkiu. þa scal a præst kallæ...» Synbarligen förutsättes här, att barnet möjligen på vägen skulle kunna sjukna eller på annat sätt råka i dödsfara, så att *nöddop* måste förrättas. Men i detta fall ansåg man endast vatten icke nog; äfven salt skulle komma till.

2) Med denna *oratio* införes *den stora exorcismen* i dopritualet (jfr *Sacr. Gelas.: »item exorcismi super electos»*). *Man. Ab.* har här: *»super masculos»*.

angelum pietatis tue. qui custodiret eos die ac nocte. te quesumus domine vt mittere digneris sanctum angelum tuum. qui similiter custodiat et hunc famulum tuum N. et producat eum ad gratiam baptismi tui: Per christum.

Super vtrosque ter. Ergo maledicte diabole recognosce sententiam tuam: da honorem deo viuo et vero. da honorem iesu christo filio eius et spirituisancto paraclito: et recede ab hoc famulo dei. N. quia istum sibi deus et dominus noster iesus christus ad suam sanctam gratiam et benedictionem fontemque baptismatis dono vocare dignatus est. Et hoc signum sancte crucis † quod nos fronti eius damus tu maledicte diabole numquam audeas violare. Adiuratus per eum qui venturus est.

Super vtrosque[1]. Audi maledicte sathana adiuratus per nomen eterni dei et saluatoris domini nostri iesu christi filij eius. cum tua victus inuidia tremens gemensque discede: nihil tibi sit commune cum seruo dei iam celestia cogitanti: renunciaturo tibi ac seculo tuo: et beata immortalitate victuro: da igitur honorem aduenienti spirituisancto: qui ex summa celi arce descendens. exstirpatis fraudibus tuis. diuino fonte purgatum pectus id est sanctificatum deo templum et habitaculum perficiat: vt ab omnibus penitus noxiis preteritorum criminum liberatus seruus dei. N. gratias perhenni deo referat semper: et benedicat nomen eius in secula seculorum. Amen.

Super masculum. Deus immortale presidium omnium postulantium liberator supplicantium. pax rogantium. vita credentium. resurrectio mortuorum. te inuoco domine super hunc famulum tuum. N. qui baptismi tui donum petens eternam consequi gratiam spirituali regeneratione desiderat: accipe eum domine: et qui dignatus es dicere petite et

1) När den här följande exorcismen betecknas såsom gällande »*utrosque*», torde detta bero på felskrifning. Ty såväl scrutinieformulären som de 2:ne öfriga ritualen angifva den såsom gällande ensamt »*masculum*».

accipietis. querite et inuenietis. pulsate et aperietur vobis. petenti itaque præmium porrige: et ianuam pande pulsanti: vt eternam celestis lauachri benedictionem consecutus. promissa tui muneris regna percipiat. Per te iesu christe qui cum deo patre[1]).

Super masculum. Exorcizo te spiritus immunde per patrem et filium et spiritumsanctum: vt exeas et recedas ab hoc famulo dei. N. ipse tibi imperat maledicte damnate atque damnande. qui pedibus super mare ambulauit: et petro mergenti dexteram porrexit. Qui viuit et regnat in secula seculorum. Amen.

Super feminam. Deus celi. deus terre. deus angelorum. deus archangelorum deus prophetarum. deus apostolorum. deus martyrum. deus confessorum. deus virginum. deus omnium beneviuentium. deus cui omnis lingua confitetur. et omne genu flectitur celestium et terrestrium et infernorum. te inuoco domine super hanc famulam tuam. N. vt perducere eam digneris ad gratiam baptismi tui. Per christum.

Super feminam. Exorcizo te immunde spiritus per pa † trem et fi † lium et spiritum † sanctum: vt exas et recedas ab hac famula dei N. ipse enim tibi imperat maledicte damnate atque damnande qui ceco nato oculos aperuit: et quadrianum lazarum de monumento suscitauit christus deus noster. Amen. Ergo maledicte.

Super feminam. Deus abraham. deus ysaac. deus iacob deus qui tribus israel de egyptiaca seruitute liberasti per moysen famulum tuum et de custodia mandatorum tuorum in deserto monuisti. et susannam de falso crimine liberasti. te suppliciter deprecor domine: vt liberes hanc

---

1) Här igenfinna vi alltså den redan anförda bön, som Luther och Ol. P. förlade till formulärets början. Det har redan anmärkts, att bönen var ända derhän sällsynt inom den yngre medeltidsliturgien, att Daniel t. o. m. sätter i fråga, att den skulle vara författad af Luther.

famulam tuam. N. et perducere eam digneris ad gratiam baptismi tui. Per Ergo maledicte[1]).

Super vtrosque. Eternam ac iustissimam pietatem tuam deprecor domine sancte pater omnipotens eterne deus auctor luminis et veritatis super hunc famulum tuum. N. vt digneris eum illuminare lumine intelligentie tue. munda eum domine et sanctifica: da ei scientiam veram vt dignus efficiatur accedere ad gratiam baptismi tui: teneat firmam spem: consilium rectum: doctrinam sanctam: vt aptus sit ad percipiendam gratiam baptismi tui. Per christum. Dominus vobiscum.

Secundum marcium X. JN. illo tempore oblati sunt iesu paruuli vt tangeret eos. Discipuli autem comminabantur offerentibus. Quod cum vidisset iesus. indigne tulit: et ait illis. sinite paruulos venire ad me et ne prohibueritis eos. talium est enim regnum dei. Amen dico vobis: quisquis non receperit regnum domini sicut parvulus. non intrabit in illud. Et complexans eos et imponens manum super illos. benedicebat eos[2]).

Deinde legat. Pater noster. Aue maria. Credo[3]).

Super vtrumque[4]). Nec te lateat sathana imminere tibi penas: imminere tibi tormenta: imminere tibi diem

---

1) Den utomordentligt rika form, som exorcismen antagit i såväl *Br. Scar.* som de öfriga inhemska manualen, är ett afgjordt ålderdomsdrag i dessa ritual: till stor del återfinnas de enskilda exorcismerna i de gamla scrutinierna.

2) Egendomligt nog är denna text olika i hvart och ett af våra tre latinska doppritual: Mk. 10: 13—16 *(Br. Sc.)*; Matt. 19: 13—15 (*Man. Ab.*, som felaktigt hänvisar till Johannes-evangeliet) Matt. 11: 25—30 (*Man. Linc.*, den mest åldriga och ovanliga texten af de tre).

3) I såväl *Man. Ab.* som *Man. Linc.* förordnas uttryckligen, att *patrini* skulle jemte presten läsa *Pater noster* och *Credo* (»*Hic legant sacerdos & patrini. Pater noster. Credo*»). Deremot veta dessa ritual intet om ett *Ave* på detta ställe.

4) I *Man. Ab.* angifves denna bön såsom *Adjuratio. Man. Linc.* tillägger: »*Teneat sacerdos caput infantis dicens Nec te lateat....*».

iudicij: diem supplicij sempiterni: diem quo venturus est velut clibanus ardens: in quo tibi atque universis angelis tuis eternus superueniet interitus: proinde pro nequita tua damnate atque damnande da honorem hiesu christo filio eius et spirituisancto paraclito. In cuius nomine atque virtute præcipio tibi quicunque es spiritus immunde. vt exeas et recedas ab hoc famulo dei. N. quem hodie idem deus et dominus noster iesus christus ad suam sanctam gratiam et benedictionem fontemque baptismatis. dono vocare dignatus est: vt fiat eius templum per aquam regenerationis in remissionem omnium peccatorum. In nomine eiusdem dei et domini nostri iesu christi qui venturus est iudicare viuos et mortuos et seculum per ignem.

Hic effundas saliuam de ore tuo in palmam sinistre manus et intingas pollicem et tangas dexteram auriculam infantis[1]) *dicens* Effeta. quod est aperire. *Ad nares.* In odorem suauitatis. *Deinde ad auriculam sinistram infantis dicens.* Tu autem effugare diabole: appropinquabit enim iudicium dei.

Hic accipias manum dexteram infantis dicens. Trado tibi signaculum dei patris omnipotentis in manu tua dextera: vt te signes et aduersa a te repellas et habeas vitam eternam cum deo in secula seculorum. Amen[2]).

Bönen har från de gamla scrutinieformulären influtit i *Ordo bapt. adult. Rit. Rom.*

1) Jfr *Man. Linc.: »Ad aurem eius dexteram tangens eam de humo et dicit Effeta ...».*

2) Detta moment, som äfven förekommer i *Man. Linc.* (der dock *före* Effeta-momentet), är ett i hög grad egendomligt drag i det svenska ritualet. Åtminstone har det icke lyckats oss att i någon bland oss tillgängliga urkundssamlingar återfinna det. Af formelns ordalydelse framgår, att det innebär ett slags högtidlig *traditio signaculi sancti.* — *Man. Linc.* tillägger: ». . . *repellas & in fide catholica permaneas ut habeas vitam eternam*».

Hic introducas infantem in ecclesiam dicens. Ingredere in templum dei: habeasque vitam eternam et viuas cum deo in secula seculorum. Amen[1]).

Denudato infante inquiras de nomine eius dicens. Abrenuncias sathane.

Respondent patrini. Abrenuncio.

Et sacerdos. Et omnibus operibus eius:

Et patrini. Abrenuncio.

Et sacerdos. Et omnibus pompis eius:

Et patrini. Abrenuncio.

Post hoc ungas infantem oleo sancto in pectore et inter scapulas[2]) *nomine eius prius quesito*[3]). Et ego te linio oleo salutis in cristo iesu domino nostro in vitam eternam.

Interrogato nomine dic. Credis in deum patrem omnipotentem creatorem celi et terre:

Patrini Credo.

Et sacerdos. Credis et in iesum christum filium eius vnicum dominum nostrum natum et passum:

Patrini. Credo.

Et sacerdos. Credis et in spiritum sanctum sanctam ecclesiam catholicam. sanctorum communionem. remissionem

---

1) Jfr *Dijkman* a. a. p. 300: »Här af, troor jagh, wij få igen, hwad Westgiötha lagen wil hafwa förståndet medh ordet Primsigna Barn vthan Kirkiodör; Nemligen jagh menar at Presten har förrättat alla desse förnämnde ceremonier och böner uthi Wåknhuset, hwilket war den första Wälsignelsen eller Primsigning, och sedan ledde Barnet in om Kyrckedören».

2) *Man. Ab.* tillägger här: »*crucem faciendo*».

3) Denne *Interrogatio nominis*, liksom den närmast följande, saknas i såväl *Man. Ab.* som *Man. Linc.* Icke mindre än 4 särskilda gånger upprepas denna fråga i föreliggande dopritual, från och med *abrenuntiationen* intill *immersionen*, en tydlig reminiscens från det ursprungliga proselytdopet, der det var af betydelse för kyrkan, att just *denne*, särskildt förberedde och pröfvade, katekumen, och icke någon annan, blef delaktig af dopet (ej heller förekommer någon enda af dessa fyra frågor i *Ordo bapt. par. Rit. Rom.*).

peccatorum: carnis resurrectionem et vitam eternam post mortem:

Patrini Credo.

Et sacerdos. Quid petis?

Patrini. Baptismum.

Et sacerdos. Vis baptizari?

Patrini. Volo.

Et sacerdos requisito nomine. tribus vicibus intingat infantem dicens Et ego baptizo te N. in nomine patris et filij et spiritussancti. Amen [1]).

Quum de fonte levaverit dicat sacerdos hanc orationem. Deus omnipotens pater domini nostri iesu christi qui te regenerauit ex aqua et spiritusancto. quique dedit tibi remissionem omnium peccatorum tuorum [1]). *Hic fac crucem*

---

1) Jfr *Man. Ab.*: »*Tunc sacerdos accipiens ipsum & patrini nominent eum: baptiset eum trina immersione dicens. Et ego baptiso te in nomine patris. Et mergatur in aqua Et filij. Et iterum mergat. Et spiritussancti amen. Et mergatur tertio*».

Det har redan anmärkts, att (enligt *Westg. Lag*) *gudfadren* höll barnet under sjelfva dopförrättningen, under det att presten blott nedtryckte det i vattnet (den vanliga praxis under medeltiden enligt dåtida afbildningar). — Äfvenledes har redan anmärkts såsom egendomligt för vår svenska doppraxis under medeltiden, att formeln afslutas med ett uttryckligt *Amen.* *Binterim* (a. a. I: 1. 141) anför ett dylikt amen ur »*dem Ritual der Æthiopier*». Såsom bekant, har det grekiska ritualet på detta ställe ett trefaldigt Ἀμήν.

Till skilnad från såväl *Man. Linc.* som *Man. Ab* nämner här *presten* (icke faddrarne) barnets namn vid *immersionen* (*Westg. Lag.* talar om, huruledes »gudhmodher skal til namns sighia»).

2) Jfr *Dijkman* a a. 304: »Döpelsens werckan och kraft hafwa wåra gamla Förfäder märkeligen uthtryckt med ordet, *Skiäring* eller *Skirsl*, hwilket är uthaf Skira, rensa och rena: Ty kallades döpt Barn, *Skirt* eller *Skyrt* barn. Så at detta deras Skiärning uthwiste *effectum baptismi immediatum*, eller det gagn och werckan, som egenteligen flyter af Döpelsen».

cum crismate in vertice infantis[1]) *dicens.* Ipse te liniat crismate salutis in christo iesu domino nostroin vitam eternam. Amen.

Det ei vestem[2]). Accipe vestem candidam et imaculatam quam proferas ante tribunal domini nostri hiesu cristi: vt habeas vitam eternam et viuas cum deo in secula seculorum amen.

Hic det ei candelam ardentem dicens Accipe lampadem ardentem et irreprehensibilem: custodi baptismum tuum: vt cum dominus venerit ad nupcias possis ei accurrere vna cum sanctis omnibus in aula celesti: vt habeas vitam eternam: et viuas cum deo in secula seculorum. Amen. Et benedictio dei patris omnipotentis † et filij † et spiritussancti † descendat super te et maneat semper tecum. Amen[3]).

---

1) Denna chrisma, som bestod af »olio blandad medh balsamo» och inför hvilken folket föll på knä *(Ol. Petri: Een liten book om Sacramenten)*, tillreddes en gång om året af biskopen, »*påå skära Toorsdag.* »*Jfr Erkeb. Nicolai synodalbref* (*Troil* a. a. II: 237): »*primum statuimus et mandavimus ut cum apud ecclesiam nostram sacrum crisma conficitur, quilibet presbiter, curatus in ecclesia sua, ipsum habeat infra quendenam a die pasche numerandum*».

2) *Man. Ab.* inleder detta moment sålunda: »*hic induat eum veste alba*».

Troil gör uppmärksam på, huruledes i en gammal handskrift här antecknats: *imponat mitram sive vestem;* en antydan, att äfven i Sverige brukat troligen vacklat mellan »*das Westerhemd*» och »*das Westerhäublein*».

1) Denna benediktion är för *Brev. Scar.* egendomlig. I dess ställe låter *Man. Ab.* denna uppmaning här följa: »*tunc dicat sacerdos patrinis quod doceant infantem Pater noster et Credo Deinde dicat quod pater et noster seruent ipsum a periculo ignis et aque: et alijs huius modi usque ad completum septennium*» (den katolska motsvarigheten till vårt närvarande rituals slutmoment: »*Älskade Christne! Emedan detta barnet* . . .»).

Bilaga II.

(Åbomanualets vigselritual af 1522)[1].

Ordo ad faciendum sponsalia.

Presbiter quilibet parrochialis priusquam sponsus cum sponsa in facie ecclesie benedicentur[2]) *tribus dominicis diebus publice sponsalia contrahenda denunciet monens: ut siquis aliquod impedementum sciuerit consumendi matrimonium hoc dicat et proponat manifeste.*

Cum autem venerint ad hostium ecclesie benedicendi[3]) *interroget sacerdos utriusque voluntatem sic dicendo.* Vis tu N. ipsam tibi recipere in uxorem: et habere eam tam in prosperis quam aduersis[4]). *Tunc sponsus respondens sacerdoti vertens se ad sponsam dicat.* Ego te recipio N. exnunc mihi in uxorem in nomine domini. *Postea interroget sponsam eodem modo qua similiter ut sponso respondente*

---

1) Linköpings manualets vigselformulär är aftryckt af *Troil* (a. a. III: LIV f.).

2) Detta uttryck angifver, att benediktionen »*præ foribus*» på denna tid gällde för den *väsentliga* (icke, såsom *Rit. Rom.* vill hafva det, den till *mässan* hörande benediktionen).

3) Uttrycket *benidicendi* är att märka, för så vidt det antyder, att hela den kyrkliga handlingen hufvudsakligen fattades såsom *benediktion* (icke *kopulation*).

4) Till jemförelse meddelas här vigselfrågan enligt *Rit. Rom.:* »*N. vis accipere N. hic præsentem in tuam legitimam uxorem iuxta ritum matris ecclesiæ?*»

dicat sacerdos[1]). Manda deus virtuti tue confirma hoc deus quod operatus es in nobis a templo tuo quod est in hierusalem tibi offerent reges munera. Increpa feras arundinis congregatio taurorum in vaccis populorum vt excludant eos qui probati sunt argento[2]). Gloria patri et Sicut erat. Kirieleyson. christeleyson. Kirieleyson. Pater noster. Et ne nos Benedicamus patrem cum filio et sancto spiritu. Laudemus et superaltemus. Laudemus dominum quem laudant angeli. Cui cherubin et seraphin sanctus sanctus sanctus proclamant. Ostende nobis domine misericordiam tuam. Et salutare tuum. Saluum fac seruum tuum et ancillam tuam. Deus meus sperantem. Mitte eis auxilium de sancto. Et de syone tuere eos. Domine exaudi orationem. Dominus vobiscum[3]).

Oremus. Conseruator et consecrator humani generis: dator gratie spiritualis: largitor eterne salutis: tu domine mitte benedictionem † tuam super hunc annulum ut que eum gestauerit sit armata virtute celestis defensionis: et proficiat illi ad eternam salutem. Per christum[4]).

Item benedictio annuli. Oremus. Benedic domine hunc annulum quem nos in tuo sancto nomine benedicimus vt

---

1) Märkligt är, att intetdera af våra manual vet om någon *formula conciliationis* å prestens sida. (*Cremer* a. a. 102 anför ett *Pontifical Eccl. Rotom.* circa 1300 såsom ett bevis, huruledes redan då den vanliga, katolska kopulationsformeln: »*Et ego conjungo vos in nomine*...» var i bruk).

2) Dessa *responsorier* (Ps. 68: 29—31) har *Man. Linc.* först efter *Copulatio per annulum.* Likaså *Rit. Rom.* (som dock har endast *Confirma hoc*... och *A templo sancto*...).

3) *Man. Ab.* är på detta ställe icke obetydligt vidlyftigare än *Man. Linc.*

4) Denna *Benedictio annuli* har i *Man. Linc.* följande lydelse: »*Creator & conseruator humani generis dator gratie spiritualis largitor salutis eterne deus immitte spiritum tuum sanctum paraclitum super hunc annulum ut que*... Den anföres äfven af *Daniel* I: 263 III: 483, *Calvör* I: 129 men under städse skiftande gestalt.

que illum gestauerit in tua pace consistat: et in tua voluntate permaneat: et in tuo amore viuat et senescat: et multiplicetur in longitudinem dierum. Per christum[1]).

Tunc sacerdos aspergat annulum aqua benedicta: et accipiat sponsus annulum de sacerdote docente et incipiente. Ad pollicem sponse dicat. In nomine patris. *Ad indicem.* Et filij. *Ad medium.* Et spiritus sancti. amen[2]). *Et ibi dimittat annulum postea inclinatis capitibus*[3]) *eorum dicat.* Benedicti sitis a domino qui fecit mundum ex nihilo amen.

Deus abraham: deus ysaac: deus iacob sit vobiscum: et ipse vos coniungat impleatque benedictionem suam in vobis. Per christum dominum.

Benedictio. Benedicat vos deus pater: custodiat vos iesus christus illuminet vos spiritus sanctus: ostendatque faciem suam vobis et misereat vestri: conuertat vultum suum ad vos: et det vobis pacem: impleatque vos omni benedictione spirituali in remissionem omnium peccatorum vestrorum ut habeatis vitam eternam et viuatis in secula seculorum. amen[4]).

---

1) Samma bön förekommer i *Rit. Rom.* under denna form: »*Benedic † Domine annulum hunc quem nos in tuo nomine benedicimus † ut quæ eum gestaverit, fidelitatem integram suo sponso tenens in pace et voluntate tua permaneat, atque in mutua caritate semper vivat Per...*» I det gamla *Rit. Sarisb.* (*Daniel* III: 483) finnes en kombination af denna och närmast föregående benediktion.

2) *Man. Linc.*: »*Deinde ponens annulum inter tres digitos sponsi teneat manum eius et imponat eam super pollicem dicens In nomine patris... Brev. Scar.* närmar sig mera *Man. Ab.*

3) Det egendomliga i detta uttryck har redan anmärkts (se motsvarande moment *1529-års handbok*).

4) Denna parafrasering af den *aroniska välsignelsen* saknas i *Man. Linc.* (som här följer den bibliska texten, dock med samma sluttillägg samt i en af sina *benedictiones thalami* med liknande början) men återfinnes i *Brev. Scar.* Den förekommer dessutom i det åldriga *Man. Sarisb.* (*Dan.* a. a. III: 483).

Hic introducantur in ecclesiam et psalmus totus legatur-donec venerint ad altare. Beati omnes qui timent dominum [1]). Gloria patri. Kirieleyson christeleyson kirieleyson. Pater noster Et ne nos. Saluum fac seruum tuum et ancillam tuam. Deus meus sperantem in te. Mitte eis auxilium. Et de syon. Esto eis domine turris fortitudinis. A facie imimici. Domine exaudi orationem. Dominus vobiscum.

Oremus. Respice domine de celo sancto tuo super hanc conuentionem ut sicut misisti sanctum angelum tuum raphaelem tobie et zare filie raguelis ita digneris bene † dictionem tuam mittere super hos adolescentes: vt in tua voluntate permaneant: et in seruitute consistant: et in tuo amore viuant et senescant: et multiplicentur in longitudine dierum. Per christum [2]).

Oratio. Respice domine propicius super hunc famulum tuum N. et super hanc famulam tuam. vt in tuo nomine celestem bene † dictionem accipiant filios filiorum suorum in tertiam et quartam generationem incolumes videant: et in tua fidelitate semper perseuerent: et in futuro ad celestia regna perueniant: Per [3]).

Benedicat uos deus omni benedictione efficiatque vos dignos in conspectu suo superhabundet in vobis diuitias glorie sue: et erudiat vos verbo veritatis: vt ei corpore pariter et mente placere valeatis amen [4]).

---

1) *Man. Linc.: »Deinde aspergantur aqua benedicta et introducantur in ecclesiam et legatur ante eos totus psalmus: Beati omnes . . .».*

2) Denna bön går i *Man. Linc. före* introduktionen. Den har i *Rit. Aug.* 1587 följande form: »*Respice Domine super hanc conventionem per angelum tuum Raphaelem, ut sint sani, digni, pacifici atque tua benedictione perfusi*».

3) Jfr *Daniel* a. a. I: 260 (bönen förekommer icke i *Man. Linc.*).

4) Denna benediktion saknas i såväl *Man. Linc.* som *Brev. Scar.* Ej heller hafva vi funnit den bland oss tillgängliga, utländska *benedictiones nuptiarum.*

Oratio. Omnipotens sempiternus deus qui primos parentes nostros adam et euam sua virtute copulauit ipse corda et corpora vestra sancti † ficet et bene † dicat atque in societate et amore vere dilectionis coniungat. Per christum dominum nostrum [1]).

Benedicat vos pater † et filius † et spiritus sanctus † amen.

Postea statuta mulier in choro ad sinistram viri: incipiatur missa de sancta trinitate. Benedicta sit sancta trinitas.

Oratio. Omnipotens sempiterne deus qui dedisti. *Item alia* [2]).

Oratio. Exaudi nos omnipotens deus: vt quod nostro ministratur officio tua benedictione potius impleatur. Per [3]). *Hee due orationes dicantur sub vna conclusione.*

Lectio epistole b. pauli Ad corinthios. Fratres. Nescitis quam corpora vestra etc. [4]).

Graduale. Benedictus es domine qui *Alleluia.* Benedictus es domine [5]).

Secundum matheum. In illo tempore Ascenderunt ad iesum pharisei temptandes eum etc. [6]).

Offertorium. Benedictus sit deus. *Secreta.* Sanctifica quesumus domine.

Item secreta. Adesto domine supplicationibus nostris: et hanc oblationem quam tibi offerimus pro famulis tuis quos ad statum maturitatis et diem nuptiarum perducere

---

1) *Man. Sarisb.* (*Daniel* a. a. III: 436).

2) Jfr *Brev. Scar.*: »*Omnipotens sempiterne deus, qui dedisti nobis famulis tuis in confessione vere fidei eterne trinitatis gloriam agnoscere*...» (i *Man. Linc.* angifven såsom *Collecta*).

3) Uråldrig bön, förekommande redan i *Sacram. Leonis.*

4) I Kor. 6: 15—20. Den vanliga episteltexten i *Missa nuptialis* är Efes. 5:22 f. (så *Rit. Rom.*). Samtliga våra vigselritual äro dock ense om den ovanligare episteltexten ur I Kor. Br.

5) Gradualet angifves icke i *Man. Linc.*

6) Matt. 19: 3—6: Brudmässans vanliga *Evangelium* (jfr *Rit. Rom.*). *Man. Linc.* har Mk. 10: 1—9.

dignatus es: placatus ac benignus assume. Per dominum Qui cum vnigenito[1]).

Prefatio[2]). *Post sanctus*[3]) *prosternant se super genua sponsus et sponsa et extenso super eos pallio ad quatuor cornua*[4]) *dictoque.* Per omnia secula seculorum. *Secundo reponatur in patenam corpus et antequam dicat.* Pax domini[5]) *vertat se sacerdos ad prostratos et dicat subsequentes orationes.*

Propiciare domine supplicationibus nostris: et institutis tuis quibus propaginem humani generis ordinasti benignus assume: et quod te auctore conjungitur te auxiliante seruetur.

---

1) Väsentligen *ex Sacr. Leoniano* (saknas i *Man. Linc.*).

2) *Man. Linc.*: »*Prefatio de sancta trinitate*».

3) Detta *Sanctus* följer städse i katolska mässan omedelbart efter *prefationen.*

4) *Man. Linc.*: »... *prosternant se super genua sponsus et sponsa si sit virgo vel corrupta prius non benedicta et teneatur super eos pallium*» (jfr motsvarande moment *1529-års handbok*).

5) Denna hänvisning är klar nog: den för brudmässan egendomliga *prefationen* införes här *före (antequam)* det *Pax domini*, som i *Canon Missæ* omedelbart föregår *Agnus dei.*

Vi må dock icke mena, att denna ordning var den orubbligt följda. Redan *Man. Linc.* iakttager en något olika ordningsföljd. När det nämligen här heter: »*Postquam communicauerat sacerdos prosternant se .... et conuertens se sacerdos ad eos dicat submissa voce Oremus Propiciare domine* ... etc.»; då är uppenbart, att detta moment icke (såsom i *Man. Ab.*) kan hafva *föregått Agnus Dei et Pacem* (2:ne moment, som i *Miss Ups.* och städse *föregått Communionen*) utan fast mera inskjutits *mellan* prestens *communio sub utraque* och lekmännens *communio sub specie panis* (jfr *Rit. Rom.*: »*Si qui sunt communicandi in Missa (id quod optat ecclesia) sacerdos post sumptionem Sanguinis... accedit ad eorum dextram — unicuique porrigit*».

Rituale Rom. har ännu en annan ordning: här införes *Propitiare Domine* mellan *Pater Noster* och *Libera nos (»dicto Pater noster, antequam dicat Libera nos ...»).* Ordningsföljden måste alltså här i någon mån varit vacklande. Dock må vi i intetdera fallet tänka oss *Missa pro sponso et sponsa* såsom *efterföljande den allmänna kommunionen.*

Per dominum[1]). *Postmodum dicatur more prefationis.* Per omnia secula seculorum amen. Dominus vobiscum. Et cum. Sursum corda. Habemus ad dominum. Gratias agamus. domino deo nostro. Dignum et iustum est. Vere dignum et iustum est equum et salutare. Nos tibi semper et vbique gratias agere domine sancte pater omnipotens eterne deus: qui potestate virtutis tue de nihilo cuncta creasti: qui dispositis universitatis exordiis homini ad imaginem dei facto: ideo inseparabile mulieris adiutorium contulisti: vt femineo corpori de virili carne dares principium: docens quod ex vno placuisset institui: nuncquam licere disiungi. Deus qui tam excellenti misterio coniugalem copulam consecrasti: vt christi et ecclesie sacramentum presignares in federe nuptiarum. Deus per quem mulier iungitur viro et societas principaliter ordinata ea benedictione donatur. que sola nec per originalis peccati penam: nec per diluuij ablata est sententiam. Respice propicius super hanc famulam tuam que maritali iungenda est consorcio: tuaque se expetit protectione muniri. Sit in ea iugum dilectionis et pacis: fidelis et casta nubat in christo: imitatrixque sanctarum permaneat feminarum. Sit amabilis vt rachel viro: sapiens vt rebecca: longeua & fidelis vt zara. Nihil in ea ex actibus suis auctor preuaricationis vsurpet: nexa fidei mandatis permaneat: vni thoro iuncta: contactus illicitos fugiat: muniat infirmitatem suam robore discipline. Sit verecundia grauis: pudore venerabilis: doctrinis celestibus erudita. Sit fecunda in sobole: sit probata et innocens et ad optatam perueniat senectutem: et videat filios filiorum suorum usque in tertiam et quartam progeniem: et ad beatorum requiem atque ad celestia regna perueniat. Per[2]).

---

1) Urgammal formel.

2) Af misstag angifver *Ullman* (*Ev. Luth. Liturgik II:* 362) bönen *Te deprecamur Domine sancte, pater omnipotens, æterne Deus, super hos famulos*... såsom källa för denna prefationsbön.

His finitis vertat se ad altare et dicat. Pax domini sit semper vobiscum. Agnus dei qui.

Tunc surgant sponsus cum sponsa: et accipiat sponsus pacem a sacerdote feratque sponse osculans eam et neminem alium nec ipse nec ipsa: sed clericus post ipsum a sacerdote pacem accipiens ferat alijs sicut solitum est[1]).

Communio. Benedicimus deum celi[2]). *Post communionem.* Proficiat vobis. *Item alia.* Dominus omnipotens deus instituta providentie tue pro (pio?) amore comitare vt quos legittima societate connectis longeua pace custodias. Per[3]).

Benedictio thalami. Benedic domine thalamum istum et omnes habitantes in eo: vt in tua pace consistant: et in tua voluntate permaneant: et in amore tuo viuant et senescant[4]): et multiplicentur in longitudine dierum. Per christum.

Deinde benedicat eos. Benedicat deus corpora vestra et animas vestras: et det super vos benedictionem suam sicut benedixit abraham ysaac et iacob. Manus domini sit super vos mittatque angelum suum ad vos qui custodiat

---

»*Te deprecamur*» har uppenbarligen med den intet annat gemensamt än de 3 namnen *Sara, Rebecca* och *Rachel* (de vanliga, liturgiska idealen för hustrulig dygd och trohet). Deremot igenfinnes *Deus qui potestate virtutis* ord för ord redan i *Sacr. Gregor.*

1) Hvarken *Man. Linc.*, *Brev. Scar.* eller *Rit. Rom.* omnämner på detta ställe *Osculum pacis.*

2) Detta moment omnämnes icke i *Man. Linc.* Motsvarande moment i *Rit. Rom.* är: »*Ecce sic benedicetur omnis homo . . .*».

3) Denna bön lyder i *Man. Linc.* sålunda: *Quesumus omnipotens deus instituta prouidentie tue pio amore comitare ut quos legittima societate connectis longeua pace custodias Per dom. n.* (så redan *Sacr. Leon.*).

Dessutom har *Man. Linc.* här en utvidgad form af samma *benedictio (Deus abraham deus ysaac . . .)*, som i Åbomanualet följde näst efter *Copulatio per annulum.*

4) Jfr *Rit. Sarisb.*: »*. . . ita digneris mittere benedictionem tuam super istos adolescentes, ut in tua voluntate permaneant, et in tua securitate persistant, et in amore tua vivant et senescant . .*».

vos omnibus diebus vite vestre. Benedicat vos pater et filius et spiritus sanctus. amen[1]).

---

1) Afslutningen (efter *Benedictio thalami*) har i *Man. Linc.* följande, rikare gestalt:

»*Deinde dicatur psalmus* Beati omnes qui timent deum &c. Gloria patri Kyrieleyson christieleyson pater noster Et ne nos V. Saluum fac seruum tuum & ancillam Deus meus. V. Esto eis domine turris fortis Mitte eis domine Et de syon Domine exaudi Domine sancte Dominus vobiscum.

Oratio. Pater omnipotens eterne deus te supplices exoramus ut conuentionem famulorum tuorum tua benedictione fouere digneris propicius vt ab eis omnes infidie inimici auertantur & sanctitatem & in ipso coniugio imitentur que tua prouidentia coniungi meruerunt Per christum.

Postea hiis verbis benedicat eos Benedicat vos deus pater custodiat vos ihesus christus illuminet vos spiritus sanctus & in suo seruitio custodiat cor uestrum irradiat uitia uestra deleat sensum uestrum illuminet & confirmet vos christus filius dei & ad vitam perducat eternam Amen. —

Härefter följer i *Man. Linc.* ett särskildt formulär för »die Einsegnung des Brautbettes» (se *Binterim* VI: 2. 181 f.).

Modus verus ad introducendum sponsum et sponsam ad lectum cum peruenerint in thalamo flectant genua humiliter ante lectum inchoante sacerdote Antiph. Veni sancte spiritus. reple tuorum corda fidelium & tui amoris in eis ignem accende: qui per diuersitatem linguarum cunctas gentes in vnitate fidei congregasti Alleluya alleluya *Versiculus* Emitte spiritum tuum & creabuntur Et renouabis faciem terre.

Collecta. Deus qui corda fidelium sancti spiritus illustracione docuisti. da nobis in eodem spiritu recta sapere & de eius semper sancta consolacione gaudere.

Alia collecta sub una conclusione sequitur Actiones nostras quesumus domine aspirando preueni & adiuriando prosequere vt cuncta nostra operacio & oratio a te semper incipiat & per te incepta finiatur Per. *Postea surgant et sacerdos facit eos sedere ad lectum versis wltibus ad sacerdotem qno ordinato sacerdos dicat benedictiones thalami vt supra habetur in officio de sponsalibus post missam Etc. Finis.* Deo laus.

Bilaga III.

Senare upplagor af 1529-års handbok.

Då icke få och delvis ganska betydelsefulla ändringar företogos i handboken af 1529, innan den ersattes af *1614-års handbok*, anse vi oss böra till sist bifoga en kortfattad redogörelse för dessa ändringar, för så vidt de äro af *väsentligare* art.

Af *1529-års handbok* äro följande förnyade upplagor kända[1]):

1) *Een hanbock på Swensko, Ther dopet och annat mera vthi stäår. O. P.* Stocholm MDXXIX. — På sista bladet: *Vicesima octaua Aprilis. Tryckt på nytt anno etc. MDXXX iij.*

2) *Een handbook på Swensko, ther dopet och annat mera vti stäår, nu på nytt prentat O. P.* Stocholm MDXXXvij.

3) *Een handbook, ther vthi Döpelsen och annat meer Christeligha förhandlas.* Vpsala 1541.

4) *Een Handbook, ther vthi Döpelsen och annat meer Christeligha förhandlas. Förbettrat och förmerat.* Stocholm 1548.

5) *Een Handbook, ther vthi Döpelsen och annat meer Christeliga förhandlas. Förbättrat och förmerat.* Stocholm Anno MDLVII.

---

1) Jfr *Kgl Bibl:s Årsberätt för 1878* p. 42.

6) *Een Handbook, ther vthi Döpelsen och annat meer Christeligha förhandlas. Förbättrat och förmeerat.* Stockholm Anno MDLXXXVI[1]).

Af dessa 6 upplagor skilja sig de båda förstnämda endast *typografiskt* från original-upplagan[2]); hvarför till dessa ingen vidare hänsyn kommer här att tagas.

Helt annorledes förhåller sig med *1541-års upplaga.* Här föreligger deremot en genomgående omarbetning af upplagan från 1529.

Denna omarbetning gäller, såsom vi sett, redan *titelbladet.* Och är härvid särskildt att märka, att det hittills bibehållna författaremärket *O. P.* nu för första gången uteslutes. Detta beror icke på en tillfällighet. Det är fast mer en antydan, att svenska handbokens redaktion numera lagts i helt andra händer än hittills.

Vi erinra oss, huruledes 1539 utgjorde en vändpunkt i den svenska reformationens historia[3]): »Mäster Lorentz och Mäster Oluff» stå icke längre i spetsen för de kyrkliga ärendena. De hafva fallit i konungens onåd; och det ända derhän, att de endast genom förbön och lösen räddas från dödsstraffet. Och om än den senare delvis återvann den kungliga nåden, tyckes detta dock icke hafva skett förr än efter ett och annat års förlopp[4]). Redan

---

1) Enligt den »starke bokkännaren, Kämneren Eric Ströms» bokkatalog skulle utöfver dessa upplagor äfven en af 1555 förefunnits (*Troil* a. a. III: XXXII). Man antar dock, att en misskrifning här är för handen.

2) Jfr *Troil* a. a. III: XXXVI: »Wåra Swenske handböcker delas beqwämligen i fyra classer. Til den första kunna föras handboken af 1529, 1533 och 1537, som, några orthographiske skiljaktigheter undantagne, til ornamenter, papper, tryck och sjelfwa saken äro fullkomligen like» (en uppgift, hvilken bekräftats af en af oss företagen granskning af i fråga varande upplagor).

3) Jfr *Anjou: Sv. Kyrkoref:s Hist.* II: 106.

4) Jfr *Hallman: The Twenne Bröder .... Stockh. 1726* p. 102. Tecken saknas dock icke till ett närmande mellan Gustaf och Olaus

häraf kunna vi sluta, att Ol. P. icke gerna kunnat haft del i den revision af de liturgiska böckerna, som 1541 företogs.

Men vi hafva härför äfven bevis af mer positiv art. D. 8 Aug. 1539 utnämdes af Gustaf pomraren Georg Norman till »*ordinator och superattendent*»[1]. Till denna nya befattning hörde äfven, att öfvervaka *kyrkoceremonierna* och i sista hand afgöra dithörande mål[2]. Men om så, då kan näppeligen en revision af kyrkans mässbok och handbok tänkas, utan att framför allt denne superintendent dervid haft den afgörande rösten. Vi tveka derför icke, att bakom denna revision skymta Norman, som här måste innehaft ungefär samma ställning som Ol. Petri 1529[3]. Härigenom erhåller äfven *1541-års upplaga* ett särskildt, historiskt intresse, för så vidt de i den företagna ändringarne sålunda blifva i sin mån uttryck för den omkastning i kyrkligt åskådnings- och styrelsesätt, som med 1540-talet inträdde i Sverige.

---

redan så tidigt som 1541. Sin förra inflytelse återvann hann dock aldrig och blef under sin återstående lefnad jemförelsevis utan inflytelse på de kyrkliga ärendena.

1) *Anjou* a. a. II: 114.

2) Jfr *Gustaf d. I:s Instruction för Conservatorn och Religionsrådet i Vestergötl. Nylödöse d. 9 April 1540:* »Men i thet, att sig under tijden swåre Casus eller saker worde tilldrage på lärdomens wegna i Ceremonier, tijdegerdz wijs eller Echteskaps saker, i hwilcke han sig icke warder nogsam wite att rätte, The samme skole ofördrögt wår ordinatori, eller Superintendenti tillskrifwes och wijdare ther rådslagit, och endeligen beslutne worde, och sedan wår Conservatori igen um tillskickes» (*Thyselius: Handl.* etc. II: 131).

3) *Anjou* a. a. II: 117. — Man skulle äfven kunna gissa på Laurent. Petri såsom ledare af denna handboksrevision. Förutom redan anförda grunder, talar dock häremot, att Laur. P. just detta år var strängt upptagen af det stora bibelarbetets afslutning (*Thyselius:* a. a. II: 241). Dessutom om, såsom icke utan skäl kan antagas, Laur P. var hufvudredaktör för 1548 års handbok, är på grunder, hvilka längre fram skola meddelas, föga antagligt, att han äfvenledes skulle hafva redigerat upplagan af 1541.

Den första ändring, som 1541 företogs med *1529-års handbok*, var, att utesluta hela *företalet* (hvilket ersattes af ett *register*). Detta numera 12-äriga företal kunde ej heller längre gälla såsom uttryck för den svenska reformationens nuvarande ståndpunkt. Det var derjemte alldeles för personligt hållet för en handbok, som allt mer antagit officiel karakter.

Om vi förbigå rent formella olikheter (såsom t. ex. »*tina barmhertigheets dör*» i st. f. »*thina welgerninges dör*», »*tu orene Dieffuul*» i st. f. »*tu fwle dieffuul*» o. s. v.), blir nästa ändring utlemnandet af följande uttryck: »*Her görs ey behooff beswäria saltet som her til dags skeedt är, för ty thet är aff sin skapelse gudz reena creatwr*». Äfven utbytes det till detta moment sig anslutande »*Haff fridh!*» mot salutationen: »*Herren ware medh idher. Så och medh tinom anda*».

Bland öfriga ändringar i *doprituålet* må följande märkas.

Fader Vår omändras till öfverensstämmelse med med mässans *Fader Vår*.

Orden: »*och sedhan skal gudhfadher och gudhmodher på barnsens wegna affseyas dieffuulen*» uteslutas.

Båda *unctionerna* utelemnas (doprituålets betydelsefullaste ändring).

I andra artikeln ändras uttrycket »*föddan och dödhan*» till »*föddan och pijntan*[1]).

För öfrigt tillägges följande *afslutning* af dopformuläret: »*Fridh ware med tigh*»[2]). *Tå skal Presten förmana Gudhfadher och Gudhmodher at the lära barnet Fadher wår, Credo och tiyo Gudz bodh*[3]).

---

1) Jfr *Luther:* »geborn und gelitten».

2) Jfr de luth. agendornas: »*Friede mit dir.*».

3) Jfr *Brand.-Nürnb. KO.* 1533: »Jch vermahne euch in Kraft der christl. Liebe, die ihr jetzt an des Kindleins Statt bei der

Vigselritualet förblir 1541 väsentligen oförändradt. Blott i början och slutet äro några mer oväsentliga ändringar vidtagna.

Så förlägges nu uttryckligen den vidlyftiga *allokution*, som af Ol. P. angafs såsom *föregående* proklamationen, antingen »*hema eller för Kyrkiodörena*», det första steget till momentets införlifvande i det egentliga vigselritualet (der vi än idag delvis återfinna det i inledningens: »*Dyre Christne! Äktenskapet är* . . .»).

På samma gång är detta moment icke obetydligt förkortadt, liksom enskilda yttranden dels rättats[1]), dels mildrats[2]).

Till sist inledes numera »*Welsignelsen j brudhahuset*» på följande sätt: »*När Brudhen gåår til sänga, siunger man thenne Psalm. Veni Creator* etc. *Kom helghe Ande Herre godh, besöök wår hierta* . . .»[3]).

Af större intresse än vigselritualet är 1541 års *Sjukbesöksritual.*

Taufe gethan habt, wann es seiner Ältern durch Todes- oder andern Unfall beraubt würde, ehe denn es zum Brauch seiner Vernunft komme, dass ihr's fleissig und treulich wollt unterrichten und lehren: erstlich die 10 Gebote, auf dass es den Willen Gottes und seine Sünde dadurch lerne erkennen; darnach den christl. Glauben, durch welchen wir Gnade, Vergebung der Sünde und den heil. Geist empfahen; zuletzt auch das Vaterunser . . .» (*Bodemann* a. a. I: 23).

Det är ur denna förmaning af 1541, som vår närvarande slutförmaning: »*Älskade Christne! Emedan detta barnet* . . .» så småningom framgått.

1) T. ex. När uttrycket: »ath the inga menniskio haffua kärare, än the haffua sig sielffua jnbyrdes» — rättas till: »ath the inga menniskio haffua kärare, ock ytermera än fadher och modher».

2) T. ex.: »Therföre skal han leffua medh henne j Gudzfruchtan» i st. f.: »ther före skal han så skicka sich emoot henne, som han wil ath Christus skal skicka sich emoot honom».

3) Jfr *1819-års psalmbok* N. 133.

Samtliga *allokutioner* förkortas här, stundom utöfver hälften af deras längd[1]). Dertill erhålla de delvis en fa-

---

1) Såsom exempel på, huruledes man gick till väga vid denna textens sammandragning, anföres här *syndabekännelsen* i dess olika gestalter 1529 och 1541:

1529.

O alzmechtige gudh och käre fadher, syy iach titt fatige och älende barn komber fram för tich full medh synder och skröpeligheet, iach haffuer ingen then iach kan gåå til, vtan til tich som fadheren är, tu haffuer så mykit gott bewisat mich, och medh otaligha monga welgerningar haffwer tu latit påskijna ath tu haffuer hafft mich käär, Tu haffuer giffuit mich lijff och siel, wett och skäl, tu haffuer födt och clädt mich, och ey haffuer tu warit ther medh til fridz, vtan tu haffuer och giffuit thin eenda son j dödhen för mich, ath iach skulle fåå itt ewinnerlighit lijff, Thetta haffuer tu alt giordt och bewist ther medh thin stora kerleck, Men iach arme syndare haffuer thesse thina welgerningar jntit achtat, vtan haffuer altijdh warit tich otaksamblighen for alla thina welgerningar, Jach haffuer tich altijdh warit olydhogher, så at iach är ey werdh heeta titt barn, Jach haffuer icke så stelt mich ath tu kunde haffwa ther hedher aff at iach war titt barn, vtan iach haffuer fördt sådana leffuerne som thina helga nampne är til forsmädhelse, Jach haffuer ey elskat tich offuer all ting, Och ey

1541.

O alzmechtighe Gudh och käre Fadher, sij, iagh arme syndare kommer här fram för tigh, full medh synd och skröpligheet, Ty iagh haffuer ingen annan, then iagh kan tryggelighare gåå til, Tu äst Fadheren, och haffuer så mykit gott bewijst migh, Med otaligha monga welgerningar haffuer tu låtit på skijna, at tu haffuer hafft migh käär, Tu haffuer giffuit migh lijff och siäl, wett och skäl, tu haffuer födt och klädt migh allan min ålder igenom, Ther til haffuer tu giffuit tin eenda Son j dödhen för migh, at iagh skulle få ewinnerlighit lijff.

Men iagh arme syndare haffuer thessa tina welgerningar intet achtat, vthan altijdh warit tigh otacksam och olydigh,

så at iagh icke är werd kallas titt barn,

Jagh haffuer icke elskat tigh offuer all ting, Icke så

stare, mer agendarisk form, i det att på flera ställen det äldre ritualets obestämda: »*widh thetta sinnet, eller och annat*» förbytes till endast: »*widh thetta sinnet*».

---

såå forlåtit mich på thin helga ordh som iach skulle, Jntit hallet mich jn til thin kära son Iesum Christū som iach skulle, Jach haffuer ey elskat min nesta som mich boorde, vtan bewijst honom alt ondt, Och medh fåå ordh, Jach haffuer intit aff thin bodhordh hallet, Illa haffuer iach lätit påskina at iach skulle wara titt barn, Såå at iach bekenner mich aldeles haffua fortient ewinnerlighen fordömelse, om tu skulle så löna mich som mina grooffua synder tilkreffia, Och weet iach mich nw jngen annan tröst vtan then aleena, ath tu äst mill och barmhertigh offuer alla them som falla til fögho och wilia bettra sich, Såå flyyr och iach nw til tich (O him̄ilske fadher) aff alt mitt hierta, och bedher tich at tu icke gåår til retta medh mich arma syndare, titt fatiga älenda barn, iach bedhes nådhena och icke retten, göör nådh medh mich som tu vthloffuat haffuer, och icke som iach fortient haffuer, O min gudh och käre fadher försmå mich doch icke arma älenda syndare, titt fatigha creatwr, Jach bekenner mich haffua illa gioordt, Alla thina gåffuor som tu mich giffuit haffuer at iach skulle bruka thm̄ til prijss, och minom nesta til godho, them haffuer iach brukat tich til fortörnelse och minom iem-

förlåtit migh på tijn helgha ord, som iagh skulle.

Jagh haffuer icke heller elskat min nästa, och skickat migh emoot honom, som migh boorde, Ja, intet aff tijn bodhord haffuer iagh retzligha hållet.

Alla thina gåffuor som tu migh giffuit haffuer,

haffuer iagh illa brukat,

Bland betydelsefullare ändringar är *absolutionens* nya formulering i främsta rummet att märka. Vi minnas, huruledes denna 1529 utgjorde blott en ingress på två

---

christē til skada och förderff, så ogudhachtigh blind och forstockat haffuer iach warit, at iach j mijn welmacht intit haffuer kunnet besinna huru swårligha iach haffuer tich förtörnat, och hwad iach medh mitt oonda leffuerne haffuer förskyllat, Men nw medhan tu wilt kalla mich aff thetta vsla leffuernet, besinnar iach at mich wil ståå en hårdh rekinskap före, om tu icke will göra miskund medh mich, See (o käre fadher) iach ligger her thin fatighe fånge, och haffuer en stoor rekenskap på mich then iach aldrigh kan göra fyllest, ty bedher iach tich som thin elskelige son och min käre brodher Jesus Christus mich lärdt haffuer, ath tu förlater mich mina skuld, jach haffuer intit thet iach kan betala medh, jach flyyr till thina barmhertigheet, forlat mich mina skuld, jach giffwer mich j thina hender, ä huru stoor syndare iach är, såå är iach doch likawel titt barn som thin elskelige son Jesus Christus haffuer lidhit dödhen före, O käre himmelske fadher see icke til mina grooffua synder hwadh the haffua fortient, vtan see til then hårda och bittra dödhen som thin son och min käre brodher Jesus Christus haffuer lidhit for mina skul, Forlåt mich mina skul (O käre fadher) thinne barmhertigheet till prijss och äro.	Och haffuer warit så ogudachtigh och blind, at iagh j mijn welmacht aldrigh haffuer kunnet sådant retzliga besinna, huru swårligha iagh tigh förtörnadhe, och hwad iagh med mitt onda leffuerne förskylladhe. Men nu medhan tu will kalla migh hedhan, besinnar iagh thet, och förmerker, at migh wil stå en hård rekenskap före, om tu icke gör nådh medh migh. Ty weet iagh ock nu ingen annor rådh, än flyy til tigh, som så mild och barmhertigh, och then rette Fadhren äst, bekennandes mina skull och brott, och bidiandes aff alt hierta, at tu icke gåår til retta medh migh arma syndare, Jagh bedhes nådhen och icke retten, Handla medh migh nådheligha, som tu vthloffuat haffuer, och icke strengeligha, som iagh förtient haffuer, Jagh giffuer migh käre himmelske fadher j tina hender, … see doch icke til mina groffua synder och stora brott, vthan til tin elskeligha Sons Jesu Christi hårda dödh och bitterligha pino, som han för mina och alla werldena skul oskyldigh lijdhit haffuer, och förlåt migh alla mina synder, tinne barmhertigheet til prijs och äro.

rader till en längre allokution. Denna anordning, som låter absolutionen i det närmaste obemärkt förbihalkas, tillfredställer uppenbarligen icke handbokens nye redaktör[1]). Han är tydligen mån om, att åt detta moment bereda en fastare, mer framträdande plats i formuläret, och gör detta genom att lösgöra absolutions-formeln från dess förbindelse med förmaningen och låta den i stället såsom sjelfständigt moment framträda under följande form:

Och sedhan han sigh scrifftat haffuer, må Presten säya. Gudh ware tigh nådheligh, och styrke tijn troo. Am̄.

Och säya yterligare til then siwka. Troor tu at mijn förlåtelse är Gudz förlåtelse?

Swar. Ja, kära Herra.

Ther på sägher han, Så ske tigh som tu troor, Och iagh vthaff wårs Herras Iesu Christi befalning følåter tigh tina synder, j nampn Fadhers och Sons och thens helgha Andas. Amen. Fridh ware medh tigh[2]).

Först efter denna absolutionens strängt liturgiska formulering införes den ofvan nämda förmaningen; dock endast i sammandragen form och med det uttryckliga vilkoret, att »*then siwke än tå är beswärat j samvetet*».

Såsom smärre afvikelser må anmärkas, att i andra artikeln uttrycken »*dödher, iordadher*» och »*sitter på gudz*

1) Jfr *Luther:* »Wenn tausend und aber tausend Welten mein wären, so wollt ich Alles lieber verlieren, denn ich wollte dieser Beücht das geringste Stücklein eines aus der Kirchen kommen lassen».

2) Jfr *Luther: Wie man die Einfaltigen soll lehren Beichten* (*Müller: Die symbol. Bücher. Stuttg.* 1860. 364):

»Darauf soll der Beichtiger sagen: Gott sei dir gnädig und stärke deinen Glauben! Amen. Weiter: Gläubest du auch, dass meine Vergebung Gottes Vergebung sei? Antwort Ja, lieber Herr. Darauf spreche er: Wie du gläubest, so geschehe dir. Und ich aus dem Befehl unsers Herrn Jesu Christi vergebe dir deine Sünde im Namen des Vaters und des Sohns und des heiligen Geistes! Amen. Gehe hin im Friede».

fadhers högra sidho» ändras (i öfverensstämmelse med mässans *patrem*) till »*Dödher och begraffuen*» och »*sitter på alzmechtigh Gudz Fadhers höghra hand*».

Instiftelseordens sväfvande karakter i *1529-års handbok* såsom dels *episteltext*, dels *biblisk lectio* upphäfves 1541 medels följande bestämmelse: »*Sedhan läs Presten offuerliwdt Christi ord, om Sacramentzens insettielse, såsom Euangelisterna och Paulus them bescriffua*».

Hela *unctionen*, jemte bifogad *slutförmaning*, uteslutes 1541.

Det följande kapitlet bär icke längre öfverskriften: *Huru man skal wiya Lijk;* utan lyder numera öfverskriften: *För än lijk vthbärs aff huset.* Redan häri röjer sig en viss reservation gentemot denna kultakt. Till än bestämdare uttryck kommer denna betänksamhet i de närmast följande orden: »*Ther Presten är, eller (som en gammal osedh haffuer warit) moste wara til städhes, tå lijk vthbärs, må han tå först haffua någhon tröstelìgh ord för thens dödhas wener widh thetta settet*». Man märker, huruledes kapitlet blott med illa dold ovilja ännu bibehålles.

För öfrigt är det korta formuläret väsentligen detsamma som förut[1]). Såsom vanligt förkortas *allokutionerna* och korrigeras enskilda uttryck.

Ej heller kapitlet: *Huru lijk skal iordas* har några väsentligare ändringar att uppvisa[2]). Endast är att här anmärka, att den betänkligt utdragna slutförmaningen: »*Käre wener, här see wij nw*...» blott i starkt sammandragen form återfinnes i *1541-års upplaga*, och att ett tillägg af åtskilliga nya bibeltexter i stället införes med följande ord:

---

1) Icke ens *förbönen för den döde* uteslutes. Dock ändras uttrycket: »om wåra böner kunna komma honom til godho» till: »om mögelighit är för honom bidhia».

2) Det oegentliga uttrycket; »När Epistelen är läsen, thå måå wel presten haffua thessa formaning» ändras nu till: »Sedhan må wel Presten haffua thessa förmaning».

»Huar så teckes, må man wel vnderstundom ymsa[1], *och någhot annat aff Scrifftenne bruka. sådant som här effterfölier. Allenast om man ock wil haffua naghra förmaning, at han tå laghas ther effter. Then förmaning här ståår tilförenne, vnder then Titel, Förr än lijk uthbärs* etc. *må ock wel här brukat warda. Läter oss höra hwadh S. Johannes, Paulus, Job etc. scriffuar om the dödha»*[2].

Den enda ändring i kapitlet: *Huru handlas skal medh them som affliffuas skole,* värd att anmärka, är anordningen, att delinquenten, »*när han ledhes vth*», icke längre tröstas med den formulerade »*förmanelse, hwilken presten skal haffua til then siwka*» utan med prestens egna ord.

Beslwtningen utelemnas (troligen af samma skäl som *Företalet*). I dess ställe införes 1541 för första gången den försvenskade *Litanian* i vår handbok[3].

Såsom var att vänta, sker detta i närmaste anslutning till den af Luther redan 1529[4] i Wittenberg införda litanian[5]. — Hvad den egentliga litanian vidkommer, hafva

---

1) Den obestämdhet, hvaraf vårt jordfästningsritual, på grund af de alternativa skrifttexterna, än idag lider, är alltså att härleda från 1541-års revision.

2) De här anförda texterna äro följande: Joh. 5: 25—29. I Kor. 15: 50—57. Job 19: 25—27. Hes. 37: 1—6.

3) Redan länge hade litanian i svensk öfversättning föreliggat i tryck. Den är nämligen med bland de öfversatta kultmoment, som den redan anförda *Vorfruwe tydher* innehåller. Den har der följande begynnelse: »Kyrieliyson. Christeeleyson. Kyrieleyson. Herre miskunna tigh offuer mich. Christe forbarma tigh offuer oss. Herre miscunna tigh offuer oss. Gud fader aff hymblana. Forbarma tig offuer oss. Gudz son werldynne atherlösare miscunna oss. Gudh then helga andhe forbarme tig offuer oss. O the helge trefollughet. miscunna tigh offuer oss. Werldena helare. hielp oss. Sancta maria. Bid for oss . . . (hvarefter följer, enligt romersk sedvänja, hela raden af änglar och helgon).

(4 *v. Zezschwitz: Herzog-Plitt Real-Encyklopädie. Leipz.* 1881.

5) *Latina litania correcta* och *Die deutsche Litanei: Luthers Sämmtl. Werke Erlang.* T. 56: p. 360.

vi blott funnit följande mer oväsentliga afvikelser från den tyska texten: förbönerna »*unserm Kaiser steten Sieg wieder seine Feind gönnen*[1]); »*unsern Rath und Gemeine segnen und behüten*»; »*Allen Schwangern und Säugern fröliche Frucht und Gedeihen geben*» — äro utlemnade; dereremot har den tyska texten icke den svenska handbokens 2:ne sista: »*Hör oss milde Herre Gudh*»; ledet: »*Allen Kinder und Krancken pflegen*» — förändras till: »*At tu allom siwkom werdighas helsa och helbregdo giffua.* — Största afvikelsen framträder i sjelfva *afslutningen.* Här lemnar nämligen den svenske compilatorn delvis den lutherska texten för att i stället ansluta sig till den äldre, svenska litaniaformen[2]). För öfrigt må hela litanian af 1541 gälla såsom ordagrann öfversättning af den lutherska texten.

1541-års handbok innehåller äfven en antydan om sättet för litanians föredragande, hvilken saknas i de senare

---

1) Senare, på grund af ändradre tidsförhållanden, ändrad till: »Unserem Kaiser ein geneigtes Herz zu der wahren evangelischen Religion und deren Bekennern verleihen» (*Kliefoth: Lit. Abhandl.* VIII: 69).

2) Till jemförelse meddelas här de 3:ne urkundernas olika afslutningssätt:

I) Vorfruwe tydher paa swenskä: »Gudz son wy bidiom tig hör oss. Gudz lamb som bar alla werldena synder. spar oss herre. Gudz lamb som bar alla werldena synder. hör oss herre. Gudz lamb som bar alla werldena synder. miscunda tigh offuer oss. Criste audi nos. Christe hör oss. Kirieleyson. Herre miscunda tighoffuer oss. Christe fforbarme tigh offuer oss. Herre gud miscunda oss. Pater noster o. s. v. ».

II) 1541 års handbok: »O Jesu Christe Gudz Son, förbarma tigh offuer oss. O Gudz lamb som borttagher werldennes synder, skona oss milde Herre Gudh. O Gudz lamb som borttagher werldennes synder, hör oss milde Herre Gudh. O Gudz lamb som borttagher werldennes synder, förbarma tigh offuer oss. Christe hör wår bön. Kyrie eleyson. Christe eleyson. Kyrie eleyson. Fadher wår etc.

III) Die deutsche Litaney: »O Lamb Gottes, der du tregst die Sünd der Welt Erbarm dich uber uns . . . Erbarm dich uber uns . . . Verleih uns steten Fried u. s. w.». (utan *Vater unser*).

upplagorna. Vissa rader äro nämligen försedda med linier, afsedda för noter. Här ega vi alltså en tillförlitlig anvisning, hvilka strofer af litanian på 1540-talet i Sverige sjöngos, och hvilka lästes. Till de förra hörde: det 4-faldiga *Kyrie*[1]); det dubbla *Herre hör vår bön;* momenten »*Herre Gudh Fadher j himmelen. Herre Gudh Son* .... *Forbarma tigh offuer oss*» och »*War oss nådhelig* .... *Hielp oss milde Herre Gudh*». Vidare »*Wij arme syndare bidhie tigh, hör oss milde Herre Gudh*»; »*O Gudz lamb*» och »*Christe hör wår bön*» [2]).

Till litanian ansluta sig, enligt gängse bruk, en del alternativa böner[3]). Då de utgöra ordagrann öfversättning från Luther[4]) redogöra vi icke här närmare för deras lydelse[5]).

Vi öfvergå härmed till *1548-års upplaga*. Denna öfverensstämmer (med några få, här nedan anförda undan-

---

1) Troligen antifoniskt. Jfr. motsvarande moment i »*Die deutsche Litaney*»:

Der erste Chor	Der andere Chor
Kyrie	Eleison
Christe	Eleison
Kyrie	Eleison
Christe	Erhöre uns.

2) Dertill troligen äfven det afslutande *Kyrie,* ehuru detta, såsom upprepadt moment saknar notlinier.

3) »*Den svenska Tideboken*» har här 5 böner, betecknade dels såsom *Oratio*, dels såsom *Collecta;* Luthers *latinska* litania har 5 och hans *tyska* 2, i *1541 års handbok* är bönernas antal 3.

4) *Luthers Sämmtl. Werke. Erl.* I. 56: p. 362 f. Jfr bönerna: »*Deus misericors Pater, qui contritorum* ..»; »*Herr Gott himmlischer Vater, der du nicht Lust hast* ..»; »*Omnipotens Deus, qui nos in tantis periculis* ..».

5) Motsvarande moment i *1811 års handbok* (Stockh. 1811) äro: »*Herre, allsmägt. Gud! som hör de botfärdigas suckar* ..» och: »*O Herre Gud, himm. Fader, som icke vill syndares död* ..». »Deremot uteslöts den sista bönen: »*O Herre Gudh himmelske Fadher, tu som weest* ..» detta år ur handboken.

tag) i allt väsentligt med *1541-års upplaga.* Väl uteslutas en och annan mer skärande tautologi (såsom »*regera och styra*», »*lydigh och hörigh*» o. s. v.) och väl är stafningen i icke obetydlig mån ändrad; men för öfrigt är öfverensstämmelsen såsom regel ordagrann[1]).

Såsom mer anmärkningsvärda afvikelser må följande fyra tillägg anföras.

I *jordfästningsritualet* införes ännu en psalm till de redan förefintliga: »*Låt oss thenna kropp begraffua*...[2]).

Vidare införas i samma ritual en del *nya texter:* Es. 26: 19. 57: 1—2. Predik. 7: 1—4. 11: 3. Syrach 7: 33. 36. 10: 9—11. Rom. 8: 10—11.

I *dopritualet* utvidgas *slutförmaningen till faddrarne* med en förmaning äfven till »*fader oc moder at lära och wachta barnet, som en Christen menniskia böör lärd och wachtat warda*».

Det ojemförligt betydelsefullaste tillägget i *1548-års handbok* är det formulär till *nöddopets bekräftelse*, som nu för första gången införes i svenska handboken under följande rubrik: *Itt sett huru handlas skal med the barn som hema döpte äro.* Såsom vårt första formulär af detta slag, torde det förtjena en närmare redogörelse.

Formuläret inledes med följande stadgande: »*Först skal Prestē bespöria huru barnet är döpt, Och om han förnim̄er at thet är rett döpt, j Gud Faders och Sons och thn̄s helgha Andas nāpn*[3]), *så skal han icke döpa thz på*

---

1) När efter vigselfrågan momentet: »*Mannen svarar Ja*» har utelemnats och likaså på ett ställe formeln: »*Låter oss bedja;*» så har detta uppenbarligen berott på sättarens uraktlåtenhet.

2) Jfr N. 400 *G. Ps. B.* och N. 492 *N. Ps. B.* Enligt Beckman förekommer denna åttaversiga psalm redan i svenska psalmboken af 1544.

3) Angående sjelfva nöddopshandlingen förordnar *Swerikes Rijkes Landslag af 1442* (Ed. Stockh. 1726): »*Warder barn siukt födt, at thet kan ey til Kirkio föras, och the kunna ey Prest fa: Tha dö-*

nyt[1]), *Men är thz icke rett döpt, så skal han döpa thet effter thet sett som här före ståår, Och skal han icke döpa mz sådana twiffuels ord, Om tu äst döpt, döper iagh tigh icke etc. som een part oförståndeliga göra, Vtan ātingen rett döpa ellr̄ ock icke döpa, effter som han förnimmer at saken haffuer sigh med barnet*[2]). *Men är barnet döpt, så skal Presten först bidia nempna barnet, sedan skal han göra kors j ansichtet och bröstet seyandes. Tagh thet helga kors tekn j titt ansiehte och j tiit bröst*[3]).

Den bön, som härefter följer, är densamma som dopritualets på samma ställe: »*O Alzm. ew. Gudh w. H. I. Chr. fader, werdas til at see på thn̄na tin tienare* ....». Blott tvenne ändringar äro vidtagna. Å ena sidan ändras uttrycket: »*och riff sönder all dieffuulsens bånd ther han är bunden medh*» — till: »*Drijff Dieffuulen ifrå honom*»[4]). Å den andra förändras bönens afslutning ifrån:

---

pen thet i Watne, och engo andro. Tha ägher Man thet döpa, om han är til: Är ey man til, tha döpe thet Qwinna, och sighi swa: Jagh döper tigh i nampn Fadhers, och Sons, och thens helghe Andas, amen... Bygger Karl och Kärling i torpe ensammin, och hans kona födher Barn: warder thet siukt födt, För än thet hedhit dör, döpe thet Fadher eller Modher, thy at the hafde engom androm til sighia: Och rifwis ey Hionalagh fore gudzsöwialagh skuld».

1) »Das Verbot, jachgetaufte Kinder, an welchen das Sakr. nach Materie und Form nachweislich bereits vollständig und ordentlich zum Vollzug gekommen ist, noch einmal zu taufen, sprechen alle unsere alten KOO. mit der grössten Entschiedenheit aus». (*Höfling*: *Das Sakram. der Taufe*. II: 298).

2) ». . . alsodann tauffe der Pfarrherr die Kinder ohne alle Condition. . .» (*Ag. Hz. Heinr.* m. fl.).

3) Här uteslutes alltså *den lilla exorcismen*, utan tvifvel på redan anförda grunder.

4) Denna ändring hvilar tydligen på samma grund som exorcismens uteslutning: antar man, att redan i och med sjelfva dophandlingen barnet uttages ur djefvulens våld, blir naturligtvis oegentligt, att vid denna handlings *bekräftelse* tala om dess bundenhet med »dieffuulsens bånd».

»at han må bequmligha wara til tijn heligha Döpelse, och få ther een san läkedom» — till: *»at han må stadigh bliffua j tijn helgha döpelse, och få ewinnerligit lijff»*.

Bönen *»O alzm. Gudh, som äst allas theras odödeligha tröst* etc. fötjer härefter utan någon ändring. Deremot uteslutes formeln: *»Gudh som tich skapat haffuer, han vplyse tich och giffue tich wijsdomsens salt, som thin...»* samt ändras bönen: *»O alzm. ew. Gudh, tu som effter tinne strengha rettwijses doom...»* på följande sätt: vid uttrycket *»genom thēna helsosamma flodena»* tilläggas orden *»som hon genōgången är»*; i st. f. *»ath honom motte här förgåss all then synd, som honom aff Adam påkommen är, och then han sielff gioordt haffuer»* heter det numera endast *»at honom måtte förgåås all synd»*.

Äfven *stora exorcismen* uteslutes. Sedan fortfar ritualet utan nämvärd ändring till och med introductionsformeln: *»Och Gudh bewara tin ingång* etc.»[1]. Härefter heter det: *»När barnet halles offuer Funten bedher Presten at thet skal vppenbarliga bekenna sina troo. Nempner barnet»*. *Abrenuntiationen* bibehålles dock oförändrad.

Formuläret afslutas på samma sätt som dopritualet[2].

Vid *1557-års upplaga* äro följande ändringar att märka.

Kapitlet: *»För än lijk vtbärs aff huset»* — uteslutes. Dock bibehålles den till detta kapitel hörande bönen: *»O alzm. och barmh. ewige gudh, tu som för syndennes skul...»* så till vida, att en ny bön sammansättes af

1) Om sjelfva *introduktionen* nämnes doch intet, troligen derför, att barnet redan genom nöddopet ansågs intaget i församlingen.

2) I strid mot nästan samtliga utländska, tyska formulär för nöddopets bekräftelse, saknar det svenska sin undervisande *allocutio*. I stället utmärker det sig framför dessa för en vida större, liturgisk utförlighet.

denna böns *förra* del (t. o. m. »*oss thin fatiga barn*») och begrafningsbönens *senare* del (fr. o. m. »*och giff oss thina helga nådhe*») samt införes i begrafningsritualet [1]) såsom *alternativt* böneformulär vid sidan af den oförändrade begrafningsbönen. Likaså bibehålles samma kapitels *förmaning* såsom alternativt formulär i nämda ritual, dock under starkt sammandragen form [2]).

Till *begrafningsritualets* texter lägges 1557 ännu en: Joh. 11: 21—27.

Någon nämnvärd olikhet mellan upplagorna af 1557 och 1586 hafva vi icke kunnat upptäcka. Detta må dock icke så tolkas, som skulle under denna tidrymd de svenska handboksritualen lemnats orörda. Fast mera införde *1571 års Kyrkeordning* en hel del liturgiska stadganden af genomgripande betydelse för vår handbok. Men att redogöra för dessa, anse vi icke ingå i vår närvarande uppgift.

Innan vi afsluta vår öfverblick öfver de senare upplagorna af *1529-års handbok*, återstår ännu en fråga: *i hvems hand låg hufvudredaktionen af de tre senaste upplagorna* (1548, 1557 och 1586)?

Att, hvad de två sistnämda upplagorna vidkommer, denna hand *icke* varit G. Normans, säger oss dennes dödsdatum: *januari 1553* [3]). Men åtskilligt talar för, att äfven den förstnämda haft en annan redaktör. Så t. ex. är föga sannolikt, att de många djerfva abbreviationer, som i det

---

1) Detta bär icke längre öfverskriften: »*Huru man skal iorda Lijck*» — utan i stället: »*Huru lijk skal begraffuas.* — Äfven en annan rubrik ändras 1557. Hittills lydde kyrkotagningsformulärets öfverskrift: *Thetta skal läsas när hustru ledhes j kyrkio effter barn.* Numera heter det: »*när hustru går j kyrkio effter barn*».

2) En följd åter af denna anordning blir, att stadgandet af 1541: »*Then förmaning här står tilförenne, vnder Titel, För än lijk vthbärs* etc. *må ock wel här brukat warda*» — bortfaller 1857.

3) *Anjou* a. a. II: 166.

nytillagda nöddopsformuläret möta oss (Prestē, nāpn, mz o. s. v.), och hvilka äro för *1541-års upplaga* okända, skulle härröra från denna upplagas redaktör: man ändrar dock ej gerna på endast sju år så radikalt sin orthografi, och framför allt icke i tillbakagående riktning, såsom ju abbreviationen betecknar ett *tidigare* orthografiskt utvecklingsstadium. Att man samma år ansåg nödigt utgifva äfven svenska mässan »förbettrat», tyckes äfvenledes tyda på en ny redaktörs ifver att korrigera. Lägga vi slutligen härtill, att G. Normans myndighet såsom *ordinator* i allmänhet tyckes hafva upphört circa 1545[1]); synes vara sannolikt nog, att denne man stått utanför äfven *1548-års revision*[2]).

Men om så: hvem är då denne nye redaktör?

Närmast är att tänka på erkebiskopen *Laurentius Petri.* Icke blott gör i allmänhet denne prelat sin kyrkliga myndighet mera gällande, i samma mån Normans träder tillbaka; det är derjemte historiskt bevisligt, att han just efter bibelöfversättningens afslutning 1541 med särskild ifver egnade sig åt de liturgiska frågorna. Så t. ex. skref han 1542 sin *Dialogus om then förwandling, som medh Messonne skedde* etc.[3]); 1566 *Om Kyrkio Stadgar och Cere-*

---

1) *Anjou* a. a. II:. 166.

2) Såsom ytterligare bevis härför, må ett i sig obetydligt drag af denna upplaga anföras. År 1541 hade, såsom redan anmärkts, det gammalsvenska uttrycket »*föddan och dödhan*» blifvit (i öfverensstämmelse med det tyska »*geborn und gelitten*») ändradt till: »*föddan och pijntan*». Denna ändring tyder alltså på tyskt inflytande. Men när 1548 ett nytt nöddopsformulär utarbetas, tages härvid icke längre hänsyn till denna ändring, utan återgår man här till det för svenska öron mer näraliggande uttrycket: »*föddan och dödhan*» (och detta, fastän det förra uttrycket alltjemt qvarstod i 1548-*års dopformulär*). Till en dylik oegentlighet kunde svårligen samma hand gjort sig skyldig, som endast sju år förut afsigtligt ändrat just i fråga varande uttryck.

3) »Aff Erchebiscop Lars j Upsala, Anno 1542 såsom hans egin handz stijl betygher» *(Wittenbergsupplagan 1587)*.

monier; s. å. *Hypotyposes — pro formandis moribus ministrorum verbi Dei, in variis suæ functionis partibus obeundis*; 1571 utkom hans *Kyrkeordning* med sina mångfaldiga, liturgiska stadganden o. s. v. Under sådana förhållanden torde näppeligen något dåtida namn inom svenska kyrkan med större sannolikhet kunna angifvas såsom i fråga varande upplagors redaktör än Laurentius Petris[1]).

---

1) Att de i *1548-års handbok* införda abbreviationerna (thz, mz, förnēliga o. s. v.) såsom regel återfinnas i den utan tvifvel af Laur. Petri redigerade *KO. af 1571*, talar äfvenledes för samma antagande.

BIDRAG TILL SVENSKA LITURGIENS HISTORIA.

II.

DET SVENSKA HÖGMÄSSORITUALETS HISTORIA INTILL 1614.

AF

OSCAR QUENSEL
Docent vid Upsala Universitet.

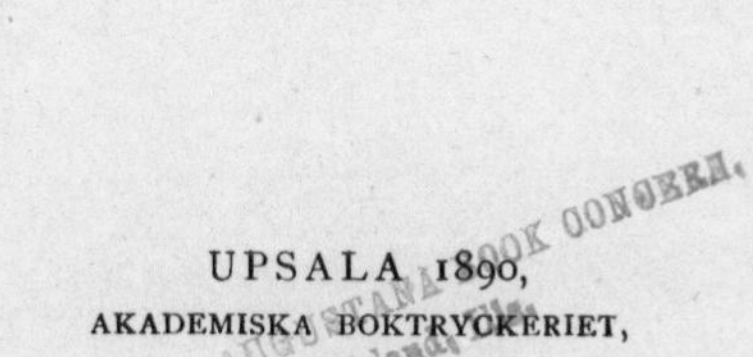

UPSALA 1890,
AKADEMISKA BOKTRYCKERIET,
EDV. BERLING.

DET SVENSKA HÖGMÄSSORITUALETS HISTORIA INTILL 1614.

KRITISK-HISTORISK UNDERSÖKNING

AF

OSCAR QUENSEL
Docent vid Upsala Universitet.

Föreliggande andra häfte af **Bidrag till Svenska liturgiens historia** *sluter sig nära till det föregående:* **Historisk belysning af 1529-Års Handbok.** *Ty derigenom att vi icke inskränkte vår granskning af nämnda handbok till endast originalupplagan utan dertill följde hennes samtliga upplagor allt intill 1614, blef vår framställning på samma gång en summarisk historik öfver de i handboken intagna kultakterna under tidrymden 1529—1614. Men till dessa kultakter hörde, såsom kändt, ännu icke* **Mässan.** *Denna intogs i svenska handboken först 1614. Dess historia intill detta år återstod alltså. Det är den, som här följer.*

Vår plan är i det närmaste den hittills af oss iakttagna. Blott hafva vi i detta häfte låtit i någon mån en kritisk synpunkt göra sig gällande vid sidan af den historiska, en åtgärd, som svårligen lät sig genomföras i föregående häfte på grund af den der behandlade texturkundens vidlyftighet.

Att i ett eller annat följande häfte få fullfölja våra härmed påbegynta historiska undersökningar af vår kyrkas kultuella utveckling, är alltjemt för oss ett kärt önsknings-

mål. Detta önskningsmåls förverkligande är dock alltför mycket beroende af åtskilliga såväl inre som yttre omständigheter, för att det redan nu skulle lämpligen kunna antaga formen af ett offentligt uttaladt löfte.

Upsala hösten 1890.

I.

Medeltidens högmässoritual.

Egentligen kan först med 1531 blifva tal om en det svenska högmässoritualets *historia* Ty först med detta år börjar en för Sverige egendomlig, historisk utveckling på detta område. Dittills var den svenska gudstjensten, liksom Europas i allmänhet, bunden i det romerska ritualets tvångströja.

Då emellertid vår första, evangeliska mässordning af 1531 så nära sluter sig till den romerska medeltidsmässan, att den svårligen kan gälla för någonting annat än en korrigerad bearbetning af denna, kan betydelsen och värdet af denna mässordning först då rätt uppskattas, när man i någon mån lärt känna originalets yttre grundlinier och inre byggnad. Vi vilja derför, såsom inledning till vår framställning, företaga en summarisk granskning af *den katolska medeltidsmässan* med särskild hänsyn till hennes gestaltning i Sverige mot slutet af medeltiden[1]).

---

1) Såsom inhemska källor till denna granskning äro i första hand våra fyra kända medeltidsmissal att anföra: *Missale Upsalense* före 1487 (såsom unicum bevaradt i Kgl. Bibl. i Stockholm); *Missale Upsalense novum* af 1513; *Missale Aboense* af 1488, *secundum ordinem fratrum predicatorum* (af biskop Bystz i Åbo omredigeradt *pro ecclesia Aboensi)*; *Missale Strengnense* af 1487. Härtill komma våra *Breviarier* från medeltiden, hvilka såsom regel äfvenledes innehålla större eller mindre delar af den allmänna gudstjensten. Intetdera slaget af källskrifter gifver dock en sammanhängande

1.

Preparatio in missam.

Inom denna jemförelsevis sena afdelning af *Ordo Romanus*[1]) är att väl skilja mellan trenne olika grupper: en grupp, som, ehuru agendariskt fixerad, gäller ensamt *sacerdos celebrans;* en annan, i hvilken äfven *ministri*, de assisterande diakonerna, deltaga; och en tredje, som är förlagd till altaret inför hela församlingens åsyn.

I) För den *första* gruppen redogöra våra missal icke närmare. Blott i *Missale Aboense* hafva vi funnit en troligen hithörande bön *(oratio deuota ante missam dicenda)* Det är icke heller inom missalliteraturen, formulär af denna art äro att söka. De tillhöra snarare breviariet. Också finna vi i t. ex. *Breviarium Lincopense* af 1493 en rubrik *(Incipiunt preparatoria ante missam dicenda)*, som innefattar just de moment, som här äro i fråga: *prestens rent enskilda andakt före mässan.* De äro här till antalet 11 och utmynna i en *confessio* af allt igenom individuell karakter, med de särskilda synderna angifna.

II) Gå vi så öfver till den *andra* gruppen, som redan utmärker sig för större liturgisk fasthet, så har åtminstone ett af våra missal *(Missale Ups. vetus)* ansett sig böra upptaga hithörande moment (dock åter uteslutna i *Missale Ups. Novum)*. De äro här inalles nio och afse alla den presterliga skrudens högtidliga påklädande[2]).

---

bild af högmässogudstjensten utan blott vissa dess hufvudsakliga moment. För en sådan bild måste derför den samtida, liturgiska literaturen tagas till hjelp, särskildt de mot slutet af medeltiden temligen talrikt framträdande *Expositiones missæ.*

1) Den är för förra hälften af medeltiden i det närmaste okänd.

2) *Dijkman (Antiquitates Ecclesiast.* Sthm. 1703 p. 191) anger de olika beståndsdelarne af den medeltida mässkruden med följande 9 svenska uttryck: »*Mässuhakel, Mässusärk, linda, handlin, hanskar, hufwudlin, klofhatt,* samt *gullring* och *kiäpp* i näfwan».

III) Vi komma nu slutligen till den sista och betydelsefullaste af de 3:ne inledande grupperna: *prestens offentliga Confiteor inför församlingen*[1]).

Härom stadgar *Missale Aboense:* »*Sacerdos quando celebraturus accesserit ad altare dicat. Confitemini domino quoniam bonus. Et responso Quoniam in seculum misericordia eius. Inclinatus dicat. Confiteor deo et beate marie. et beato dominico. et omnibus sanctis. et vobis fratres quia peccaui nimis cogitatione. locucione. opere et omissione. mea culpa: precor vos orate pro me. Item sacerdos. Misereatur vestri. omnipotens deus. et dimittat vobis omnia peccata vestra. liberet vos ab omni malo. saluet et confirmet in omni opere bono. et perducat ad vitam eternam. R. Amen. Item sacerdos. Absolucionem et remissionem omnium peccatorum vestrorum tribuat vobis omnipotens et misericors dominus. R. Amen. Confessione facta et absolutione erigat se sacerdos et dicat Adiutorium nostrum in nomine domini. R. Qui fecit celum et terram. et appropians ad altare rursus inclinatus dicat orationem Aufer a nobis domine cunctas iniquitates nostras. vt ad sanctasanctorum puris mereamur mentibus introire. Per christum dominum nostrum. Amen. Hac oratione dicta osculetur altare. et erectus muniat se signo crucis et tunc incipiat missam*».

Hvad betydelsen af denna akt vidkommer, anse vi det vara historiskt riktigast, att bestämma den såsom *det tjenstgörande presterskapets liturgiska helgande för dess förestående, högheliga förrättning (»ut ad sanctasanctorum puris mereamur mentibus introire»)*[2]). Ju större betydelsen af prestens personliga förmedling vid mässoffret blef, desto mer kändes behofvet af ett offentligt, liturgiskt uttryck för denna tanke. Så undanträngdes så småningom allt mer

---

1) Att hela gruppen väsentligen är så att fatta, angifves redan dermed, att den gemenligen benämdes blott *Confiteor*.

2) Jfr *Kliefoth: Liturg. Abhandl.* VI: 291 f.

prestens fria, helt och hållet enskilda *Confiteor* af *en offentlig konfiteorsakt.*

Denna akt utgör alltså, strängt taget, ännu icke en integrerande del af mässan utan bör, såsom *preparatio*, tänkas ligga utanför denna[1]). Visserligen är den åsigten, att äfven prestens *Confiteor* ingår såsom väsentligt moment i mässan, icke främmande för den yngsta medeltidsliteraturen. Så t. ex. försöker *Joh. Bechhoffen* i sin *Expositio Missæ* (Basel 1512) häfda den åsigten, att presten redan här handlar *in persona totius populi*[2]); och en anonym *Expositio misteriorum misse* (Auguste 1501) försöker att i prestens syndabekännelse inlägga den symboliska tanken, att liksom Kristus, bärande på verldens synd, af Pilatus framhades inför folket, så framträder nu presten inför församlingen, belastad med hennes syndaskuld. Men dessa och dylika, enstaka yttranden må icke räknas såsom uttryck för den allmänna, kyrkliga åskådningen[3]). Denna var utan tvifvel, äfven vid medeltidens slut, den af *Durand*[4]) i hans *Rationali diuinorum* af 1501 (IV: L) angifna, att först *in introitu prima pars misse incipit*»[5]).

---

1) Jfr Åbomanualets ofvan anförda ord: »*et tunc incipiat missam*».

2) »*Sacerdos enim non solum per se sed etiam in persona totius populi introit altare dei .... quia — minister confitetur peccata in persona totius ecclesiæ*».

3) Vi skola längre fram försöka bevisa, att, enligt konsequent, romerskt åskådningssätt, icke detta *confiteor* utan det på *Introitus* följande *Kyrie* är att anse såsom *församlingens* syndabekännelse.

4) En vid denna tid allmänt erkänd auktoritet, äfven af våra svenske reformatorer åberopad.

5) När *O. Kleberg (Den Swenska Högmessan.* Lund 1882. I: 46) såsom stöd för den motsatta uppfattningen anför, att den tridentinska mässan, förr än *Confiteor* införes, talar om, huruledes presten »*paratus*» härtill träder, hvilket skulle innebära, att hans *præparatio* numera måste anses afslutad; så hvilar denna argumentation uppenbarligen på en missuppfattning af ordet *paratus.* Detta ord må nämligen ingalunda, såsom här sker, fattas liktydigt med *præparatus.*

2.

Introitus[1]).

Denna grupp bestod af fyra hufvudmoment: *Introitus-antifonien; Kyrie; Gloria in excelsis* och *Laudamus.* De tre förstnämda hafva i våra medeltidsmissal den allt ifrån Gregorius välkända gestalten.

För att förstå sambandet mellan denna afdelning och mässans följande delar, hafva vi att gå tillbaka till den grundtanke, på hvilken den kristna hufvudgudstjensten allt ifrån början varit byggd: *att i denna Herren besöker sin församling, som i firande bekännelse, bön och lof undfår honom*[2]). Detta är nämligen den tanke, som ligger till grund redan för urmässans tvådelning, *Missa catechumenorum* (Herrens kommande i *ordet)* och *Missa fidelium* (Herrens kommande i *nattvarden).* Men nu gick redan då en *gammaltestamentlig lectio* före de nytestamentliga lektionerna, innebärande ett slags högtidligt bebådande af den

---

Enligt medeltidens liturgiska språkbruk är det snarare att omskrifva med *ornatus* (jfr *Du Cange: Glossarium Ad Scriptores Mediæ et infimæ Latinitatis. Parisiis* 1734. *Tom.* V). Så brukar det äfven *Rit. Rom.* sjelf *(Ordo bapt. parvul.)*: »*Omnibus opportune præparatis sacerdos ad tanti sacramenti administrationem lotis manibus, superpelliceo et stola violacea indutus accedat. Ita paratus accedat ad limen ecclesiæ...*» Uttrycket är alltså att hänföra endast till prestens högtidliga iklädande af mässkruden, icke till hans *præparatio ad missam* öfver hufvud.

1) *Amalarius: De Officio Missæ:* »*Officium, quod uocatur Introitus Missæ, habet initium a prima Antiphona, quæ dicitur Introitus, et finitur in oratione, quæ a sacerdote dicitur ante lectionem*». (Ed. Cochl.).

2) Att deremot förlägga initiativet till *församlingen*, så att gudstjensten i första hand skulle innebära ett *hennes* uppsökande af Herren, vare sig för att af honom utbedja sig nya nådegåfvor eller åt honom offra redan undfångna — detta är den historiska utgångspunkten för den kyrkliga gudstjenstens förfall.

annalkande Herren[1]): först i det nytestamentliga ordet skedde Herrens reala ankomst; men före detta gick det gammaltestamentliga ordet för att bebådande, förberedande, stämmande röja väg för honom.

Det är af detta uråldriga moment medeltidsmässans *Antiphona ad introitum,* med sin *psalmus*, utgör en qvarglömd spillra. Och det allt fortfarande med bibehållande af den ursprungliga betydelsen, såsom bland annat framgår af följande citat ur *Cochlæi Speculum antiquæ deuotionis circa missam (Mogunt.* 1549 p. 134): »*Introitus Missæ cur conuenit?*» *R. Patriarcharum Prophetarumque preconijs. Unde exortus est? R. A choro Prophetarum, qui orantes annunciauerunt Christum venturum in mundum*».

Från denna synpunkt förklaras äfven gången inom denna grupp lika enkelt som skönt: I) medels en gammaltestamentlig vexelsång *(introitus-antifonierna)* bebådas Herrens förnyade ankomst till församlingen; II) härvid fattas församlingen af sin syndakänsla, af sitt behof af syndaförlåtelsens rening, innan hon går sin brudgum till möte, och hon uppsänder derför ur sitt innersta *det niofaldiga kyrie-ropets* bön om syndernas förlåtelse *(»novena illa precatio et divinæ misericordiæ imploratio»)*[2]); III) på detta

1) *Constit. Apostol.* II: 57; *Mone: Latein. u. Griech. Messen. Frankf.* 1850.

2) Jfr *Bechhoffen* a. a. A. iiij: »*primo tribus modis quo ad peccatorum remissionem: quæ perpetramus corde, ore et opere*». — *Durand* a. a. IV: LVI: »*Dicitur autem nonies... cum nouem genera peccatorum*». Vi finna häraf, huruledes ännu vid slutet af medeltiden *Kyrie* fattades väsentligen såsom *syndabekännelse*, såsom uttryck för församlingens oändliga syndmedvetande, hvilket först i Kyriets *niofaldiga* upprepande i någon mån igenfann sig sjelf. Så äfven i hufvudsak *Kliefoth* a. a. VI: 227: »Die Bedeutung des Kyrie an dieser Stelle war, wie Gregor sagt, eine *vox deprecationis* zu sein: nachdem die Gemeinde in dem Introitus die Gnadenthat des Tages hat verkündigen hören, ruft sie im Kyrie ihre Sünde bekennend die Gnade, die sich ihr in jener verkündigten Gottesthat erbietet, um Erbarmen an».

den botfärdiga församlingens niofaldiga bönerop öppnar sig himlen för att låta förlåtelsens frid- och fröjde-bådskap ännu en gång sänka sig ned öfver jorden (Presten: *Gloria in excelsis Deo.* Kören: *Et in terra pax hominibus bonæ voluntatis*[1]); IV) vid denna förnyade förkunnelse af menskliighetens *gaudium magnum*, den himmelska församlingens fröjdefulla helsning till den jordiska, kan denna icke längre tillbakahålla sitt jublande lof; krafligt och fullt bryter det nu fram i den sköna lofsången: »*Laudamus te! Benidicimus te! Adoramus te!*» [2]).

3.

Lectiones.

Först med denna grupp öppnas mässans sjelfva kärnparti. Hittills har allt ännu varit blott förberedelse och bebådelse. Nu, i det nytestamentliga ordet, sker Herrens faktiska ankomst (»*jam vero — personaliter venit christus sponsus presentare se in templo sponse sue*») [3]).

Gruppen är trelemmad: *Inledningen*, bestående af *Salutatio* och *Collecta; Episteln* (med *Graduale); Evangelium* (med *Credo*).

---

1) Vi fatta alltså detta mycket omtvistade och så ofta missförstådda moment såsom *sakramentalt* i den mening, att det är en helsning, ett budskap ofvan ifrån till den under sitt skuldmedvetande djupt böjda församlingen (jfr *Expositio Missæ. Ed. Cochl.* 1549: »*Postea Episcopus solus, Gloria in excelsis inchoat: Quia solus angelus pastoribus annunciavit Domini natiuitatem*»). Jfr äfven *Kliefoth* a. a. VI: 227: »Und darauf antwortet ihr das Gloria in excelsis, der Lobgesang der Engel über die Erscheinung der ewigen Barmherzigkeit sofort das Ja und Amen».

2) Jfr *Fragmenta quædam Caroli Magni (Antw.* 1560 p. 85): »*& hoc ipsum ad imitationem Angelorum, vt ostendamus nos eundem Dominum colere in terris quem Angeli venerantur in coelis*».

3) *Expositio misteriorum misse* af 1501.

I) Med den inledande salutationen: *Pax vobiscum s. Dominus vobiscum R. Et cum spiritu tuo* — angifves, att vi nått fram till en af mässans mer afgörande vändpunkter. Ty detta var af ålder betydelsen af denna ömsesidiga helsning: den bebådade städse, att ett nytt moment nu infördes, för hvars rätta mottagande Herrens särskilda närhet erfordrades *(»ex toto cordo desiderans et orans, ut sit dominus cum populo»)*. Momentet bar inom medeltidsliturgien den vackra benämningen: *Responsio charitatis*.

Härpå följde samma *Collecta de tempore,* som än i dag möter oss på samma plats[1]). Genom sin koncentrerade korthet angifver den sig sjelf såsom blott ett församlingens stilla samlande i bön för det förestående mötet med Herren i ordet, ett inledande suspirium till den följande bibelläsningen.

II) Den i sångton föredragna *Lectio apostolica (Apostolicum s. Apostolus)* har från urminnes tid gått före Evangeliet, såsom varande af lägre, liturgisk rang än detta[2]). Episteln är dock endast ett ord *om* Herren (närmast ett vittnesbörd om honom, ehuruväl af hans Ande ingifvet); Evangeliet är deremot ett omedelbart ord *af* Herren, hufvudsakligen *af honom sjelf* taladt.

I innerligaste anslutning till Episteln slöt sig *Graduale.* Det utgjordes af en eller flera versar *ex Psalmis* med *Hallelujah* såsom regel till afslutning (en qvarlefva

---

1) Den egentliga kollektans kännetecken angifves af *Daniel* sålunda: *»fere ad unum omnes diriguntur ad Deum Patrem, desinunt autem in hanc formulam: Per omnium Dominum nostrum Jesum Christum, filium tuum qui tecum vivit et regnat in unitate Spiritus sancti per omnia secula seculorum»*.

2) *Walafridus (De rebus Ecclesiast.): »Anteponitur autem (epistola) in ordine, quod inferius est dignitate, ut ex minoribus animus audientium ad maiora sentienda proficiat & gradatim ad summa conscendat».* (Ed. Cochl.).

af fornkyrkans Halleluja-psalm på samma ställe)[1]. Dess otvetydiga betydelse var, att utgöra församlingens *responsus* till det hörda skriftordet. Härom skrifver *Amalarius* träffande: »*Differunt lectio et responsorium, quod Graduale dicitur* (alltså uttryckligen betecknadt såsom *responsus)... in uersu necesse est, ut suas cogitationes ad se trahat, & secum cogitet, quomodo aut quod a magistro didicisset... Diximus quod excitentur per responsorium, qui quodammodo surdi ad Epistolam*».

3) *Evangelium* utgjorde den liturgiska skriftläsningens culmen och utmärktes såsom sådan på mångahanda sätt: det lästes från en särskild plats vid altaret *(in cornu Evangelii,* till höger om altaret)[2]; vid dess föredragande tändes tvenne ljus (betecknande *lagen* och *profeterna*), hvilka åter släcktes vid läsningens slut *(»quia finita prædicatione Euangelij lex et prophetia cessabunt»);* nu blottade männen sina hufvud[3]) o. s. v.

Omedelbart efter den evangeliska lektionen var i den uråldriga mässan *predikans* plats[4]). Redan på Gregorii tid tyckes dock predikan varit förlagd *utanför* mässan; och så förblef hon hela medeltiden[5]). Och att härifrån den svenska medeltidsmässan icke utgjorde något undantag, framgår nogsamt redan af det factum, att icke ens i Olaus

---

1) Såsom bekant uteslöts *Hallelujah temporibus luctui deputatis* och ersattes då i stället af *Tractus.*

2) Jfr *Amalarius a. a. cap.* XVIII: »*Excellentior locus, in quo Euangelium legitur, eminentissimam doctrinam Euangelicæ prædicationis atque manifestissimam auctoritatem iudicandi signat*».

3) En vördnadsbetydelse, som *Amalarius (Cochlæi Speculum* p. 138) motiverar på följande sätt: »*Quia Christus proprium caput suum pro nobis spinea corona uelatum habuit*».

4) *Constit. Apost.* II: 57.

5) *Kliefoth* a. a. VI: 231. Dock predikade bevisligen Gregorius sjelf »während der heil. Messfeier» *(Böhringer: Die Alte Kirche.* XII: 250. 2 Ausg.).

Petris första mässa någon plats var åt predikan anvisad. Äfven i Sverige måste vi alltså tänka oss medeltidspredikan förlagd antingen omedelbart före högmässan[1]) eller till något mindre högtidligt gudstjensttillfälle under veckans lopp.

I stället för predikan blef under medeltiden ett *Credo*[2]) allt allmännare erkändt såsom Evangeliets högtidliga *responsus*[3]): i Evangeliet kom den bibliska sanningsförkunnelsen till sitt högsta, mest omedelbara uttryck; här var derför rätta platsen för församlingens högtidliga bekännande till denna sanning, för hennes trosvissa *ja* och *amen* till hela den härmed afslutade bibelläsningen. Detta skedde medels trosbekännelsens afsjungande af kören.

4.
Offertorium.[4])

Denna nya grupp härstammar från den akt, som inom den äldsta kyrkans mässa följde omedelbart på predikan

---

1) Jfr *Officium Eccl. Aboensi* 1480 (*Reuterdahl*: *Statuta Synod.* p. 209): »Item bör honum — slækkia wt vnder predikan i högmessone».

2) Gemenligen det *Nicenska.*

3) *Gemma Animæ:* »*quia quod Diaconus legit & Episcopus predicauit, se credere affirmant*». *Walafridus* a. a. XXII: »*Symbolum quoque fidei Catholicæ, recte in missarum solemnijs post Euangelium, recensetur, ut per sanctum Euangelium, corde credatur ad iustitiam: Per symbolum autem ore confessio fiat ad salutem*». *Fragm. Car. Magni. De Mysterio Missæ:* »*succinet ecce chorus fidei compendia nostræ. Assensum verbo se tribuisse docens*».

Det är följaktligen felaktigt, när såväl *Daniel* (a. a. I: 29) som *Alt (Der kirchl. Gottesdienst. Berlin* 1851 p. 245) skilja *Credo* från *Lectio Evangelica* och hänföra det till *Offertorium.*

4) Egentligen betecknas med detta namn blott den *versus,* som beledsagar nattvardselementens *oblatio.* Men då denna *oblatio* utgjorde hela gruppens höjdpunkt, har namnet äfven öfverflyttats på denna i dess helhet.

och utgjordes af dels *den allmänna kyrkobönen*, dels församlingens *Oblationes*[1]). Betydelsen af denna kombination af förböner och gåfvor var den, att den numera af ordet styrkta och närda församlingen ville utan dröjsmål omsätta den undfångna nådekraften i gerning och så (enligt Gal. 5: 6) göra sin *gemensamma tro* verksam i *gemensam kärlek*. Så småningom löstes dock bandet mellan kyrkobönen och oblationerna, så att mot slutet af medeltiden endast dessa senare (ehuru under en allt igenom ny gestalt) qvarstodo på den ursprungliga platsen i mässan, hvaremot den allmänna kyrkobönen efter en del omkastningar hamnat i sjelfva nattvardshandlingen.

Gruppen har i *Missale Ups. Nov.* följande gestaltning.

Finito offertorio et calice preparato et unctione facta benedicat sacerdos calicem dicens: veni sanctificator. Hic sumat calicem de altare dicens: Calicem salutaris. Hic teneat calicem ante medium altaris ambabus manibus dicens: Suscipe sancta trinitas.... Hic ponat calicem super altare faciens crucem cum ipso calice et hostiam ante calicem et patenam sub corporali ad dexteram manum et cooperiat calicem cum corporali. Deinde lauet digitos dicens: Lauabo inter innocentes.... Deinde inclinet se ante altare dicens: In spiritu humilitates.... Hic vertat se ad populum dicens: Orate fratres et sorores vt acceptabile fiat in conspectu dei omnipotentis sacrificium meum: pariter et vestrum amen.

Härefter följde den välkända *Oratio secreta*, hvarmed offertoriums-gruppen var afslutad.

Då denna grupp för det svenska högmässoritualets följande historia icke har någon vidare betydelse, ingå vi icke här på någon dess närmare granskning.

---

1) *Kliefoth a. a.* IV: 324.

5.

Canon Missæ.[1])

1) *Prefationen.*

Betydelsen af detta uråldriga moment angifves träffande af *Daniel*[2]) på följande sätt: »*veluti prologium adstantes excitans et disponens ad præcipuam actionem, in qua proprie sacrificium consistit*». Det var ett högstämdt *Sursum corda* såsom inledning till nattvardens heliga handling, ett församlingens jublande helsningsrop till sin nu i högsta mening annalkande konung (såsom det ju äfven afslutas med samma loford, med hvilka de uttågande jerusalemiterna på Oljeberget helsade den annalkande sionskonungen).

Att den äldsta församlingen så gick *jublande* fram till nattvardsbordet, är att räkna såsom ett drag af hennes första tro och första kärlek. I fråga kan sättas, huruvida våra dagars tros- och kärleksfattiga församling kan med inre sanning göra sig detta sköna drag till godo[3]).

Momentet inleddes städse med de välkända responsorierna[4]): »*Dominus vobiscum. R. Et cum spiritu tuo. Sur-*

---

1) Ordet tages, enligt *Du Cange*, understundom i en vidare mening, innefattande äfven *Secreta*.

2) a. a. I: 29.

3) Ty om än vi hålla fast, att blott *ecclesia vera* (icke *ecclesia mixta*) är den heliga kulthandlingens subjekt, må vi dock icke förvexla denna med den fulländade församlingen inför Herrens åsyn i himlen. Väl är det den sanna, väsentliga församlingen, som i kulten talar och handlar, men dock denna församling i *dess jordegestalt*, med sina skiftande tider af andlig afmattning och andlig förnyelse.

4) Då uttrycket *responsorium* såsom liturgisk term är omtvistadt, anmärka vi här en gång för alla, att vi i detta arbete fatta det i öfverensstämmelse med följande definition från *Tommasis Responsorialia & Antiphonaria* p. 3. (*Rom.* 1686): »*Modus est, cum unus Cantor præcinit, Chorusque totus ille respondendo succinit isque Responsorius dicitur*».

sum corda R. Habemus ad Dominum. Gratias agamus Domino Deo nostro. R. Dignum et justum est».

Härpå följde *Præfatio de tempore* (ursprungligen under städse samma gestalt)[1] samt till sist *Sanctus sive Hymnus Seraphicus.*

Om detta sist nämda moment finna vi följande vackra tankar i *Gemma Animæ*[2]): »*Sequitur in prefatione sacrificium angelorum, qui huic Sacrificio interesse in tempore creduntur Summo enim Imperatori ut milites assistunt, el laudes suo regi concinunt.... Hic hymnus partim ab angelis, partim ab hominibus concinitur, quod per christum immolatum humanum genus Angelis coniungitur. Laus quippe Angelorum est, Sanctus, Sanctus, Sanctus, Dominus Deus Sabaoth: Pleni sunt coeli & terra gloria tua Osanna in excelsis. Laus uero hominum est: Benedictus qui uenit in nomine domini. Osanna in excelsis*».

Från denna synpunkt utmynnar alltså prefationen i ett slags högstämd vexelsång mellan den himmelska och den jordiska församlingen (ett motstycke till *Gloria in excelsis* och *Laudamus* i inledningen). Detta utmärktes (enligt *Expositio misteriorum misse* 1501) dermed, att församlingen sjöng lofsångens förra del *(»sacerdos incipiens populus hymnum decantaret»)*, under det att presten ensam utsade den senare[3]).

II) *Konsekrationen.*

Först med denna grupp börjar *Canon* i inskränkt mening[4]). Den innefattar de böner och handlingar, som

---

1) *Daniel a. a.* I: 30.

2) Cap. XXXIIII & XXXV.

3) Från luthersk synpunkt torde lämpligast vara, att kören (som i den lutherska gudstjensten närmast representerar den *himmelska* församlingen) öfvertager momentets förra del och församlingen sjelf den senare. Att, såsom hos oss sker, presten ensam uttalar bådadera, är allt igenom förfeladt.

4) Den bär äfven såsom regel i medeltids-missalen öfverskriften: *Incipit Canon.*

från romersk ståndpunkt äro väsentliga för *consecratio*[1]). Under senare hälften af medeltiden lästes denna del af mässan halfhögt[2]).

Här hafva vi i första hand att märka bönegruppen *Te igitur*[3]). Den utgöres hufvudsakligen af spillror af den fornkyrkliga kyrkobönen, hvilken numera förlagts till konsekrationsakten för att blifva desto verksammare. Dess gestalt var redan under medeltiden väsentligen densamma som den af Tridentinum fastställda[4]). Den innefattade förböner för kyrkan, för påfven, biskopen o. s. v.; vidare *Commemoratio pro viuis* (särskildt för dem, för hvilka mässoffret frambars) et *Commemoratio Sanctorum* (»*quia vt sacrificium Deo possit esse acceptum, non alibi hoc offert, nisi in communione & societate Sanctorum & in eorum memoriæ veneratione)*[5]).

Efter dessa böner följde *Verba Consecrationis*. På grund af denna afdelnings betydelse för den svenska nattvardsliturgiens hela utveckling allt intill våra dagar anföres den här ordagrant efter *Missale Ups. Vetus*.

Hic inclinet se ante altare dicens. Hanc igitur oblationem seruitutis nostre, sed et cuncte familie tue: quesumus domine vt placatus accipias: diesque nostros in tua pace disponas: atque ab eterna damnatione nos eripi: et in elec-

---

1) *Strabo. De Rebus Eccles. cap.* XXII: »*Canon uero eadem actio nominatur, quia in ea est legitima & regularis sacramentorum confectio*»

2) Härom heter det i *Förordet* till *1531-Års Mässa*: »*Ey skal heller noghor forundra, hwij wij läse eller siwnge the ordh offuerliwdt och oppenbarligha som j then latineska Canone haffua j en tijdh long wordet hemligha läsen*».

3) »... *usque ad locum ubi dicitur, Et in electorum tuorum iubeas grege numerari, per* ....»

4) I allmänhet gälla om hela *Canon missæ* Daniels ord: »*Codices in consecrationis formula mire consentiunt*».

5) *Fragmenta Car. Magni* p. 104.

torum tuorum iubeas grege numerari Per chr. dom. n. amen. Hic eriget se. Quam oblationem tu deus in omnibus quesumus bene † dictam: ascri † ptam: ra † tam: rationabilem: acceptabilemque facere digneris: vt nobis cor † pus et san † guis fiat dilectissimi filij tui domini nostri iesu christi Qui pridie quam pateretur Hic accipiat hostiam inter manus dicens. Accepit panem in sanctas ac venerabiles manus suas: et eleuatis oculis in celum ad te deum patrem suum omnipotentem tibi gratias agens bene † dixit: fregit dedit discipulis suis dicens. Accipite et manducate ex hoc omnes. Hoc est enim corpus meum. Hic leuet corpus christi in altum ad adorandum[1]) *postmodum reposito corpore in corporali: accipiat calicem inter manus et modicum ipsum leuans dicat. Similimodo postea quam cenatum est: accipiens et hunc preclarum calicem in sanctas et venerabiles manus suas: item tibi gratias agens: bene † dixit dedit discipulis suis dicens. Accipite et bibite ex eo omnes Hic est enim calix sanguinis mei noui et eterni testamenti mysterium fidei: qui pro uobis et pro multis effundetur in remissionem peccatorum. Hic leuet calix cum sanguine ad adorandum: et cum reponitur dicat. Hec quotiescunque feceritis in mei memorium facietis.*

Till konsekrationen hörde slutligen ännu en bönegrupp: *Supplices te rogamus; Commemoratio pro Defunctis; Nobis quoque* samt till sist: *Pater noster* och *Libera nos* (med *Fractio panis).*

Utan tvifvel har Kliefoth riktigt uppfattat denna bönegrupp, då han på följande sätt karakteriserar den: »Es folgen nemlich nach geschehener Aufopferung noch einmal die Fürbitten: sie sollen in das nun vollbrachte Opfer ein-

1) Härmed införes den för den senare svenska kulthistorien så ödesdigra *Elevationen.* Dess betydelse är, att framställa transsubstantiationen såsom numera fullbordadt factum: derför att brödet nu icke längre är *bröd* utan *Kristi sanna lekamen*, derför tillbedes det

geschlossen, mit demselben vor Gott gebracht werden. Darum wird vorab Gott in *Supplices te rogamus* gebeten, seinen Engel zu senden, damit derselbe das fertige Opfer vor Ihn trage, zum Segen Aller die daran Theil haben»[1]). Derför utmynnar äfven hela bönegruppen i *Oratio dominica cum appositionibus (Libera nos)*, af ålder representerande *spetsen af församlingens böneoffer*[2]).

III) *Kommunionen.*

Kommunionakten inleddes med det urgamla, poetiska *Pax-momentet.* Härom heter det i *Miss. Ups. Vet.*: »*Hic cum una particula signet calicem ter dicens. Pax do † mini sit sem † per vobi † scum. Agnus dei qui tollis peccata mundi, miserere nobis. Agnus dei qui tollis peccata mundi misserere nobis. Agnus dei qui tollis peccata mundi dona nobis pacem*[3]). *Hic ponat particulam unam in calicem dicens. Hec sacrosancta commixtio corporis et sanguinis domini nostri iesu christi: fiat mihi et omnibus sumentibus salus mentis et corporis: et ad vitam eternam promerendam et capessendam preparatio salutaris. Amen. Oratio antequam det pacem. Domine iesu christe qui dixisti apostolis tuis: pacem relinquo vobis: pacem meam do vobis: ne respicias peccata mea sed fidem ecclesie tue: custodire adunare et regere dignare. Qui viuis et regnas deus. Per omnia secula seculorum amen. Hic osculetur librum et patenam et*

---

1) a. a. VI: 237.

2) Att deremot här fatta *Pater noster* såsom effektivt moment af den egentliga transsubstantiationsakten, är ohistoriskt, för så vidt som denna akt redan med Elevationen måste anses afslutad.

3) Man skulle af ordalydelsen kunna föranledas att antaga, att äfven *Agnus dei* utsades af presten ensamt. Af *Statuta Aboensia* 1474—80 (*Reuterdahl: Stat. Synodalia* p. 202) framgår dock, att *Agnus dei* var med bland de moment, som af *primus cantor* intonerades och sedan af kören utfördes.

det pacem[1]) *ministro dicens. Pax tecum. Habete vinculum pacis et charitatis vt apti sitis sacrosanctis mysterijs. Per christum dominum nostrum. Amen*[2]).

Härefter följde *prestens sjelfkommunion*, inledd med de kända bönerna: *Dom. s. pater da mihi hoc corpus* och *Dom. I. Chr. — qui ex voluntate patris.* Sjelfva handlingen gestaltar sig på följande sätt i *Miss. Ups. Vet.*: »*Corpus domini n. iesu chr. custodiat animam meam et corpus meum in vitam eternam. Amen*[3]). *Hic communicet: postea accipiat calicem et dicat. Sanguis domini nostri iesu christi custodiat animam meam et corpus meum in vitam eternam: amen. Hic communicet*».

Omedelbart härpå följde *den allmänna kommunionen (sub specie panis)*, när sådan egde rum. Den härvid brukade formeln var troligen densamma som i Åbomanualets sjukkommunion: »*Corpus dom. n. iesu chr. custodiat corpus tuum et animam tuam in vitam eternam. Amen*» [4]).

Akten afslutades såsom regel med bönerna *Oratio super oblata*, *Postcommunio* och *Placeat* samt till sist benediktionen: »*Benedicat vos omnipotens deus Pater et Filius † et Spiritus Sanctus*».

---

1) »A small tablet of ivory, of wood overlaid with gold or silver, or of some inferior metal, used in the Western Church for giving the kiss of peace during the offering of the Christian Sacrifice» (*Lee: Glossary of Liturg. and Eccles. Terms*).

2) *Pax* var symbolen för fornkyrkans *basia blanda.* Jfr *Walafrid Strabo:* »*Pacem ante communionem dari .... ut quod in oratione sancta sub sponsione remissionis præmittimus, pacatos nos ipso opere demonstremus*».

3) Formeln är densamma som den tridentinska med undantag af det tillagda: »*et corpus meum*».

4) *Man. Linc.* har här formeln: »*corpus et sanguis dom. n. ihesu chr. perficiat te ad salutem perpetuam hic et in eternum. Amen*».

Dessa voro alltså grunddragen af den *Missa Solemnis*, till hvilken hvarje söndagsmorgon kyrkklockorna ännu på 1520-talet kallade den svenska menigheten. De torde dock förgäfves hafva kallat på en ung diakon, som i en af Strengnäs studerkammare satt och rufvade öfver djerfva planer om en mässa »*på thet tungomål, som then menighe man förstondelighit var*». Hans namn var *Olaus Petri Phase.*

II.

Then Swenska Messan

epter som hon nw holles j Stocholm medh orsaker hwar före hon så hollen vardher Stocholm M.D.XXXj.

Såsom af denna titel framgår, utkom mässan på svenska först 1531[1]. Detta är dock icke så att förstå, som skulle först detta år svensk mässa varit i bruk i Sverige. Ett sådant antagande motsäges redan af första raden af i fråga varande urkund: »*Man hörer nw, godh Christen läsare, mongestedz j landet talas om then swenska och euangeliska messo, som j Stocholm och flerestedz her j riket vptaghen är*». Att svensk mässa alltså hölls i Sverige redan *före* utgifvandet af 1531-års mässordning, är ganska visst. Deremot är ovisst, när egentligen sådan mässa första gången infördes.

Att denna tidpunkt icke må bestämmas *senare än 1529*, kan lätteligen bevisas. Så t. ex. heter det i »*Then tenkie bock som Olaus Petri scriffuit haffuer*»[2]: »*S. D. wart och handlat i then Euangeliske sakene innan råds aleena i Her Peder Hårds närwarelse, och samtychte alla at Euangelium skulle reent och clart predikas såå her epter som hit til, och wardt röstat om then swenska messona om hon skulle blifua stondande eller ey. Thå gaf hela rådhet ther sine röster til, at hon skulle hallas, undantaghandes Peder Moenson, Lasse Björnson och Hans Eskilson, the wille icke gifua theres röster ther til, men såå wardt thet beleefuat*

1) Den bifogade uppsatsen: *Orsack hwar före Messan böör wara* .... är daterad *Decima Maij.*

2) »*Feria 2:da ante Pentecostes*» (1529) *Troil* a. a. II: 293.

at then Swenska messan skulle hallas, och skulle man doch likawel icke läggia platt nidh then Latiniska messan. »Att nämligen här icke är fråga om den svenska mässans *införande* utan om dess *bibehållande*, är uppenbart. Ett än mer påtagligt bevis härför utgör den 6:te af »*The Beskyllningz Punchtar och Artickler, som Her Thure Jönson och the andra hadhe emot Konung Gustaff*» af April 1529: »*at hans Kon. M. hadhe latet förwandla Messan på swenskt Måhl*» en beskyllning, som konungen i sitt svaromål icke i sak förnekar[1]). T. o. m. hänvisas vi af detta sista citat snarast till år 1528 såsom den tidpunkt, till hvilken svenska mässans författande senast må förläggas. Ty om hon redan i April 1529 kan omtalas såsom en af orsakerna till ett pågående uppror; då kan hon icke gerna vara författad senare än slutet af 1528[2]). För öfrigt saknas icke antydningar, att hon redan ett och annat år tidigare varit på enskilda orter i Sverige i bruk[3]).

---

1) *Tegel: Gust. Wasas Hist.* I: 236. Sthm 1622.

2) Jfr för öfrigt *Reuterdahl: Sw. Kyrk:s Hist.* VI: 319, der en anteckning i *Riksregistr.* från *Jan. 1528* citeras, beträffande redan då framställda »*önskningar angående gudstjenstordning*». Deremot är det af *Kleberg* (a. a. p. 13) till stöd för vårt antagande anförda citatet från Celsius utan all betydelse. Ty ingen tvekan kan gerna derom råda, att Celsius på detta ställe intet annat afser än Ol. Petris ofvan citerade anteckning från *Feria 2:da ante Pentecostes 1529.* — Frågan om svenska mässans bevisliga förhandenvaro redan 1528 är på den grund af särskildt intresse, att hennes bejakande redan på rent *yttre* grunder tillbakavisar O. Moes antagande, att den s. k. *Malmømessen* »*utvivlsomt ligger til Grund for den svenske Kirkes Liturgi*» (*Vor Høimesse-Gudstjenestes Historie* p. 17. *Krist.* 1888). Ty äfven om denne författare skulle lyckas att bevisa, att *Malmömässan* redan 1528 förelåg i tryck (hvilket vi icke anse ännu hafva skett), skulle i så fall blott en de båda mässornas *samtidighet* (icke en den senares prioritet) härmed vara ådagalagd.

3) Hit är t. ex. följande vers ur *Messenii Rimcrönika* att räkna:
På Mäster Oluffs Bröllopsdag (1525).
War Lutherskom så til behag,

Vi öfvergå härmed till en närmare granskning af sjelfva urkunden, dervid fasthållande samma mässans indelning, som vi igenfunno i den romerska medeltidsmässan.

Vi hafva redan nämnt, att till *1531-Års Mässa* var såsom inledning följande lilla skrift bifogad: *Orsack hwar före Messan böör wara på thet tungomål som then menighe man forstondelighit är.* Här polemiserar Olaus Petri med vanlig kraft och liflighet emot den latinska mässan. Såsom exempel på stilen i denna skrift må här följande karakteristiska profbit anföras: »*Mädhan thet war nw apostlomen rätt halla Christi natwardh på Hebreisko, Chaldaisko, Grekesko, Latine och annor tungomååI som folken forstå kunde ther the predicade fore, Hwij skulle thå wort Swenska mååI wara så förachtelighit at man icke skulle måå göra thet på swensko? Wij Swenske höre och gudhi til så wel som annat folk, och thet mååI wij haffue thz haffuer gudh giffuit oss, så wel som han haffuer the Hebreer, Greker och Latiner theras tungomååI, Thet är intet anseende*

At första Swenska Mässa tå
Blef hållen then alla förstå.

Ty om än denna uppgift i och för sig icke kan göra anspråk på någon synnerlig tillförlitlighet, saknar den dock hvarken inre eller yttre stöd. Å ena sidan är nämligen föga troligt, att Ol. P., som redan 1521 förbjöd katolsk mässas hållande vid sin faders jordfästning (*Celsius: Gust. I:s Hist.* I: 184 *Sthm* 1746), skulle 1525 med en sådan mässa firat sitt eget bröllop. Å den andra sidan ligger nära till hands, att med den messeniska uppgiften förbinda det af *Anjou* (a. a. I: 178) efter *Theiner* anförda påfvebrefvet af 1526, deri klagas, att till »*påfvens öron kommit, att i Sverige några prester och klerker . . . hade så förgätit sin pligt och sitt stånd . . . att de offentligen ingingo olofliga äktenskap, att den heliga messans bruk antingen alldeles förändrades eller helt och hållet försummades ock uraktläts, den heliga nattvarden utan all vördnad anammades under begge gestalterna* o. s. v.».

til personerne for gudhi, Han förachtar icke mera oss Swenska än annor folk, ey förachtar han heller meera wort tungomåål än ānor tungomåål, vtan såsom han wil haffua allahanda folk til sin kundskap och til then ewigha salighetena, så wil han och ath hans helga ordh skola j allahanda tungomåål vthropat och predicat warda, Och epter thet at gudh kenner oss Swenska ther godh fore at wij må halla hans helga natward, äta hans helga lekamen och dricka hans helga blodh, Så kenner och han wel wordt tungomål ther gott fore at thet må warda bruhat ther til, Ja, j fortijdhen war ther intit twiffuel vthi at Christi natwardh eller messa iw motte skee j allahanda tungomål, Ther före brukade the Hebreer theres tungomål, och the Greker theres och the Latiner theres, som the alle än nw bruka hwar j sin stadh ther Christenheeten är bliffuen stondande, Ty må wij Swenske och wel haffua messo på wordt eeghit modhermål».

Förutom denna inledande uppsats hade *1531-Års Mässa* äfven sitt särskilda *Förord: Til then Christeligha läsaren Olauus Petri.* Här ingår författaren icke längre på mässans tungomål. I stället vänder han sig mot de anmärkningar, som blifvit gjorda mot vissa *»åthäffuor och cerimonier»* i den nya mässordningen och i all synnerhet mot papisternas mening, att för en rätt nattvardsfirning *hvarje moment af Canon misse* var af väsentlig betydelse. Denna mening bemöter Ol. Petri med en erinran, huruledes *»j apostlanes tijdh och j noghor hundradhe åår ther epter samme natwardh ganska eenfolleliga wordet hollen, så at ther haffuer hwarken besynnerligh clädhe wordet brukat til, ey heller sådana sånger och lässningar som man nw j een tijdh long brukat haffuer».* Vidare fäster han uppmärksamheten på, huruledes icke heller på den tid, han skref, mässan hölls *»medh jtt sätt j all land, For ty the Latiner haffua theras sett, the Greker theras, the Asianer, Armenier,*

Chaldeer, Indianer eller Abassiner theres sätt»[1]*;* samt söker bevisa, att Välsignelsen, äfven utan korstecknet, kunde vara verksam. Han sammanfattar till sist sin bevisning med följande, kraftiga ord: »*Aff thet som nw sagdt är kan man nogh merkia hwad som j messone medh skäl och redheligheet stäår til foruandlandes och hwad icke förwandlas kan, och ath oss icke är forwijtandes at wij haffue ther noghor stycke foruandlat ther foruandling wel tiänte och behöffdes for thz misbruck skul som ther vthi war, såsom mz then latineska canone skeedt är, huilken wij icke så aldeles bruke som han j en long tijdh brukat är, än thå wij for then skul icke äre vtan Canon eller reglo (ty Canon är ey annat än regla) for ty Christi ordh och insettielse är oss Canon noogh ther wij (doch medh godh skääl), giordt aleenest foruandling j thet som aff menniskiom påfunnet är, Men j the stycke som Christus sielff insatt haffuer förbiwdhe oss gudh at wij noghon foruandling göra skulle, som wij icke heller göra måghe, ther wij doch (gudh bätret) alt för stoor foruandling vthi seedt haffue»* [2].

1.
Confiteor-gruppen.

Denna grupp är i *1531-Års Mässordning* af följande gestalt.

---

1) I allmänhet anger detta företal en icke föraktlig förtrogenhet med dåtidens liturgiska literatur: *S. Gregorius* citeras mer än en gång; »*the oforstondige*» hänvisas till *Durands Rationale dininorum*, *Fasciculum temporum* o. s. v.

2) Af särskildt intresse äro följande, redan förut anförda ord i företalets afslutning: »*Ey skal heller noghor forundra hwij wij läse och siwnge the ordh offuerliwt och openbarligha som j then latineska Canone haffua j en tijdh long wordet heemligha läsen*». Häraf framgår nämligen, att redan 1531 en brytning i detta hänseende försiggått, så att numera *Canon* icke längre föredrogs med halfhög röst.

Först thå presten och folket är forsamlat i kyrkionne eller in for altaret ther messas skal, segher presten til folket.

Kere wener brödhra och systra j Christo Jesu, Epter wij nw här forsamladhe ärom til at holla wor herres Jesu Christi natward, och anāma til oss hans werdugha lekamen och blodh j bröd och j wijn såsom han thet sielff stichtat och insat haffuer for itt åminnelse teekn, at han samma sin lekamen och bloodh til woro synders forlatilse vtgiffuit haffuer, Ther före mädhan wij iw alle vtan twiffuel äre medh synder beswårade, och åstundom sydena gerna qwitte wara, wilie wij falla på wor knää och ödhmiwka oss in for wor himmelska fadher medh hierta och mund, och bekenna oss for arma älēda syndare som wij och ärom, bidhiandes honom om nådh och miskund så seyiandes hwar j sin stadh.

Jach fatigh syndogh menniskia som j synd bådhe aflat och född är, och iemwel sedhan j alla mina lijffzdaghar itt syndogt liffuerne fördt haffuer, bekenner mich aff alt hierta in for tich alzwoldige och ewighe gudh min käre himmelske fadher, ath iach icke haffuer elskat tich offuer all ting, icke min nesta såsom mich sielff, Jach haffuer (ty wer) j margfolleligha motto syndat emoot tich och thin helgha bodordh bådhe mz tankar ordh och gernīgar, och weet mich for then skul heluetit och ewinnerlig fordömelse werd wara om tu skulle så döma mich som thin strenga retwijsa kreffuer och mijna synder fortient haffua, Men nw haffuer tu käre hīmelske fadher vthloffuat at tu wil göra nådh och misknd medh alla fatigha syndare som sich vmuenda wilia, och mz een stadigh troo fly til tijna obegripeliga barmhertigheet, medh them wil tu offuersee hwes the emoot tich brutit haffwa, och aldrigh meer tilräkna them theras synder, Ther forlater iach mich vppå arme syndare, och bedher tich trösteligha at tu epter samma titt löffte werdughas wara mich miskūdsam och nådeligh och forlata mich mijna synder titt helga nampn til prijss och äro[1]).

Sēdhan segher presten thenna böön offuer folket[2]).

Thn̄ alzmectigiste ewige gudh for sina stora obegripeliga barmhertigheet forlate oss alla[3]) *woro synder, och giffue oss nådhe til at wij måghe bettra wort syndogha liffuerne och få medh honom ewinnerlighit lijff. Amen*[4]).

---

1) Angående det liturgiska utförandet af detta moment, är troligt, att det lästes af prest och församling gemensamt. Enligt *v. Zezschwitz (Herzogs Real-Encykl. Leipzig* 1878) förekom nämligen redan under medeltiden understundom ett dylikt, gemensamt läst *Confiteor;* och visst är, att redan mot slutet af 1500-talet var detta ett gängse bruk i Sverige (jfr *1571-Års KO. Om Vppenbara Scrifft:* »Effter thet sätt som nu plägar skee, strax effter Predican eller ock ellies, ther Predicaren eller Presten förtälier Scrifftorden för folkena, och folket sägher effter».

2) Att med *Kleberg (Teol. Tidskr* 1889 p. 405) antaga, att äfven det nu följande momentet skulle redan 1531 »högt och samfäldt» uttalats af »församlingen med presten såsom ledare», torde vara förhastadt. Formeln är uppenbarligen den latinska absolutionsformeln, i fri omskrifning öfverflyttad till svenskan. Men antagandet, att församlingen redan under medeltiden i någon mening skulle *aktivt* deltagit i detta moments utförande, saknar hvarje historiskt stöd. Och hvad citatet från *I. Baazius (Inventarium Eccl. Sveogothor* p. 249) angår, så är detta, på grund af denne författares allmänna otillförlitlighet på det liturgiska området, helt och hållet betydelselöst. Deremot är all anledning att antaga, att momentet föredrogs just såsom här angifves: *af presten öfver folket (more absolutionis);* ehuruväl på 1600-talet förhållandet tyckes varit ett annat. Troligt är, att så småningom folket af ren tanklöshet börjat halfhögt eftersäga äfven absolutionen, såsom det blifvit vant att eftersäga den omedelbart föregående syndabekännelsen.

3) Grundtexten: *omnia peccata vestra.* Det är följaktligen orätt, att, såsom stundom sker, hänföra »*alla*« såsom apposition till »*oss*».

4) Momentet i dess helhet har i *Missale Aboense* följande lydelse: *Misereatur vestri omnipotens deus et dimittat vobis omnia peccata vestra. liberet vos ab omni malo saluet et confirmet in omni opere bono et perducat ad vitam eternam. Amen.*

Den historiska anknytningen till denna afdelning af af *1531-Års Mässa* ligger klar. Ol. Petri har uppenbarligen utgått från den *Præparatio in missam*, han här förefann i det katolska ritualet, blott omgestaltande den från en *presterskapets* konfiteorsakt till en *församlingens.*

Härtill kunde han i blott ringa mån begagna sig af det romerska *Confiteor.* Detta var alltför djupt pregladt af romersk offertjenst och helgondyrkan. Det åsterstod derför blott för honom, att författa ett nytt *confiteor* i evangelisk tonart. Och han gör så ända derhän, att blott i två, tre uttryck en återklang af den romerska syndabekännelsen kan spåras (jfr *Miss. Ab.*: »*peccaui nimis cogitatione locucione opere*» samt *Tidebokens Skrifftord: »Jach arm syndogh menniske .... ath iagh magh nw faa her alle mine synders forlatilse ...»).* Det nya momentet är hållet i äkta evangelisk och god liturgisk stil.

Såsom redan påpekats, var deremot 1531-års *Absolutions-bön* väsentligen öfversättning från det katolska missalet.

Att så omgestalta den katolska konfiteor-gruppen i evangelisk riktning, var icke reformationens vanliga sätt att gå till väga. Fast mer gällde såsom regel, att reformationens liturger, med Luther i spetsen, lät denna grupp helt och hållet bortfalla [1]). Dock var tillvägagåendet ingalunda enstaka. Kliefoth anför flera exempel på ett motsvarande förhållande inom 1500-talets tysk-lutherska kyrka. Likaså den redan omnämda *Malmö-mässan* (af 1529) [2]).

---

1) *Kliefoth* a. a. VIII: 7.

2) Såsom bevis på *Stockholms-mässans* oberoende af denna mässordning, anföra vi här till jemförelse den senares *Confiteor:* »Her effter følger thet hellige Euangeliske Messe embede, som nw ij then Christne forsamling siunges. Med twenne skøne formaninge til folkit. *Adiutorium nostrum.* Wor hielp wære ij Herrens naffn, som skapte himmel oc iorden. Bekender Herren forthi han er god, oc hans barmhiertighed er ewig. *Confiteor.* Een kort bekendelse ij Guds ansigt. Ieg arme syndige menniske bekender Gud almectigste, mijn skabere oc

Hvilkendera af dessa tvänne skilda riktningar inom den lutherska reformationskyrkan må nu anses ega de bästa, liturgiska skälen att åberopa? Vi tro, strängt taget, den af Luther representerade. Ty för så vidt den motsatta riktningen bibehåller *Kyrie* med *Gloria in excelsis* (såsom hos oss 1531), följa onekligen här *tvenne* konfiteorgrupper omedelbart efter hvarandra: å ena sidan *den utförda syndabekännelsen* med åtföljande bön såsom *Absolutio*[1]; å den andra *det trefaldiga Kyriet* (äfven det, enligt vår föregående undersökning, afgjordt konfiteor-artadt), egande i *Gloria majus* ett långt kraftigare absolutionsmoment än den temligen karakterslösa s. k. *Absolutionsbönen.*

Deremot må erkännas, att Ol. Petri genom sin anordning tillförsäkrat det svenska ritualet ett vida rikare och bestämdare *Confiteor*, än hvad det lutherska högmässoritualet i allmänhet har att uppvisa.

2.

Introitus-gruppen.

Denna grupp är nästan oförändrad öfverflyttad från den latinska mässan in i den svenska.

---

forløsere, att ieg icke allene haffuer syndet med tancker, ord, oc gierning men er oc saa vndfangen y synden saa, att myn gantske natur oc wæsen (y hans strengheds oc retferdigheds ansigt) er straffeligt oc fordømmeligt, for huilket ieg flyer til hãs grundløse barmhiertighed, søger oc beder naade aff hannwm. Herre wer mig arme syndere barmhiertig. *Absolutio.* Een Euangelisk affløssning offuer meenheden. Then almectigste barmhiertige Gud (som for wore synders skyld, ij döden haffuer giffuit sijn eenborne søn Iesum Christum) forbarme seg offuer oss, oc for sijn skyld giffue oss wor synd til, oc begaffue med then Helliaãd alle the som tro paa hannwm: Att wij wid hannwm kunde fuldkomme hans guddommelig wilie, oc faa thet ewige lijff Amen».

1) Det torde näppeligen behöfva påpekas, huru oegentligt denna benämning är för i fråga varande bön. Den liturgiska bönen kan dock aldrig blifva något annat än ett *sakrificiellt* moment; men absolutionen är af afgjordt *sakramental* natur.

Den öppnas äfven af Ol. Petri med en *Introitus: Fölier nw ingongen j messone. Ingongen må wara noghon psalm eller annan loffsong aff scrifftenne vthtaghen*».

En närmare bestämning angående *Introitus* finnes i slutet af 1531-års mässordning, der det heter: »*Ingongen j messone må wara någhon psalm halff eller heel, hwilkit och så j fortidhen haffuer sedher warit, Ther före fölia här nogro epter the man ther til ymsom bruka må til thes flere warda vthsatte på Swensko*», (hvarpå följa de 7 botpsalmerna[1]) jemte *Gloria Minus).*

Jemföra vi härmed *Formula missæ* af 1523, finna vi der följande följande förordnande om samma sak»: *Primo introitus dominicales et in festis Christi, nempe, Paschatis, Pentecostes, Natiuitatis, probamus et seruamus, quamquam psalmos mallemus vnde sumpti sunt vt olim*». Ol. Petri tyckes här omedelbart ansluta sig till Luther. Deremot har han nog liturgisk blick för att icke upptaga Luthers allt igenom obefogade alternativ i *Deudsche Messe* 1526: »zum anfang aber singen wyr eyn geystliches lied, odder eynen deudschen Psalmen».

Att såväl Luther som Ol. Petri försöka utvidga introitus-momentet till ett slags gammaltestamentlig *lectio*, berodde uppenbarligen på den för hela reformationen gemensamma sträfvan, att i gudstjensten få in så mycket som möjligt af det heliga skriftordet. För så vidt dock denna fördel betalades med uppgifvandet af detta moments förbindelse med kyrkoåret, kan den nya anordningen näppeligen gälla såsom ett liturgiskt framsteg. Dessutom öppnas öfver hufvud icke gudstjensten lämpligen med en naken *lectio*, utan hvarje förberedelse eller inledning.

---

1) Redan i *Den Svenska Tideboken* (circa 1525) »vppa Swensca» anförda.

Den Svenska mässans *Kyrie* blef blott *trefaldigt* i motsats mot den katolska mässans såsom regel *niofaldiga Kyrie*[1]).

Till sist möta vi inom denna grupp det sedvanliga *Gloria-momentet*. Det utgör en nästan ordagrann öfversättning från latinet och har följande lydelse: *Sedhan for gloria in exelsis. Äära wari gudh j höghden, Och fridh på jordene, menniskiomen en godh wilie, Wij loffue tich, wij welsigne tich, wij tilbidhie tich, wij prijse och äre tich, wij tacke tich för tijn stora äro, O herre gudh hīmelske konīg gudh fadher alzmechtigher, O herre thes aldra högstes eenfödde son Iesu Christe, O herre gudh, gudz lamb fadherens son, Tu som borttagher werldenes synder forbarma tich offuer oss, Ty tu är aleena heligh, Tu är aleena herren, Tu är aleena thn̄ höxte Iesu Christe, medh then helga anda j gudh fadhers herligheet, Amen*» [2]).

Då intet angående utförandet bestämmes, måste vi antaga att detta allt fort varit det sedvanliga: intonation af liturgen *(»Ära wari gudh j höjhden»)* och fortsättning af kören *(»Och fridh på jordene, menniskiomen en godh wilie»* [3]).

---

1) Jfr *Deudsche Messe:* »Darauff (singen wyr) Kirie Eleison, auch ym selben thon, drey mal vnd nicht neun mal, wie folget. Kyrie Eleison, Christe Eleison, Kyrie Eleison». I motsats mot Luther har Ol. P. äfven detta moment i öfversättning: »»*Herre forbarma tich offuer oss! Christe, forbarma tich offuer oss! Herre, forbarma tich offuer oss!*» *(D. sv. Tideboken:* »*Herre miscunda tigh offuer oss. Criste fforbarme tigh offuer oss. Herre gud miscunda oss*»*). Malmömässan* har här en treversig kyriepsalm.

2) Luther lemnar momentets bibehållande 1523 »*in arbitrio episcopi*» och utelemnar det helt och hållet 1526.

3) Denna alltintill våra dagar qvarstående afvikelse från det latinska missalets: »*Et in terra pax hominibus bonæ voluntatis*» beror troligen på texten i 1526-års bibelöfversättning: »*menniskiomen it got behagh*».

3.

Lektions-gruppen.

Äfven här bibehåller Ol. Petri medeltidsmässans samtliga moment liksom deras häfdvunna ordningsföljd: *Salutationen:* »*Herren wari medh idher Så och mz thinom anda*»[1]); *Collecta; Epistel; Graduale; Evangelium* och *Credo*. Och dock gömmer denna grupp ett destruktivt drag, som för vår högmässogudstjenst kunnat blifva af ödesdigraste art, om ej vår kyrka i tid fått sina ögon öppnade för faran. Vi mena den genomgående lösgörelse från *kyrkoåret*, som är utmärkande för 1531-års lektionsgrupp — ett desto betänkligare drag, som kyrkoåret just i denna grupp eger sitt djupaste fäste och klaraste uttryck.

Detta destruktiva drag framträder redan i *Collectans* formulering. Härom heter det nämligen: »*Collecta then här epterfölier eller noghon annor epter tidhen*[2]). *Läter oss bidhia. Wij bidhie tich alzmechtuge gudh käre himmelske fadher, at tu forläna oss en fast troo vppå tich och thin son Iesum Christum, itt oforskrect hop vppå thina barmhertigheet j allo wåro nödh och mootgong, och en grundeligh kärleek til wor nesta, genom samma thin son Iesum Christum wor herra, Amen*»[3]). Det är alltså uppenbart, att

1) Detta moment dock icke längre, såsom förut, *sjunget* utan *framsagdt:* »*Presten wender sig till folket och segher: Herren wari* ...». Och detta på goda, liturgiska skäl. Ty den liturgiska betydelsen af prestens mässning kan ej vara någon annan än den, att framhålla det i fråga varande momentets *högtidliga objektivitet*. Men det är så långt ifrån, att salutationen *Dominus vobiscum* utmärker sig för någon högtidlig objektivitet, att den snarare är att räkna såsom gudstjenstens kanske mest personliga drag *(responsio charitatis)*.

2) Härmed åsyftas ett urval af spridda kollekter, införda vid mässordningens slut. Vi återkomma till dessa längre fram.

3) Jfr *1811-Års Handboks Kollekt på Böndagar och tillfälliga Högtidsdagar*». Är denna bön författad af Ol. Petri? Dess evangeliska ton talar härför. Deremot tyder följande, af *Bode-*

Ol. Petri redan här förlorat kyrkoåret ur sigte, för så vidt hvarje hänsyn till detta saknas.

Än mer betänklig är *1531-Års Mässas* ställning till *Epistel* och *Evangelium*. Här kastas nämligen hela det kyrkliga perikopsystemet principiellt öfver bord, och förordnas i stället:» *Epter Collecten läses itt capitel eller halfft aff S. Pauli eller noghro ānar apostles Epistel, och må begynnas så, Thesse epter föliande ordh scriffuar S. Pauel apostel til the Romare, eller Corinter* etc. ... *Sedhan läses Euāgelium itt capitel eller halfft vthaff noghon Euangeliste, och må begynnas så, Thetta Euangeliū scriffuar S. Iohānes Euāgelista* etc.». (Jfr *Finis:* »*Epistlenar och Euāgelier hållas aldra lijkast aff begynnelsen capittel epter capitel så mykit mā teckes hwar daghē, Om någhon ther offuer forarghas, må man thå haffua them som the j messe bokenne vthtecknade äro til tess folket warder better vnderwijst*»*)*.

Här föreligger alltså en *principiell* brytning med den bestående ordningen *(*»*til tess folket warder better vnderwijst*»*)*. Ungefär på liknande sätt uttrycker sig Luther i *Deudsche Messe:* »Denn auch das der vrsachen eyne ist, das wyr die Episteln vnd Evangelia, wie si ynn den postillen geordenet stehen, behalten, das der geystreichen prediger wenig sind, die eynen gantzen Euangelisten odder ander buch, gewaltiglich vnd nutzlich handeln mugen[1]).

---

mann (a. a. II: 49) anförda collecta på en gemensam källa: »Allmächtiger Herr Gott u. Vater, verleihe uns einen beständigen Glauben an Chr. Ies., eine unbewegliche Hoffnung auf deine Barmherzigkeit wider alles Schrecken unseres sündlichen Gewissens u. eine. aufrichtige Liebe zu dir u. allen Menschen, um I. Chr., deines Sohnes, unseres Herrn willen. Amen».

1) Jfr *Malmömässan:* »Her effter maa mand lesse enthen thette efterfølgende Epistel (j Corint. Xj) eller eet andet ij thet gamle eller ny Testamente .... Ther næst lessis eet Euangelium aff Euangelisterne hwor som teckis effter tijdsens leylighed» — *Landesordn. des Hzg.*

Vi funno vid vår analys af den katolska mässan, att *Gradualets* ursprungliga betydelse var, att tjena såsom *responsus* till den föregående epistel-lektionen. Att Ol. P. ej heller för denna vackra tanke haft öppna ögon, röjer hans förordnande: »*For graduale läss man sedhā eller siwnger then songen om gudz bodhordh*[1], *eller noghon annan,*» äfven detta troligen i anslutning till *Deudsche Messe:* »Auff die Epistel singet man eyn deudsch lied, *Nu bitten wyr den heyligen geyst*, odder sonst eyns, vnd das mit dem gantzen Chor[2]).

Med hänsyn till det gruppen afslutande (numera lästa) *Credo* lemnas valet fritt mellan *Symbolum Apostolorum* (som *in extenso* anföres) och *Symbolum Nicenum*[3]). Här föreligger alltså en dubbel afvikelse från föregående praxis: *Nicenum* får lemna plats bredvid sig för *Symb. Apost.*, och momentet »*läses*» i stället för att sjungas[4]).

Preussen: »Darauff sal der diener odder priester ein gantz odder halb Capittel des Euangelions lessen, anczufahen vom Matheo biss czum ende Johannis». (*Richter: Ev. KOO.* I: 30)

1) »Then som wil en Christen heta, och rett thz nampnet bära, han skal tiyo bodhoord weta ....» (*Några Gudhelige Wijsor 1530. Ur en antecknares samlingar* p. 189). Denna psalm måste varit med redan i upplagan af 1526, enär den finnes införd i *Een ny hādbog. Trycht y Rozstock huoss Ludowich Dietz XX Nouembris MDXXIX* och der uttryckligen angifves såsom »vdtagen aff thet Swenske exemplar».

2) »*Malmömässan:* »Her effterfölger een lofsang med *Alleluia* (hvarefter en 4-versig halleluja-psalm följer).

3) Jfr *Form. Missæ:* »*Symbolum Nicenum cantari solitum displicet, tamen et hoc habet manu Episcopus*». Deremot *Deudsche Messe:* »Nach dem Euangelio singt die gantze kirche den glauben zu deutsch, *Wyr gleuben all an eynen gott*» (*Malmö-mässan* likaså: »Then Christne forsamling oc Chorid siunge tilhaabe Credo. *Wij tro allsammē paa een Gud . . .*»).

4) Ett *läst Symb. apostol.* var vid denna tidpunkt ett mer ovanligt drag af den lutherska högmässan. Såsom regel sjöng man här, efter Luthers föredöme, en *Credo-psalm.*

Anordningen måste erkännas såsom ett framsteg framför den vanliga, lutherska seden, att här afsjunga en versifierad omskrifning af den symboliska texten: denna är nämligen af en alltför vördnadsbjudande karakter, för att den skulle kunna tåla en sådan omskrifning. Detta dock under förutsättning, att *församlingen* instämmer i läsningen, *pastore proloquente)* [1]).

Af en i mässan inlemmad *Predikan* finnes intet spår i *1531-Års Mässa.* Detta är desto märkligare, som Luther redan 1523 i *Formula Missæ,* om än *förordande* predikans förläggande *utanför* mässan, dock åtminstone såsom *alternativ* sätter i fråga hennes införande efter *Credo* och 1526 verkligen så gör [2]). Tvifvelsutan hade predikan i Sverige på denna tid, i enlighet med allmän katolsk sed och Luthers förordande, sin plats »*ante missam*» (jfr *Ol. Petri: Orsack hwar före Messan böör wara på thet tungomål* ...: »*Ey skal messan hallas vtan predikan är gongen fore*»).

---

1) Att detta moment må af församlingen gemensamt *läsas* och icke (såsom t. ex. hennes gemensamma bön och lof *sjungas),* beror på alldeles samma skäl som liturgens mässning: i båda fallen får den mer individuella innerligheten träda tillbaka för momentets objektiva högstämdhet, för hvilken å ena sidan den opersonliga mässtonen, å den andra den högtidliga, samfällda läsningen bäst lämpa sig.

2) »*Idem de vernacula Concione sentimus, vt nihil referat, siue hic post Symbolum, siue ante introitum missæ fiat, quamquam est alia ratio, cur aptius ante missam fiat, Quod Euangelion sit vox clamans in deserto et vocans ad fidem infideles*». Jfr *D. Messe:* »Darnach (efter *Credo)* gehet die predigt vom Euangelio des Sontags odder fests.» Så äfven *Malmö-mässan.*

4.

Nattvards-gruppen[1]).

Gruppen öppnas i *1531-Års Mässa* med följande moment.

Sedhan begynnar presten Prefationem så seyandes Herren wari medh jdher. — Så och mz thinom anda. Vplyffter idhor hierta til gudh. Wor hierta vplyffte wij. Lätt oss tacka gudhi wårom herra Thet är rätt och tilbörlighit.

Sannerligha är thet tilbörlighit rät och saligt, ath wij alstädhes tacke och loffue tich helighe herre, alzmechtig fadher ewighe gudh for alla thina welgerninga, och enkannerliga for then tu bewijste oss, thå wij alle for syndene skul så illa vthkompne wårom, at oss icke annat stodh före vtan fordömelse och then ewighe dödhen, och intit creatur antingen j himmelen eller på iordenne kunde oss hielpa, Thå vthsende tu thin eenfödda son Iesū Christū som war samma gudhdoms natur medh tich, lät honom warda en menniskia for wora skul, lagde wåra synder vppå honom, och lät honom lijdha dödhen j then stadhen wij alle ewinnerligha döö skulle, Och såsom han offueruan dödhen och stodh vp jgen til lijffz och nw aldrigh meera döör, så skola och alle the som ther vppå förlata sich offueruinna syndena och dödhen och få ewinnerlighit lijff genom honom, Och oss til een formaning at wij sådana hans welgernig til sinnes tagha och icke forgäta skulle, om natten thå han förrådhen wardt hölt han een natward, j huilkō han togh brödhet j sina helga hender tackadhe sin hīmelska fadher, welsignade brööt thet och gaff sina läriungar och sadhe, Tagher och äter, thetta

---

1) Hela den vidlyftiga *Offertorium*-gruppen uteslutes, såsom var att vänta. Jfr *Formula Missæ:* »*Sequitur tota illa abominatio, cui servire coactum est, quicquid in missa præcessit, vnde et offertorium vocatur*».

är min lekamen then för idher vthgiffuin warder, görer thet til mijn åminnelse.

Så löffter presten thet vp, lägger nidher igen och tagher calken seyandes.

Sammalunda togh han och calken j sina helgha hender tackade sin himmelska fadher, welsignade och gaff sina läriungar och sagde, Tagher och dricker här aff alle, thetta är calken thes nyia testamentzens j minom blodhe then for idher och for mongō vthgutin warder til syndernes forlatelse, så offta som j thet gören så gören thet til min åminnelse.

Så vplyffter han och setter nidher jgen.

Ännu en gång återfinna vi Ol. Petri på en afväg. Ty när han här låter *Prefationens* lofoffer omedelbart öfvergå i *Verba Consecrationis*, måste detta förfaringssätt i dubbel mening stämplas såsom ett liturgiskt missgrepp: å ena sidan sammanslås härigenom tvenne sjelfständiga moment af väsentligen heterogen karakter (*Prefationens* afgjordt *sakrificiella* moment och *Instiftelseordens* lika afgjordt *sakramentala* moment); å den andra beröfvas dessa senare den betonade relief, hvilken dem, såsom hela konsekrations-aktens culmen, tillkommer.

Det är dock Luther och icke Ol. Petri, som i första hand bär ansvaret för denna anordning. Ty i *Formula Missæ* återfinna vi den under denna form: »*Vere dignum et iustum est equum et salutare, nos tibi semper et ubique gratias agere, domine sancte, pater omnipotens, æterne deus, per Christum dominum nostrum. Qui pridie quam pateretur accepit panem gratias agens, fregit deditque discipulis suis* etc.[1]). Redan i *D. Messe* 1526 ändrar dock Luther sitt misstag. Här följa nämligen på predikan »eyne offentliche paraphrasis des vater unser, vnd vermanung an die so zum

---

1) Både Luther och Ol. P. läto sig troligen förledas till detta missgrepp af instiftelseordens starkt sakrificiella inramning i den romerska mässan.

sacrament gehen wollen» samt omedelbart derefter »das ampt vnd dermunge, auff die weyse wie folget. *Vnser herr Ihesu Christ in der Nacht, da er verrathen ...».*

Att döma af stilen, är Ol. Petri *Prefationens* författare. Den saknar den fornkyrkliga prefationens fasthet och högstämdhet. *Formula Missæ* har här *præfatio de communi.*

Äfven *Instiftelseordens* formulering är sjelfständig. Ol. Petri väljer här en medelväg mellan det romerska formulärets parafrasering och bibeltroheten i *Formula Missæ.*

Den äfven af Ol. Petri bibehållna *Elevationen* försvarar Luther ännu 1526 med följande ord: »Das auffheben wollen wyr nicht abthun, sondern behalten, darumb, das es feyn mit dem deudschen Sanctus stymmet, vnd bedeut, das Christus befohlen hat, seyn zu gedencken, Denn gleych, wie das sacrament wird leyblich auffgehoben vnd doch drunter Christus leyb vnd blut nicht wird gesehen, also wird durch das wort der predigt seyner gedacht vnd erhoben, dazu mit empfahung des sacraments bekand vnd hoch geehret, vnd doch alles ym glauben begriffen vnd nicht gesehen wird, wie Christus seyn leyb vnd blut für vns gegeben, vnd noch teglich für vns bey gott, vns gnade zurlangen, zeyget vnd opffert» [1]).

I strid med Gregorianska mässan men i öfverensstämmelse med *D. Messe* förlägges *Sanctus* efter konsekrationen. Från luthersk ståndpunkt är äfven här dess rätta plats. Vi erinra oss, huruledes momentets betydelse var, att högtidligen helsa den nu i högsta mening annalkande Herren. Derför att nu katolska kyrkan anser den i och med konsekrationen verkade *transubstantiationen* vara uttrycket för detta kommande [2]), uppstämmer hon sin hels-

---

1) *Deudsche Messe.*

2) »*Invisibilis sacerdos visibiles creaturas in substantiam corporis et sanguinis sui, verbi sui secreta potestate, convertit ... quid*

ningssång redan vid denna handling. Lutherska kyrkan åter, som först i *distributionen* tänker sig Herrens sakramentala ankomst, framflyttar sitt *Sanctus* i mer omedelbar förbindelse med denna.

Deremot är den svenska mässans alternativ: *Sedhan läses eller siwnges Helig, helig* ...:» liturgiskt oegentligt. Denna jublande helsningssång bör städse *sjungas* (om möjligt antifoniskt), aldrig deremot *läsas.*

Efter *Sanctus* införes *Fader Vår* med följande ord: »*Sedhan segher presten Lät oss nw alla bidhia såsom wår herre Iesus Christus sielffuer oss lärdt haffuer så seyandes Fadher wår* ....»

Äfven här träder Ol. Petri i fotspåren af *Formula Missæ.* Vi igenfinna nämligen der samma egendomliga anordning, att införa ett naket *Pater noster* omedelbart efter *Sanctus:* »*Post hæc legatur oratio dominica. Sic. Oremus præceptis salutaribus moniti* etc.

Hvad är nu från en strängare, liturgisk synpunkt att säga om denna anordning?

Någon anknytning i den historiska häfden eger den icke. I de äldsta, österländska liturgierna[1]) förekommer *F. V.* (jemte tillhörande böner) regelbundet mellan *Verba Institutionis* och *Elevatio.* Redan här tyckes dess karakter vara öfvervägande offertorisk[2]). Dock pekar den på

---

mirum est, si ea quæ verbo potuit creare, possit verbo creata convertere» (*Cäsarius af Arles).*

1) Med undantag af *Const. Apost.*, hvars mässa helt och hållet saknar *F. V.*, och de *koptiska* och *nestorianska liturgierna*, som förbinda *F. V.* med *Fractio panis.*

2) Jfr *Die Liturgie des heil. Iakobus* (öfversatt af *Rem. Storf):* »Gott und Vater unseres Herrn .... nimm die dir dargebrachten Gaben, Geschenke und früchte zum geistigen Wohlgeruche an .... und würdige uns, menschenfreundlicher Herr, mit Vertrauen und ohne Schuld, mit reinem Herzen und zerknirschter Seele, mit offener Stirne und mit heiligen Lippen es zu wagen, dich den heiligen Gott Vater im Himmel anzurufen und zu sagen: (das Volk) Vater unser ....»

samma gång afgjordt supplikativt hän mot kommunionen[1]). Man skulle derför kunna sammanfatta dess äldsta, kända betydelse såsom utgörande på en gång *bönoffrets spets* och *bön om nattvardens egendomliga välsignelser*. Vi känna af det föregående, huruledes af dessa momentets tvenne ursprungliga sidor den offertoriska under tidernas längd allt mer gjorde sig gällande på bekostnad af den supplikativa; så att vid medeltidens slut dess betydelse näppeligen var någon annan än att, såsom högsta formen af bönens rökoffer, göra nattvardsoffret öfver hufvud desto tacknämligare. Det var i denna betydelse Luther förefann det i slutet af konsekrationsakten. Här låter han det qvarstå, med uteslutning af hela den böneakt, hvars spets och blomma det enligt katolskt åskådningssätt utgjorde[2]). Då nu från luthersk ståndpunkt blotta skuggan af en offertorisk betydelse måste principiellt bannlysas från *F. V.*, återstår för oss intet annat, för så vidt momentet öfver hufvud på detta ställe skall försvaras, än att återgå till dess andra, ursprungliga betydelse: *att uttrycka den subjektiva sinnesstämning, som må tänkas såsom förutsättning för nattvardens välsignelse*. Vi få så fram följande historiska tolkning från luthersk sida: med *Sanctus* har församlingen i jublande hänförelse helsat sin annalkande konung; detta är dock icke den stämning, i hvilken hon må omedelbart möta honom i hans nattvard; här gäller det fastmer, att vara

---

1) Jfr *Die Lit. des heil Markus* (samma öfversättning): »Gebieter, Herr, erleuchte auch jetzt durch die Ankunft deines allheiligen Geistes die Augen unserer Vernunft, um diese unsterbliche und himmlische Speise nicht zum Gerichte zu empfangen. Heilige uns vollständig an Seele, Leib und Geist, damit wir mit deinen heil. Iüngern und Aposteln dieses Gebet sprechen: *Vater unser* ....»

2) Redan 1526 dock införande en radikal omgestaltning. I *Deudsche Messe* finna vi nämligen icke längre något *F. V.* på denna plats. I stället följer här omedelbart efter predikan »*eyne offentliche paraphrasis des vater vnser*».

samlad i *bönens innerlighet*, uttrycket för församlingens receptivitet gentemot den sakramentala nådegåfvan[1]); men derför att här är fråga om ett möte mellan församlingen och Herren under tills vidare högsta, tänkbara form, derför räcker icke en vanlig *collecta* eller *oratio* här till; först den alltomfattande »*bönernas bön*, den af Herren sjelf på församlingens läppar lagda, gör här till fyllest. Detta är nog i hufvudsak äfven riktigt: i just denna betydelse är *F. V.* visserligen berättigad till en plats i nattvardens omedelbara närhet. Dock torde dels en bön med direkt hänsyftning på nattvarden böra föregå, för att gifva åt *F. V.* dess för detta ställe egendomliga färgton; dels torde denna bönekomplex böra gå *före Sanctus*, såsom lämpligare *Sacrificium* till *Instiftelseorden* än sanctusmomentets jubel (hvilket åter lämpligen inleder sjelfva nattvardshandlingen).

Härefter inför Ol. Petri, (efter den vanliga *fridshelsningen* och ett på svenska läst eller sjunget *Agnus Dei)* en längre »*Förmaning*». Då denna förmaning utvisar urformen för vår allt intill denna dag bibehållna *Nattvardsallokution*, anföres den här *in extenso*.

Käre wener epter här begåss nw Christi natuardh, och vthspijsas hans werdigha lekamen och hans dyrbara blodh är rådelighit (som S. Pauel oss lärer) ath wij (hwar j sin stadh) bepröffue oss sielffue, och så sedhā äte aff thetta brödh och dricke aff thenne calk, Och pröffue wij oss thå retzligha, om wij besinne wor stora brut och synder, hungre och törste epter syndernes forlatelse, then oss j thetta sacramentet tilbudhin warder, om wij hungre och törste epter rätferdughetenne, och achte här epter bettra oss, wenda jgen aff syndenne och leffua vthi itt got och retferdigt leffuerne, Om sådana stycke moste wij grāneligha bepröffua oss, elles gå wij här icke werdeligha til, Och haffuer wor herre enkannerliga befalet oss bruka thetta sacramentit sich

---

1) Jfr *Kollektans* betydelse såsom inledning till lektionsgruppen.

til åminnelse, thet är, at wij här medh skole j hog komma hans werdugha dödh och blodz vthgiutelse, och betenkia at thet til wåra synders forlatelse skedt är, Så wil han nw här medh at wij sådana hans stora welgerning icke forgäta skole, vtan stadeligha halla oss ther widh medh all tackseyelse, ath wi kunne wåra synder quitte warda, Ther före huilken nw äter aff thetta brödh och dricker aff thenne kalk mz een fast troo til the ordh som han här hörer, som är, ath Christus är dödh och hans blodh vthgutit for wåra synder, fåår han och så for wisso syndernes förlatelse, och vndwijker ther medh dödhen som syndenes löön är, och fåår ewinnerlighit lijff mz Christo, Thetta läter idher käre wener nw sagdt wara til en vnderwijsning j hurudaua motto j skolen gå til thetta sacramentet, och hwad nytta j här aff wisseligha hoppas skolen, om j aff een sådana bepröffuelse som föresagdt är, och medh een fast troo til Christi ordh och löffte här til gongen, thet är (med stackot ordh seyandes) j få här syndernes forlatelse, vndwijken then ewigha dödhen, och fåån ewinnerlighit lijff, Thet vnne oss allom gudh fadher och son och then helge ande, Amen.

Redan på grund af rent yttre skäl torde författareskapet till denna *adhortatio* kunna utan tvekan tillskrifvas Ol. Petri. För den katolska nattvardsmässan var öfver hufvud en agendarisk *allocutio* okänd. I de få protestantiska mässordningar, som bära tidigare datum än 1531, hafva vi icke funnit någon anknytning af nämnvärd betydelse[1]).

Dess värde till både form och innehåll har vår kyrka nogsamt erkändt genom att intill denna dag bibehålla den väsentligen oförändrad såsom moment af sitt nattvardsritual. Deremot kan dess plats i *1531-Års Mässa* icke

1) Närmast är att här tänka på den *Förmaning*, som i *Deudsche Messe* följer omedelbart på det parafraserade *F. V.* Den svenska allokutionen är dock helt och hållet oberoende af den tyska.

anses vara lyckligt vald. Om öfver hufvud en *adhortatio* är af nöden för sjelfva nattvardsakten; då må den åtminstone *inleda* denna, icke, såsom här, störande ingripa i dess af ålder harmoniskt afmätta gång. Och allra minst må den införas i aktens sjelfva höjdpunkt, omedelbart före sjelfva kommunionen. I och med det, att konsekrationen afslutats och församlingen i *F. V.* och *Sanctus-momentets* helsning intagit sin tillbedjande ställning, är nämligen för den heliga handlingen »*allt redo*»; och hvad här emellan än vidare inskjutes, kan aldrig verka annat än störande och skymmande. När derför Ol. Petri först här inför sin »*Formaning*»; då kan detta blott räknas såsom ännu en erinran, till hvilken liturgisk taktlöshet den snillrike mannen i sin lutherska undervisningsifver understundom kan göra sig skyldig. Dock är att märka, att momentet var icke agendariskt bindande utan blott i det fall presten anbefalld, att »*honom synes så behöffwas och tijdhen thet tilstädher*», liksom att Ol. Petri inom reformations-literaturen ingalunda står ensam om detta liturgiska missgrepp[1]).

Omedelbart efter förmaningen öfvergår Ol. Petri till *Distributionen: Sedhan beretter han folket mz brödhet och segher: Wors herras Iesu Christi lekamen beuare thin siel til ewinnerlighit lijff. Amen, Sedhan medh calkenom seyandes: Wårs herres Iesu Christi blodh* etc.».

Vi minnas, huruledes distributionsformeln vid prestens sjelfkommunion i *Miss. Ups.* hade följande lydelse: »*Corpus domini nostri iesu christi custodiat animam meam et corpus meum in vitam eternam. Amen. Sanguis dom. n. iesu chr. custodiat animam meam et corpus meum in vitam eternam. Amen*»[2]). Att här Ol. Petri omedelbart öfver-

---

1) Det återfinnes t. ex. i *Ag. Marchica 1540* liksom äfven i *Malmö-mässan 1529*.

2) *Ordo Missæ Mozarab.* likaså: »*Corpus et Sanguis Domini nostri Iesu Christi custodiat corpus et animam meam in vitam æternam. Amen*».

sätter, är uppenbart. Blott utesluter han med Luther och *Ordo Romanus Trid.* uttrycket: *corpus meum.*

Ännu 1523 tillstadde Luther *communionem cantare*[1]). Deremot förordnar han 1526: »Vnd die weyl singe das deudsche sanctus, odder das lied, Got sey gelobet, odder Iohan Hussen lied, Ihesus Christus vnser heyland.... odder das deudsch *Agnus dei*». I nära anslutning till detta senare förordnande heter det äfven i *1531-Års Mässa: Så siũges thå eller läses pro Cōmuniōe en psalm på Swensko*[2]), *eller Nunc dimittis på swensko*[3]).

Efter detta moment följer, enligt katolsk praxis, en *Tacksägelse-kollekt*[4]), inledd med salutationen: *Herren wari medh jdher, Så och medh thinom anda.* Den i äkta kyrklig stil hållna bönen har följande lydelse: *Låt oss bidhia, O herre alzmechtigher gudh som haffuer lätit oss j thin sacrament deelactiga warda, wij bidhie tich at tu låter oss och så medh tich och alla thina vthkorade helgon vthi thina euogha äro och herligheet deelactugha warda, genom wor herra Iesum Christum thin son som leffuer och regnerar*

---

1) *Formula missæ.*

2) Utan tvifvel en hänvisning till någon af den året förut utgifna psalmbokens 15 psalmer.

3) Redan i *Den Svenska Tideboken* (*Stockh.* 1853) öfversatt under följande gestalt: *O Herre lath nw thyn tienere effther thin ord wara j ffridh. For thz myn ögen haffua seeth thyn salighet. Huilken thu haffuer tilreeth ffor alla almoghes anlethe. Thu haffuer apenbaret eth liuss thin almoga oc ena glädi tyt ffolk. — Erä warda gud etc. Som thz haffuer etc. — Antiphona. Wy ärom tig gudz föderscha ffor thy cristus är födder aff tigh frels thom alla tig loffua oc äre. — V. Herre hör min bön etc. R. Oc mit rop etc.*

4) Jfr *Ordo Roman.*: »*Iunctis manibus ante pectus vadit ad medium altaris et eo osculato vertit se ad populum et dicit: Dominus vobiscum R. Et cum spiritu tuo. Redit ad librum et dicit orationem, quæ dicitur Postcommunio, unam vel plures ut postulat ordo officii*».

medh tich och them helga anda vthi een gudhdom aff ewigheet j ewigheet. Amen.

Vi igenkänna lätteligen i denna bön det första utkastet till vår närvarande nattvards-kollekt. Den är sannolikt en fri omskrifning af någon af medeltidens hardt när otaliga *Postcommuniones*.

Med ett nytt: »*Herren wari mz idher, Så och medh thinom anda*» — öfvergår nu Ol. Petri till den egentliga *Afslutningen*. Denna utgöres af blott två moment: *Benedicamus* (»*Takkom och loffuom herran, Gudhi wari tack och loff*»[1]) och den aroniska *Välsignelsen* (»*Nu segher han. Böyer idhor hierta til gudh och anämer welsignelse*[2]). *Herren welsigne oss* ...»[3]).

Benedicamus är lånadt af det romerska ritualet, hvarest det större delen af året utgjorde stående moment af mässans afslutning[4]). Dess betydelse var, att bringa Herren ett sammanfattande tack och lof för de under gudstjenstens gång undfångna, olika nådegåfvorna. *Den aroniska välsignelsen* är deremot troligast ett lån af Luther. Bland den katolska mässans många slut-benediktioner från denna tid hafva vi nämligen förgäfves sökt den. Deremot heter det i *Formula missæ*: »*Benedictio solita detur. Vel accipiatur illa Numeri* VI. *quam ipse dominus digessit. d. Benedicat nos dominus* ...».

Denna afslutning är i all sin enkelhet icke utan sin liturgiska skönhet: med ett *Dominus vobiscum* erinras

---

1) *Benedicamus Domino. R. Deo gratias*

2) Fri öfversättning af den sköna formeln: *Humiliate capita vestra deo.*

3) Felaktigt är, att här använda 1:sta personen pluralis; i enlighet med bibeltexten bör välsignelsen vara affattad i 2:dra pers. sing.

4) Jfr *Formula missæ*: »*Loco ite Missa, dicatur. Benedicamus domino, adiecto (vbi et quando placet) alleluia in suis melodiis*».

församlingen om, att hon nu nått fram till en ny vändpunkt i gudstjensten[1]), att det numera blott återstod, att samla sig för hela den heliga förrättningens stilla afslutning; församlingen känner härvid främst behofvet, att *tacka* Herren, för hvad hon fått af gudstjensten i dess helhet; hon gör så i det uråldriga *Benedicamus-momentet;* såsom svar från ofvan nedsänker sig *Välsignelsen* öfver församlingen[2]). Man saknar dock i denna afslutning, mellan *Benedicamus* och *Välsignelsen*, ännu en *Collecta*, i hvilken församlingen till sist nedkallar Guds välsignelse öfver sin utgång ur templet och sin ingång i hemmen: slutvälsignelsen skulle så kraftigare motiveras och afslutningen i allmänhet vinna i fullhet och klarhet.

Såsom *Bihang* till *1531-Års Mässa* följer till sist en del *bibeltexter* och *collekter*. Detta bihang är af intresse såsom varande det första utkastet till vår n. v. *Evangeliibok*.

Bibeltexterna utgöras af *de sju botpsalmerna*, hvilka föreslås att brukas *pro introitu:* »*Ingongen j messone må wara någhon psalm, halff eller heel*». Då öfversättningen

---

1) I allmänhet är medeltidsmässcns flitiga bruk af denna helsningsformel icke att efterfölja. Det hvilade nämligen på en öfverskattning af liturgens personliga betydelse. Så t. ex. är det nästan omedelbart föregående: *Herren wari medh jdher* — afgjordt oberättigadt. *Post communio* ensamt för sig kan nämligen ej gerna representera en sjelfständig vändning i gudstjensten, åtminstone icke från luthersk synpunkt.

2) Det är att märka, att här ännu icke (liksom ej heller i *Formula missæ* eller *Deudsche Messe)* den för den senare lutherska högmässogudstjensten så välbekanta *Slutpsalmen* förekommer. Mycket talar äfven för, att, liksom Herren i *Introitus* haft s. a. s. *första ordet*, han äfven har det *sista* och så äfven i gudstjenstens anordning framstår såsom församlingens *A* och *O*.

är en helt annan än *Tidebokens Syw Psalmana vppa Swensca*, är troligt, att den gjorts af Ol. Petri sjelf och således utgör ännu ett sjelfständigt bibelöfversättningsfragment från 1500-talet.

Her epter fölier noghra collecter eller böner som mågha haffuas j messone näst epter ingongen, stundom then ena och stundō then andra til tess flere warda vthsette.

De äro 16 till antalet, samtligen öfversatta från latinet. Af dessn tillhöra 12 trinitatis-cykeln[1]). Någon anvisning om deras användning på kyrkoårets olika tider förefinnes icke. Detta var alltså lemnadt åt liturgens godtycke.

Bihanget afslutas med den redan omnämda anmärkningen angående de bibliska lektionerna: *Epistlenar och Euāgelier hållas aldra lijkast aff begynnelsen capittel epter capitel så mykit mā teckes hwar daghē, Om någhon ther offuer forarghas, må man thå haffua them som the i messe bokenne vthteeknade äro til tess folket warder better vnderwijst.*

---

1) Såsom exempel på Ol. Petris sätt att härvid gå till väga, anföres här *Första Trinitatis-söndagens Collecta* efter såväl grundtexten som öfversättningen.

Deus, in te sperantium fortitudo, adesto propitius invocationibus nostris; et quia sine te nihil potest mortalis infirmitas, præsta auxilium gratiæ tuæ; ut in exequendis mandatis tuis, et voluntate tibi et actione placeamus.

O herre gudh som är tina åkallares styrkia, see milleliga til wåra böön, och epter tigh förutan formåå mennisklig swagheet intit, hielp til medh tina nådhe ath wij måghe fulborda tijn budh, och teckias tigh bådhe mz ordh och gerningar, Genom tin son etc.

Resultatet af vår härmed afslutade granskning af *1531-Års Mässa* skulle så kunna sammanfattas: denna mässordning är i sin helhet blott en kritisk bearbetning af den romerska medeltidsmässan, med strödda drag troligen lånade från dels *Formula missæ*, dels *Deudsche Messe*; dess uppställning är i allmänhet korrekt, dock icke utan ett och annat skärande missgrepp; för kyrkoårets betydelse röjer den fullständig blindhet; språket är måttfullt och kraftfullt.

Senare upplagor 1531-Års Mässa.

Redan 1535 utkom en ny upplaga af svenska mässan: *Then Swenska Messan epter som hon j Stocholm halles, med noghro orsaker och bewijs som ther til dragha at hon på forstondeligit mål hallas skal, giffues her ock fore huij hon icke aldeles med sådana ceremonier halles som then Latiniska Messan. Stocholm* MDXXXV.

Om denna nya upplaga är blott föga att säga. Sjelfva mässordningen utgör i det närmaste ett ordagrant aftryck af *1531-Års Mässa.* Blott en enda afvikelse hafva vi här antecknat: *Fader vår* är i någon mån annorledes formuleradt[1]). Dessutom är stafningen en annan.

Till ett gemensamt förord sammanslås nu 1531-års *Företal* och *Orsack hwar före Messan* o. s. v. under följande rubrik: *Olaus Petri til then Christeliga läsaren.* Härvid sker ingen annan ändring af texten än den, att sista stycket i sistnämda skrift utlemnas.

Den märkligaste ändringen i den nya upplagan förekommer i *Bihanget.* Under det att det nämligen angående bibellektionerna förordnades 1531: »*Epistlenar och Euangelier hållas aldra lijkast aff begynnelsen, capitel epter capitel, så mykit man teckes hwar daghen*»; heter det numera: »*Epter thet man icke altijd haffuer thet nyia testamentit widh handena thr̄ Epistler och Euangelier vttaghas*

1) Så t. ex. lyder 3.dje bönen 1531: »*Skee thin wilie så på iordenne som j himmelen*»; och 1535: »*Skee tin wilie såsom j himmelen så ock på iordenne.*

skole, Therföre är her noghot lijtit tilsatt aff Pauli lärdom och Christi ordom ther aff tagas må så mykit som behöffuas kan». Härefter införas följande 14 *skriftperikoper:* Rom. 6: 8—14; Rom. 12: 1—21; I Kor. 15: 20—28; I Petri 5: 6—11; I Joh. 4: 7—21. 5: 1—5; Matt. 10: 25—40; Matt. 11: 25—30; Matt. 18: 1—9; Matt. 25: 31—46; Mk. 16: 15—20; Luk. 12: 22—34; Joh. 3: 16—21; Joh. 11: 21—27; Joh. 12: 44—50.

Detta är allså det första famlande utkastet till vår kyrkas evangeliska perikopsystem! Redan vid första blicken framträder dess allt igenom dogmatiska karakter. Icke ens den svagaste anknytning till kyrkoåret kan upptäckas.

Efter blott 2:ne års förlopp möta vi ännu en upplaga af samma skrift med lika titel (*Stocholm* MDXXXVij. *Företalet* och sjelfva *Mässan* förblifva oförändrade (med undantag af stafningen). Deremot vidtagas ganska genomgripande förändringar med *Bihanget*.

Hvad i första hand beträffar *Ingången*, minnas vi, huruledes såväl 1531 som 1535 härom stadgades, att »*Ingongen j messone må wara någhon psalm, halff eller heel»* (hvarefter de 7 *botpsalmerna* följde). Numera heter det om samma sak: »*Epter Dauidz psaltare ther Jngongen och Graduale som mest plähar vttages är nw på Swēsko vtgongen aff prentet*[1]), *synes ey behöffuas, at her monge aff psalmanar for Jngongar och Gradualer insettias, vndantagna någhra få the man man her må haffua for itt exempel til andra flere, Och må messan begynnas altså. I nampn faders och sons och then heliga andes. Amē. Tesse ord äre vtaff konning Dauidz psalmabook»* (hvarefter följande texter angifvas: ps. 1: 1—6; ps. 6: 1—6; ps. 13: 1—6; ps. 51: 1—6).

---

1) *1537-års Öfversättning.*

Tvenne ändringar äro här att märka. Introitusmomentet inledes med formeln: »*J nampn faders och sons och then heliga andes Amen*»; och bibeltexterna inskränkas till högst 6 versar. Denna nya anordning innebär uppenbarligen ett närmande till introitus-momentets medeltidskarakter (i motsats till 1531-års uppfattning af detta moment såsom undervisande *lectio)*. Någon anknytning till kyrkoåret förspörjes deremot icke.

Ännu 1537 qvarstod i mässordningen det ursprungliga förordnandet angående *Graduale:* »*For graduale läss man sedhan eller siwnger then songen om gudz bodhordh, eller noghon annan*». Detta var uppenbarligen en alldeles för tarflig och knapphändig anvisning, för att den icke rätt snart skulle fordra en närmare bestämning. En sådan lemnas nu äfven här i 1537-års *Bihang:* »*For Graduale mågha ock sammaledes vttaghas noghor wers aff psalmomen widh thetta settet. Tesse ord äre ock aff fornemda Dauidz psalmom*» (ps. 51: 7—11; 12—15; 16—19; ps. 143: 10—12[1]). Alltså ännu en gång ett närmande till den ursprungliga ordningen. Ty det var just utmärkande för det katolska medeltidsgradualet, att vara hufvudsakligen byggdt på några lösa psalmversar.

Äfven i ett annat afseende återföres *Gradualet* 1537 till det äldre bruket: dess afsjungande *på latin* tillstädjes nämligen nu uttryckligen, ett medgifvande, som icke förekommer i de 2 äldre upplagorna. Härom heter det 1537: »*Om messan siunges wil man ta stundom siunga Introitum och graduale på Latine må thet wel skee, doch så at samme*

---

1) Jfr *1531-Års Mässa*, der samma versar ingå i *Introitus-texterna*. Öfversättningen af de anförda texterna är icke alldeles den samma 1537 som 1535. Så t. ex. öfversättes ps. 51: 8 det senare året: »*Ty til sanningena haffuer tu lust, tin wijsdoms herligheet haffuer tu vnderwijst mich, Skira mich mz Hysopen . . .*». Deremot lyder samma vers 1537: »*Ty tu haffuer lust til sanning, tu läst mich weta wijsheet hemliga fördolda, Stenk mich Isop . . .*».

songer äro vttagne aff scrifftenne och icke annars». Det är tydligen den växande oppositionen mot latinets bortläggande, som gör sig allt mer känbar.

Vi komma nu till *Collekterna.* Dessa voro, såsom vi minnas, 1531 och 1535 endast 16[1]). Deras antal har nu vuxit ända till 30. Märkligare än det ökade antalet är dock, att af dessa 30 kollekter 15 yttryckligen hänföras till följande, bestämda högtidsdagar: *In aduentu domini; In natalibus domini; In die circumcitionis; In die Epiphanie; In die palmarum; In festis paschalibus; In die ascensionis; In die Pentecostes; Die purificationis; In die annunciationis; De S. Johanne Baptista; De angelis; De apostolis; De martiribus; De sanctis*[2]). Vi finna häraf, att åtminstone i denna punkt en återgång till det af Ol. Petri hittills å sido satta kyrkoåret är skönjbar. Han öser alltjemt ur den katolska kyrkans rika kollekta-skatt; blott en och annan collekta ter sig i så stark omarbetning, att den torde kunna räknas för original.

Epistel-texterna äro de samma som 1535. Utöfver de anförda texterna hänvisas äfven till vissa gammaltestamentliga böcker med följande ord: »*Så äre ock nw Solomos ordspråk, Ecclesiasticus och Wijshetenes book på Swensko vtgangne aff prentet, kan man wel vnderstundom tagha ther något vth for Epistler, såsom och samma böker haffua thr̄ til vthi the Latineska messone mykit brukade warit».* Att från principiell synpunkt en dylik epistel-texternas uppblandning med gammaltestamentliga texter måste förkastas, framgår redan af vår föregående undersökning. Ty här

---

1) Af förbiseende anmärker *Klemming (Kgl. Bibl:s Handl.* I: 1878) vid *1537-Års Upplaga:* »*Här införas nu för första gången collecter, 30 till antalet».*

2) De öfriga 15 (med undantag af aftonbönen *Ad Completorium)* hänföras blott i allmänhet till söndagsgudstjensten medels rubriken: *In dominicis diebus.*

funno vi, att *Episteln* betecknade ett *framsteg* framför den gammaltestamentliga *Introitus-Texten:* i *Episteln* kom Herren till församlingen i en *högre* mening än i *Introitus.* Genom en dylik uppblandning hämmas alltså gudstjenstens progressivitet och grumlas de enskilda momentens egendomliga betydelse.

Äfven *Evangelierna* äro de samma som 1535, undantagandes, att de 2 sista texterna af detta år, Joh. 11: 21—27 och 12: 44—50, uteslutas 1537. I stället inflyter en hänvisning till Evangelierna i *Then swenska postillan,* hvilka anbefallas till bruk, »*til tess nyia testamentet kan wijdhare vthkomma*» [1]).

Den lilla boken afslutas med *Symbolum Nicenum vel potius Constantinopolitanum* och *Canticum Symeonis,* bådadera på svenska. Den betecknar öfver hufvud ett afgjordt steg i reaktionär riktning inom vår liturgiska reformationsliteratur.

Vi hafva nu nått fram till *1541-Års Upplaga* [2]). Denna upplaga kan sägas vara af epokgörande betydelse för vårt högmässoritual.

Redan på första bladet af den nya mässordningen möta oss några i hög grad märkliga ändringar. När näm-

1) Troligen åsyftas härmed *Een liten Postilla offuer all Euangelia som om Söndaghanar läsen warda offuer heela året .... Nu annan tijdt tryckt, och flyteligha corrigerat. O. P. MDXXXVij.*

I allmänhet gör sig vid denna tid en reaktion till förmån för kyrkoåret allt mer märkbar. Så t. ex. innehåller *Företalet* till nämda postilla ett drag i dylik riktning af nästan officiell natur: »*Så haffua werdige fäder kyrkiones prelater och formän her j riket, samtycht och beleffuat, at een liten Postilla skulle göras offuer the Euangelia besynnerliga, som j then Christeliga forsamlingēne pläga om alt året läsin warda, huilket och nw så skeedt är*».

2) *Messan på Swensko.* *Upsala* 1541.

ligen här Ol. Petris *Confiteor* införes[1]), sker detta icke, såsom hittills, med det kategoriska: »*sägher presten til folkit*» — utan med dessa ord: »*må Presten, om honom så synes, haffua thenna bekennelse*» (således ställdt i hans godtycke). Vidare tillägges härtill följande, oväntade medgifvande: »*Om Presten heller tyckes haffua thenna bekennelse för sigh sielff på Latijn, må thet skee medh thenna få ord. Confiteor omni potenti Deo, et vobis fratres quod pecauerim nimis in vita mea, cogitatione, loquutione, opere et omissione. Ideo precor vos orate pro me. — Misereatur tui omnipotens Deus, et remissis omnibus poecatis tuis, perducat te ad vitam eternam. Amen*» [2]).

---

1) Väl med en och annan ringa ändring men ingen af nämnvärd betydelse.

2) Vi igenkänna lätt i detta moment medeltidsmässans *Confiteor* & *Absolutio*, blott med en och annan uteslutning. Huru tänktes dess utförande? Att icke, såsom uttrycket: »*haffua thenna bekennelse för sigh sielff*» — vid första påseende tyckes gifva för handen, presten läste det tyst för sig, angifves klarligen af orden: »*et vobis fratres*» och »*Misereatur tui* . . .». Men hvilka voro då dessa *fratres?* Och hvem uttalade absolutionen öfver presten? Närmast voro att tänka på medeltidsmässans *ministri* (de s. k. *chorpresterna).* Så *Kleberg* a. a. p. 58: »Af hvem eller hvilka församlingens svar så föredragits, antydes ej, men då vi ej här kunna antaga ett församlingens läsande i chorus, synes det vara ganska säkert, att absolutionsbönen öfver presten föredragits af någon eller några församlingens representanter (ministranter eller kör o. s. v.»). Men intet ger för handen, att ännu på 1540-talet korpresternas institution fortlefde i Sverige (jfr *1571-års K.O.:* »*Så wille thet ock wara Dieknomen för tungt hwar dagh siunga vthi Kyrkionne, effter inge andre äro som thet göra kunna, nemligha the Chorprester, som förr haffuer warit sätt, medh mindre at förberörde Chorprester åter komma j bruket igen, som wäl wore mögeligit*»). Men icke heller *djeknarne* eller *kören* kunde här gerna hafva tjenstgjort, då deras sak var att *sjunga*, aldrig att *läsa.* Troligast är att *Klockaren* här fick tjena såsom talman i enlighet med följande stadgande i *Johan III:s Liturgi:* »*Klockaren aflöser honom och säger: Miseriatur Tui Omnipotens Deus* . . .».

Vi finna häraf, att 1531-års svenska *Confiteor*, efter 10 års bestånd, icke djupare slagit rot i församlingsmedvetandet, än att det här kan alternativt koordineras med ett *latinskt confiteor* af helt och hållet enskild natur. Skälen härför torde i första hand varit politiska. Frågan om latinets återinförande i mässan hade nämligen allt mer blifvit en politisk fråga[1]), åter och åter framträdande i samband med de talrika folkupploppen i olika landsändar. Att åter under Normanska regimen, som dock, på det hela taget, bar en strängt luthersk pregel, man icke mera höll på ett svenskt, gemensamt *confiteor* i spetsen för mässan, torde berott derpå, att detta *confiteor* var från strängt luthersk ståndpunkt okändt.

Hvad *Ingången*[2]) och *Graduale* beträffar, är ingen annan ändring att anmärka än den, att den tillåtelse, att få »*stundom sjunga Introitum och graduale på Latin*», hvilken redan 1537-års *Bihang* innehöll, nu intages i sjelfva mässordningen under denna form: »*Ingången må wara någhor Psalm, eller annar Loffsong, på Swensko eller Latijn, aff Scrifftenne vthtaghen .... Graduale må wara tiyo Gudz bodh, eller någhor Psalm, eller ock annar Loffsong, på Swensko eller Latijn, aff Scrifftenne vthtaghen*».

Vid både *Epistelns* och *Evangeliets* införande göres det betydelsefulla tillägget: »*eller ock thet daghen tillydher*». (d. ä. den gamla perikopen *de tempore).* Alltså

---

1) Detta ända derhän, att konungen sjelf ännu den 31 Maj 1539 anser sig böra stäfja sina befallningsmäns nit för den svenska mässans införande, erinrande om, att »*icke heller henger wår Siels salughett, ther opå alene, ath messan, holles på Swenske*» (*Thyselius: Handl. till Sverg:s Reformat:s- och Kyrkohist.* II: 118).

2) Att *Ingången* nu tryckes med *största* stilsorten, under det att den hittills trycktes med den *minsta*, är icke alldeles betydelselöst. Man vill synbarligen härmed, i likhet med medeltidsmässan, betona, att först med *Ingången* den egentliga mässan börjar.

ännu ett vigtigt steg hän emot den svenska mässans åter knytande vid kyrkoåret.

Efter *Evangeliet* följa fem ord, tryckta med finaste stilsort och dock af den betydelse, att man väl må sätta i fråga, huruvida någon ändring i ritualet allt ifrån reformationens början varit från liturgisk synpunkt af en mer genomgripande innebörd.

De äro följande: *Ther effter skal Predican skee»*.

Man kan nämligen säga, att med de ordens nedskrifvande *den fulla, kristna hufvudgudstjensten för första gången infördes i Sverige.* Ty såväl från urkristlig som urluthersk ståndpunkt är först den hufvudgudstjenst att anse såsom rätt fullständig och afslutad, hvilken inom sig innesluter äfven *predikan* såsom fast moment, eger ett organiskt bestämdt rum äfven för *den personligt fria förkunnelsen af Kristi evangelium.*

Den nya bestämmelsen är troligen hemtad från *Deudsche Messe,* der predikan på samma knapphändiga sätt införes: »Darnach gehet die predigt vom Euangelio des Sontags odder fests». Dock afviker det svenska ritualet från det tyska derutinnan, att det inskjuter predikan mellan *Evangelium* och *Credo* i stället för att låta henne följa först efter sist nämda moment. Detta, såsom framgår af det föregående, i strid med Credo-momentets historiska betydelse, liksom det icke heller principiellt torde kunna försvaras: evangeliet är nämligen af den liturgiska betydelse, att det kräfver sitt bestämda. sjelfständiga *responsum* å församlingens sida och icke må utan vidare sammanflyta med den sakramentala predikan[1]).

---

1) Nu kan väl sättas i fråga, huruvida predikan är att fatta såsom ett allt igenom *sakramentalt* moment. En motsatt uppfattning är ingalunda okänd för den moderna latreutiken: man har der försökt att gifva predikan dels en *rent sakrificiell* betydelse (såsom församlingens högtidliga μαρτυρία), dels en på en gång *både sakramental och sakrifi-*

Nu kan visserligen synas, som blefve åter predikan utan hvarje sakrificiell motsvarighet i *1541-Års Mässa*, i fall så *Credo* flyttades tillbaka till *Evangelium*. Det förhåller sig dock endast skenbart så. I verkligheten hade predikan redan nu sin ganska rika sakrificiella både inledning och afslutning, såsom framgår af följande märkliga citat från Ol. Petris *Postilla af 1530*[1]).

Epter thet at somblige clerker äre så eenfoldige j theres forstond at the icke weta huru the skola begynna theres predican, The må bruka thetta epterscriffna sätt, Men huru predicanen skal lyktas finnes widh ändan j tesse boock.

Alzmechtigh gudh wor himmelske fadher, med sin kere son Iesu Christo worom herra och them helga anda, ware medh oss, styre och regere oss epter sin helga wilia j dagh och hwar dagh, Amen.

Kere wener j Christo Iesu, epter thet wij äre her nw forsamblade j then acht och mening at wij wele her haffua

---

ciell karakter. Utan att i denna punkt inlåta oss i en polemik, för hvilken icke här är rätta platsen, vilja vi blott i förbigående erinra, hurusom ingendera af dessa båda åsigter gerna kan åberopa sig på *luthersk tradition*. Intet är nämligen vissare, än att, enligt urlutherskt åskådningssätt, predikan städse fattats såsom *det sakramentala frambärandet inför församlingen af Herrens ord* (*Luther*: »*Det är icke mitt utan Guds ord*»).

1) Det är redan påpekadt, huruledes denna postilla hade en i någon mån officiell karakter, såsom varande påbjuden af »*kyrkiones prelater och förmän*». Att denna liturgiska ram verkligen med predikan inflöt i högmässo-ritualet, framgår klarligen af det sakförhållande, att vi i *1571-Års K.O.* der igenfinna i hufvudsak de här angifna bönerna, »såsom vthaff ålder haffuer warit sedh». Då det dertill i *1614-Års Handbok*, den första, som agendariskt förordnar om predikans början och slut, hänvisas til *Bönen före predikan*, såsom känd sak, utan att det nämnes, hvilken bön är i fråga, är detta att räkna såsom ett ytterligare bevis, att predikan mot slutet af 1500-talet hade sina *bestämda* böner före och efter, ehuru handböckerna från samma tid derom intet nämna.

noghet for hender som oss kan komma til nytto och gagn til wor siels saligheet, Så wele wij nw först falla in til gudh wor kere himmelska fadher och bidhia honom om at han wille hielpa oss ther til ..... Så wilie wij nw falla på wor knä, och bidhia gudh wor himmelske fadher ther om at han wille giffwa oss itt rätt forstond j sijn helga ordh, at the motte stadhfestas j wort hierta, så at wij ey aleenest motte höra them, vtan och göra ther epter, Och på thet wij skole warda teste bätter hörde medh worom himmelska fadher, så wilie wij bidhia then bön som hans son och wor herre Christus Iesus haffuer oss lerdt, så seyandes, Fadher wor et cetera.

Och när bönen är vthe må presten så seya.

Alzm. gudh wor kere himmelska fadher sende oss sin helga anda, genom huilken wij måghe grundeliga besinna och iemwell epterfölia hans helga ordh och wilia. Amen[1]).

---

1) Härefter följer den text, öfver hvilken skulle predikas — Detta citat har ett särskildt intresse, för så vidt vi här första gången inom vår inhemska, liturgiska literatur möter *det predikan inledande Fader vår*, som bibehållit sig allt intill våra dagar (icke att förvexla med det *F. V.* som jemte *Credo* och *Ave* redan i medeltiden understundom föredrogs på svenska ifrån predikstolen till folkets undervisning: *Reuterdahl Statuta Synodalia Lundæ* MDCCCXLI). Detta *F. V.* härstammar utan tvifvel från medeltiden. Visserligen är det företrädesvis ett *Ave*, vi på detta ställe hos de store katolska predikanterna möta (t. ex. hos Bossuet, Bourdaloue, Flechier). Men exempel saknas icke, att äfven ett *Pater noster* der förekommit vid sidan af *Ave*. Så skrifver Luther till Kunzelt 1520: »Ego enim ... breviter his verbis utor: dass das Wort Gottes uns fruchtbar sei und Gott angenehm, so lasset uns zuvor seine göttliche Gnade anrufen und sprecht ein inniges *Ave Maria* oder *Pater noster*» (en trolig anknytning till föregående, katolsk praxis, då eljes Luther ej gerna här satt i fråga ett *Ave Maria).* Vidare heter det i *Deudsche Messe* 1526: »Es sihet, als habens die alten bis her auff der Cantzel gethan, daher noch blieben ist das man auff der Cantzel gemeyn gebet thut, odder vater unser fursprichtۚ». (jfr *Scheible*: *Volksprediger u. Moralisten Stuttg.* 1845 p. 110 (ur en katolsk predikan från 1782): »Ehe und bevor ich euch

Såsom predikans *afslutning* anbefallas 3:ne böner samt derefter syndabekännelse med absolution.

Af de 3:ne bönerna afhandlar den första »*andeligh ting*»; den andra »*woro lecameligha nödhtorfft*» (såsom »*for then werldzligha offuerhetenne*» o. s. v.); den tredje öfriga angelägenheter (»*for oss inbördes then ene for then andra*»)[1].

---

hievon etwas Mehrers melde, wollen wir den Beistand des heil. Geistes mit einem andächt. Vaterunser u. heil. Avemaria anrufen»).

Om vi alltså måste hålla fast, att detta *F. V.* är af katolskt ursprung, blir nästa fråga, hvarifrån vi hafva att härleda bruket, att föredraga särskildt detta *F. V.* såsom *tyst bön*. Äfven detta tro vi bero på katolsk praxis. Vi erinra oss Ol. Petris polemik mot den tysta bönen öfver hufvud i 1531-års *Företal:* »Ey skal heller noghor forundra, hwij wij läse och siwnge the ordh offuerliwdt och oppenbarligha, som j then latineska Canone haffua j en tijdh long wordet heemligha läsen, for tz thet haffuer warit itt ganska stoort misbruck, ath sådana tröstelig och helsesam ordh, som Christus sielff brukade ... skulle så heemliga läsin warda, ath them ingen höra skulle ...» (jfr *K. O. 1571:* »En part haffua för sedh (then ellies icke heller är til straffandes) läsa öffuerliwt stray effter förmaningen til bönen, först Fader wår, och sedhan een sådana bön som thenna effterföliande ....»). Den tysta formen af *F. V.* kan alltså icke gerna härstamma från honom. Deremot var *oratio secreta* väl hemmastadd inom katolska kyrkan. Och gällde detta i all synnerhet *Pater noster*, som städse i *Canon Missæ* föredrogs med halfhög, nästan ohörbar röst. Äfven denna egendomlighet i vår högmässogudstjenst är alltså efter all sannolikhet att räkna såsom ett medeltidsarf. Och så djupt har denna uråldriga sedvänja rotat sig i folkmedvetandet, att, oaktadt våra handböcker intet härom budit, den fortlefver än i dag inom vår kyrka (hvaremot den mycket tidigt försvann ur den tysk-lutherska gudstjensten).

Angående de *principiella* skäl, som tala mot denna af Kliefoth med rätta såsom »nicht mehr von gesundem liturgischem Tacte» betecknade kultsed, se *Teol. Tidskr.* 1882 p. 353 f.

1) Det är synbarligen ur dessa 3:ne böner vår n. v. bönegrupp efter predikan framgått. Denna bönegrupp har alltså icke ursprungligen afsett att representera fornkyrkans *allmänna kyrkobön* utan blott att lämpligen *afsluta predikan.*

Den till sist införda *Syndabekännelsen* inledes på följande sätt: *Nw på thet (kere wener) at wij måghe warda teste better bönhörde medh wor himmelske fadher, Så wele wij bekenna wor brist och skröpeligheet for honom, och göra wor vppenbara scrifft for honom, så seyandes hwar j sin stadh.*

O alzmecht. ewige gudh wor kere himm. fadher, Sy her kommer iach titt fatigha älenda barn...».

På syndabekännelsen följer följande absolutionsformel: »*Allom idher (käre wener) som sich wilie bettra, och settia tro och lijt til gudz nådh och barmhertigheet then han oss genom sin son Iesum Christum j sinne Christeliga forsamling giffuit haffuer, Går j fridh och synder icke meer, Amen*»[1]).

Vi finna alltså, huruledes redan nu predikan i Sverige hade sin fasta, ganska rika, liturgiska ram. Och att denna ram, jemte predikan, flyttades 1541 in i vårt högmässoritual; derom vittnar hela dettas följande historia[2]). Endast häri ega vi dessutom förklaringen till den för det svenska ritualet egendomliga oformligheten, att i högmässan 2:ne *Confiteor* och 2:ne *Fader vår* förekomma.

Följer nu »*Credo på Swensko eller Latijn*» — det senare alternativet detta år tillagdt. Att detta *Credo* befinner sig på orätt plats, har redan blifvit anmärkt.

Canon missæ lemnas 1541 i hufvudsak orörd. Dock saknas icke heller här smärre ändringar.

Så uteslutas nu ur instiftelseorden de från latinska mässan influtna uttrycken »*j sina heliga händer*» och »*welsignade*», härigenom bringande formeln i större öfverens-

---

1) Här möta vi alltså för första gången det *Confiteor*, som (i annan form) än i dag afslutar predikan i vår högmässa. Äfven det är troligen af katolskt medeltidsursprung. Åtminstone talar *v. Zezschwitz* (*Herzog-Plitt: Real-Encyklop. Leipz.* 1878) om en »Beichtformel im Volkssprache, am Gründonnerstag von Allen oder gewönlicher für Alle» uttalad.

2) Jfr. p. 57. Anm. 1).

stämmelse med bibeltexten. Dertill lägges *Een annor kortare Prefatio*, så begynnande: »*Sannerligha är thet tilbörligit rett och salight, At wij altidh och alstädhes tacke tigh helige Herre, alzmechtige Fadher, ewige Gudh, genom Iesum Christum wår Herra, Hwilken j thn̄ natt* ...». Såsom vi se, tages här ett icke oväsentligt steg hän emot instiftelseordens fulla frigörelse från deras onaturliga förbindelse med *Prefationen*. Ändringen innebär ett närmande till *Deudsche Messe*, som anför instiftelseorden såsom sjelfständigt moment af afgjordt sakramental natur[1]).

Förmaningen bibehålles, dock med en och annan obetydligare ändring[2]).

Alltsedan 1531 hade såsom *Pro communione* angifvits »*en psalm på swensko eller Nunc dimittis på swensko*». Häri sker 1541 följande ändring: »*Emedhan sjungs, Iesus Christus är wår helsa* etc.[3]) *eller, Gudh ware loffuat* etc[4]) *eller ock, Da pacem. Förläna oss*

---

1) Att 1541 *Prefationen* för första gången förses med notlinier, kan väl anses för ett temligen tillfälligt och betydelselöst drag i denna upplaga. Jfr. man dock härmed de föregående upplagornas: »*Presten tagher calken, seyandes* ...» må väl i fråga sättas, huruvida vi icke i äfven denna anordning hafva att igenkänna ett reaktionärt drag i *1541-Års Handbok*, ett slags officiell stadsfästelse af »*sangmessans*» fortfarande berättigande. Äfven *Fader vår* förses detta år med notlinier, hvadan äfven det vid denna tidpunkt måste åtminstone delvis föredragits i sångton.

2) Så t. ex. uteslutas följande meningar: »*Om sådana stycke moste wij granneliga bepröffua oss, elles gå wij her icke werdeliga til*» — och: »*så wil han nw här medh, ath wij sådana hans stoora welgerning icke forgäta skole, vtan stadeligha halla oss ther widh medh all tacksegelse, ath wij kunne wåra sdnder quitte warda*». Äfvenledes förkortas afslutningen.

3) En 12-versig psalm, som återfinnes i *1530-Års Psalmbok*. Jfr *1819-Års Psalmbok* N:o 152.

4) Återfinnes i *1536-Års Psalmbok*. Jfr *1819-Års Psalmbok* N:o 159.

Gudh ...»[1]). Här uteslutes alltså *Nunc dimittis*, på samma gång psalmvalet fixeras.

Vid *Välsignelsen* är blott att märka, att hvartdera af de 3 gudomsnamnen numera förses med ett kors.

Hvad slutligen vidkommer *Bihanget* (som allt mer antar gestalten af ett slags vidhäftad *Evangelii-bok)*, möta oss der i första hand såsom vanligt *Någhra Ingånger eller Introitus til Messan*. De äro numera endast *tre:* ps. 1: 1—6; ps. 6: 1—6; ps. 51: 1—6 (alltså med uteslutning af ps. 13: 1—6).

Såsom exempel på lämpliga *Gradualia* anföras i främsta rummet *Tiijo Gudz bodh*, numera i skriftens egna ordalag (icke såsom 1537 i metrisk omskrifning). Derefter följa samma texter som i näst föregående upplaga.

Collekterna lemnas äfvenledes väsentligen oförändrade. Blott tillägges följande bön, »*Tå man gåår til sacramentet*»: *O Herre Iesu Christe, Gudh Fadhers ewigha ord, werldennes frelsare, sanner Gudh och menniskia, frels oss genom tin helgha lekamen och blodh ifrå alla synder, och hielp at wij altijdh fulborde tijn helgha bodh, och icke skilies ifrå tigh til ewigh tijdh. Amen.* Den är i det närmaste öfversättning af bönen: *Domine Iesu Christe, Fili Dei vivi*[2]).

Fölia nu någhra Epistler och Euangelia.

Epistlarne äro 8 till antalet: Rom. 6: 8—11; 12: 9—21; Gal. 5: 25—6: 5; Efes. 5: 1—8; Fil. 2: 1—11; Kol. 3: 12—17; I Petri 5: 6—11; I Joh. 1: 9—2: 6. Af 1537-

1) Öfversättning af Luthers bearbetning af *Da pacem*. Jfr *1819-Års Psalmbok* N:o 303.

2) *Rit. Rom.:* »*Domine Jesu Christe, Fili Dei vivi, qui ex voluntate Patris cooperante Spiritu Sancto per mortem tuam mundum vivificasti: libera me per hoc sacrosanctum Corpus et Sanguinem tuum ab omnibus iniquitatibus meis et universis malis: et fac me tuis semper inhærere mandatis et a te nunquam separari permittas. Qui cum* ...».

års epistel-texter är alltså endast *en* bibehållen oförändrad: I Petri 5: 6—11. Romarbrefvets 2:ne texter bibehållas väl, men blott i förkortad form. Texterna I Joh. 4: 7 f. och I Kor. 15: 20—28 uteslutas. De öfriga äro nya. — Den liturgiskt oberättigade hänvisningen af 1537 till vissa gammaltestamentliga texter utelemnas 1541.

Med *Ewangelierna* förfares ungefär på samma sätt: blott 2:ne bibehållas oförändrade från 1537 (Matt. 11: 25—30 och Joh. 3: 16—21); 2:ne texter återfinnas i förkortad form (Matt. 10: 28—39 och Matt. 18: 1—6); 2:ne uteslutas (Marci 16: 15—20 och Luk. 12: 22—34) samt 6 nya tilläggas (Matt. 18: 15—20. 19: 23—30. 25: 1—13, Luk. 11: 5—13. Joh. 12: 44—50. 15: 17—25).

Vi finna, huruledes såväl epistel- som evangelietexterna fortfarande väljas utan hvarje hänsyn till det kyrkliga perikopsystemet. Äfvenledes saknas 1537-års hänvisning till *Then swenska Postillans »Euangelia, som j then Christeliga forsamlingēne plāga om alt året läsin warda»*.

Samtliga bibeltexter i *1541-Års Mässa* följa 1541-års bibelöfversättning.

Symbolum Nicenum och *Canticum Symeonis*, som afslutade 1537 års upplaga, uteslutas 1541.

Vid vår granskning af *1541-Års Handbok*[1]) stannade vi vid det antagandet, att Georg Norman stått i spetsen för dess redaktion. Det hufvudsakliga stödet för detta vårt antagande var Normans ställning såsom *»ordinator och superintendent»*, till hvilken befattning äfven hörde *»Swåre Casus i Ceremonier»*[2]). Men detta skäl gäller i alldeles samma mån *1541-års Mässa*. Ty icke ringaste anledning förefinnes, att antaga en annan redaktion för det senare arbetet än för det förra. Härmed hafva vi dock icke i någotdera fallet velat säga, att Norman skulle varit *ensam* om

---

1) *Bidrag till sv. Lit:s Hist.* I: 120.

2) Ibid. I: 121. *Anm.* 2.

detta uppdrag. Redan hans bristande kännedom af svenska språket förbjuder ett sådant antagande[1]). Snarare är att antaga, att han härvid haft flere medhjelpare. För de skäl, på grund af hvilka vi icke anse oss kunna bland dessa räkna Ol. Petri, hafva vi redan i detta arbetes förra del redogjort[2]). Till dessa kommer den nästan polemiska ställning, som *1541-Års Mässa* i en och annan punkt intar till de föregående upplagorna (t. ex. utelemnandet af *Företalet; Konfiteor-gruppens* upplösning o. s. v.). Deremot tala såväl yttre som inre skäl för, att inom detta revisionsarbete ett ganska vidsträckt inflytande bör inrymmas åt *Laur. Petri*[3]). Han var dock Svea-rikes erkebiskop och kunde redan på denna grund icke gerna helt förbigås vid en så radikal omgestaltning af hela vår kyrkas kult, som den, hvilken *1541-Års Handbok* och *Mässbok* representera. Vidare finna vi af det nyss anförda brefvet från Nov. 1540, att de båda männen vid just denna tid stodo i vänskaplig och literär förbindelse med hvarandra[4]). Än mer tala dock

---

1) Att han dock för ingen del 1541 var helt och hållet främmande för vårt språk, kan ådagaläggas medels följande ord ur ett bref till honom från Laur. Petri af d. 12 Nov. 1540 (*Thyselius* a. a. II: 240): »Thet iagh scriffuer idher til igen på Swensko, gör, at iagh förmerckt haffuer hurulunde j haffue lust til at lära wårt måål, såsom j icke kunne thet wel vmbära».

2) p. 120.

3) *Schück (Sv. Literaturhist.* p. 343) nämner honom såsom ensam utgifvare. Normans vid just denna tid nästan oinskränkta myndighet på det kultuella området (liksom åtskilliga egendomligheter i sjelfva texten) hindra oss ifrån att ansluta oss till detta antagande. Deremot tro vi oss med temlig visshet kunna påstå, att Laur. Petri redigerat den näst följande upplagan (hvarom närmare framdeles).

4) Jfr t. ex. följande yttrande i ofvan anförda bref: »The böker som iagh samt medh flere, the ther äro j thetta arbete, haffue hafft aff idher godheet til låns nu snart på itt åår tilgörande, antwardadhe iagh idhert vissa bodh såsom j begäradhe, tackandes ganska kerligha för vndsettningen».

härför ett och annat inre drag af *1541-års mässa.* Ingen, som uppmärksamt läser denna urkund, kan nämligen gerna undgå att märka dess dualistiska karakter. Temligen tydligt skönjas der tvenne paralella strömningar. Den ena mer genuint luthersk. Hit är framför allt *predikans förläggande till mässans sjelfva hjertpunkt* att räkna. Hit hör vidare instiftelseordens omgestaltning till större bibelenlighet; införandet af en andra prefation, affattad i ordagrann öfverensstämmelse med *Formula Missæ*; uteslutandet af *symbolum nicenum* o. s. v. — allt drag, som otvunget låta sig hänföras till wittenbergaren Norman, deremot svårligen till den liturgiskt konservative Laurentius Petri. Annorledes förhåller det sig med sådana drag som återupptagandet af prestens latinska *confiteor*, det latinska gradualets tillstädjande, hänvisningen till det fornkyrkliga perikopsystemet o. s. v. Dessa drag peka nämligen snarare *från* än *till* Wittenberg. Men just derför leda de våra tankar till Laurentius Petri. Ty samtliga spår, han i vår kulthistoria efterlemnat, karakteriseras af en benägenhet att rikta det nya högmässoritualet med lån från den latinska mässan och att i allmänhet åt detta ritual förläna en rikare fullhet och högre stämning[1]).

1) Kanske har detta samarbete sannolikast så gestaltat sig, att Laurentius Petri, såsom den liturgiskt mest förfarne och med det svenska språket mest förtrogne, utarbetat sjelfva förslaget och Georg Norman, såsom afgörande auktoritet, derefter vidtagit sina ändringar. I så fall måste vi äfven i handbokens redaktion af samma år inrymma ett större rum åt L. P., än hvad i detta arbetes första del sker.

Messan på Swensko, förbettrat Stocholm 1548.[1]

Här äro inga ändringar af sjelfva texten att anmärka, endast ett och annat tillägg[2]).

Det 1541 uteslutna *symbolum nicenum* införes åter och denna gång i sjelfva mässordningen (i stället för såsom förut i *Bihanget*). Responsorierna såväl som den kortare prefationen förses med notlinier, en antydan, att man allt ifrigare höll på den medeltida mässningen. Efter *Agnus dei* införes psalmen: *O rene Gudz lamb oskylligt*[3]). Såsom *Pro communione* tilläggas de latinska instiftelseorden: *Discubuit Jesus*.... Deras betydelse på denna plats skulle väl vara, att i samband med sjelfva nattvardshandlingen än en gång erinra om »natten, då han förrådd vardt».

Slutligen tillkomma icke mindre än 4 nya tackkollekter efter nattvarden. Af dessa äro troligen de 3:ne första öfversättningar från latinska original. Deremot tyder den fjerde med sin evangeliska innerlighet snarare på ett inhemskt ursprung: »*O du ädla Jesu Christe*.... *O elskelighe Jesu*....» — ordvändningar, som mer erinra om den svenska brigittiner-literaturen än den rådande latinska kyrkostilen.

---

1) Denna upplaga är försedd med träsnitt, af hvilka ett icke är utan intresse. Här afbildas distributionen, såsom denna handling med all sannolikhet vid denna tid försiggick: altaret är utan s. k. altarring; den tjenstgörande presten är iklädd mässhake; nattvardsgästerna äro stående; blott den, som undfår sakramentet, knäböjer; på altaret stå tvenne ljusstakar.

2) Både Ullman och Kleberg angifva med orätt denna upplaga såsom *den första*, som »uttryckligen upptog predikan såsom moment i högmessan».

3) Tagen ur *Swenska Songer* 1536.

Redan vid vår granskning af *1541-års mässa* antydde vi, att föreliggande upplaga redigerats af Laurentius Petri, numera icke längre bunden af Normanska censuren. Hufvudskälen för detta antagande äro redan i detta arbetes första del angifna (pag. 135 f.). Ty hvad der säges om handboken af 1548, måste äfven gälla om mässboken af samma år: de måste båda hafva utgått ur en och samma hand. Samtliga ofvan anförda egendomligheter i *1548-års mässa* bestyrka äfven denna vår mening. Ty ingen enda ibland dem erinrar om de normanska kultprincipernas något torra lutherskhet. Deremot bära de utan undantag den pregel, som vi redan igenkänt såsom den för Laurentius Petri utmärkande: å ena sidan en omisskänlig förkärlek för den latinska mässan; å den andra en varm nitälskan för den gammalkyrkliga sången.

Messan på Swensko, förbettrat Stocholm M. D. L. VII.

Denna upplaga (äfvenledes utan tvifvel redigerad af Laurentius Petri) lemnar sjelfva ritualet helt orördt. Deremot vidtages detta år i *Bihanget* den djupt betydelsefulla åtgärden, att *Collecter offuer hela året* nu införas (det enda nyhetsdraget, om vi undantaga epistlarnes och evangeliernas förflyttning till platsen närmast *Gradualia*).[1]) Dessa kollekter äro ett lån från *Een liten Songbook til at bruka j Kyrkionne MDLIII.* Då denna sångbok, så vidt numera kan afgöras, var författad af Laurentius

---

1) Oriktigt uppgifver *Troil a. a. III: XLIV*, »att flere Evangelier och Epistlar» 1557 tillkommo.

Petri, är det honom, vi i dubbel mening hafva att tacka för denna dyrbara gåfva åt vår kyrka.

Först anföras kyrkoårets samtliga *söndags-kollekter* jemte kollekten *In die Ascentionis Domini*[1]). Öfverskrifterna äro följande: *Dominica I—IV Aduentus; In natalis Domini; Dominica infra octauas natiuitatis Domini; In die Circumcisionis; In die Epiphaniæ; Dominica infra octauas Epiphaniæ; Dominica I—V post octauas Epiphaniæ; Dominica Septuagesime; Dominica Sexagesime; Dominica quinquagesime; Dominica Quadragesime; Dominica II—IIII quadragesime; Dominica Passionis; Dominica Palmarum; In festis Paschalibus (2 kollekter); In octaua Paschalis; Dominica II—V Pasche; In die Ascentionis; Dominica infra octaua Ascentionis; In die Pentecostes; Dominica Trinitatis; Dominica I—XXV post Trinit.* Detta var alltså det svenska kyrkoårets gestaltning på 1500-talet. Kollekterna äro samtliga hemtade från det romerska ritualet med undantag af den senare af påskdagens två kollekter samt 16:de, 19:de och 24:de trefaldighetssöndagens kollekter.

Denna afvikelse står dock i sammanhang med en annan egendomlighet i det svenska collecta-systemet: från och med 3:dje söndagen efter trinitatis till och med den 23:dje är det svenska ritualet regelbundet *en dag före det romerska*, så att t. ex. vår *collecta Dom. III post Trinit.* först under 4:de trinitatissöndagen återfinnes i de katolska och engelsk-episkopala evangeliiböckerna o. s. v. Huruledes hafva vi att tänka oss anledningen till denna

---

1) Deremot saknas *Annandags-kollekterna* såväl här som i helgdags-serien, med undantag af *Annandag-jul*, som i sin egenskap af martyrernas helgdag erhållit sin collecta bland öfriga helgondagar. Det är på denna grund, såväl *Annandag-påsk* som *Annandag-pingst* än i dag äro utan sjelfständig kollekt i vår evangeliibok.

oegentlighet? Saken låter sig på följande sätt förklaras. Författaren till *1553-års Sångbok* (ty redan här möter oss den ändrade ordningsföljden) har följt det latinska missalet intill 17:de trefaldighetssöndagen. Den collecta, han här finner, måste på grund af sin något pelagianska klang hos honom väckt betänklighet.[1]) Han besluter sig derför att ersätta den med en annan och väljer härtill följande bön: *Låt oss o Gudh wara welwiliogha til at tiena tigh, och vpweck altijd wår wilia til at åkalla tina hielp, Genom etc.* Han fortsätter nu sin öfversättning i ordningsföljd, intill dess han i 20:de söndagens kollekt möter en ny stötesten: äfven här måste orden i någon mån sårat hans protestantiska medvetande[2]); och ännu en gång besluter han sig för ett utbyte. Det är på den redan från 1531 oss välbekanta bönen: *O Herre Gudh hör mildeligha til wåra bön*... hans val denna gång faller. Sedan fortgår öfversättningen utan afbrott allt intill 25:te söndagen. Vid närmare granskning af den afslutade serien märker han emellertid, att den bön, han från *1531-års mässa* valt till kollekt för *Dom. XX*, ingen annan var än den redan *Dom. III* använda. Denna kollekt förekom alltså 2:ne gånger, en oegentlighet, till hvilken han tydligen icke vill göra sig skyldig. Hvad var nu att göra? Jo, med föga pietet för den historiska kontinuiteten utesluter han utan vidare 3:dje trefaldighetssöndagens urgamla collecta, flyttar från och med denna söndag nummerföljden ett steg till-

---

1) Den har följande lydelse: *Tua nos Domine, quæsumus, gratia semper et præveniat et sequatur, ac bonis operibus iugiter præstet esse intentos.* Äfven det engelska ritualet utesluter denna kollekt.

2) Dock, såsom det tyckes, med vida mindre skäl än första gången. Ty bönens förmenta pelogianism inskränker sig till blott dessa ord: *ut mente et corpore pariter expediti, quæ tua sunt liberis mentibus exequamur.* Äfven nöjer sig engelska ritualet här med omskrifningen: *cheerfully accomplish.*

baka (så att numera 4:de trinitatiskollekten kom att infalla redan på 3:dje trinitatissöndagen o. s. v.) samt tillägger slutligen, till ersättning för den förlorade kollekten, en ny bön, hvilken, såsom 24:de trefaldighetssöndagens collecta, inskjutes näst före den sista. På så sätt låter sig det egendomliga förhållandet förklaras, att i Sverige än i dag de flesta trefaldighetskollekterna läsas på orätt dag.

Blott sju helgon-kollekter bibehållas: *Jn die Purificationis; Jn die Annunciationis, et alijs festis, diue virginis; De S. Iohanne Baptista; De Angelis; De Apostolis; De Martyribus; De Sanctis Collecta generalis*[1]). Härefter följer 1537-års *Ad Completorium.*

Allt hitintills har man öst ur katolsk källa. De fyra följande bönerna: *För lärare och Gudz ord; För offuerheten, För Fruchten på iordenne; För almenneligh fridh* — äro deremot hemtade från den lutherska *Brandenb.-Nürnberg. KO. 1533.* Följa så kollekterna från 1531: *Herre Gudh, aff huilken godh begärelse....* *O Herre Gudh tillåt tina Församlings bön...* och: *O Herre Gudh som est tina åkallares styrkia...*[2]); samt derefter ännu en gång tvenne från *1533-års Brand.-Nürnb. KO.* lånade böner: *O Herre alzmechtighe Gudh, som the fattigas suckan...* och: *O Herre Gudh himmelske Fader, som icke haffuer lust....* Det hela afslutas med den aroniska *Välsignelsen.*

1) Jfr *1537-års Mässa*, hvarest de samtligen återfinnas.

2) Denna sist nämnda collecta är nu ingen annan än 1:sta trefaldighetssöndagens redan anförda kollekt. Denna gång har dock upprepningen undfallit författaren.

Härmed är nu serien af senare upplagor af 1531-års Mässa afslutad[1]. I tvenne punkter representerar denna serie en afgjord vinning: *predikan* har under denna tid återvunnit sin centrala ställning i högmässoritualet; och detta har ännu en gång — genom det fornkyrkliga perikop- och collecta-systemets återupptagande — inramats i *kyrkoårets* organism[2]. Och af så genomgripande betydelse är denna dubbla vinning, att den måste anses vida uppväga de oegentligheter, som under samma tid kommit till. I och för sig äro dock dessa oegentligheter betänkliga nog. Så t. ex. är det onekligen ett svagt och inkonseqvent drag i de sista upplagorna, när gång på gång det lemnas i liturgens val, huruvida han vill läsa ett moment »*på Swensko eller Latijn*». Hit är äfven att räkna prestens enskilda, *confiteor* såsom *alternativ* till församlingens *confiteor*. Ty äfven om ett församlings-confiteor senare följde efter predikan, så kunde detta dock icke ersätta det hela gudstjensten inledande, förberedande *confiteor*. Då vi härtill lägga, att de tio budorden fortfarande anbefallas såsom *Graduale*, att *Credo* alltjemt följer efter predikan och *Nattvardsförmaningen* ännu skiljer *Agnus dei* från distributionen; kan ej förnekas, att i ganska väsentliga punkter den tysk-lutherska kultutvecklingen lemnat den svenska ett godt stycke bakom sig. Och i all synnerhet gäller detta *för-*

---

1) *Troil* (a. a. I: XXXV) nämner visserligen ännu två upplagor från 1576 och 1588 men afser dermed naturligtvis endast Johan III:s *Liturgi* i dess båda upplagor.

2) Såsom vi minnas, intog Olaus Petri en hardt när polemisk ståndpunkt till kyrkoåret, särskildt såsom detta representerades af det kyrkliga perikopsystemet. Jfr *1531-års Mässa*: »Epistlenar och Euangelier hållas aldra lijkast aff begynnelsen capittel epter capitel så mykit man teckes hwar daghen, Om någhon ther offuer forarghas, må man thå haffua them som the j messebokenne uthtecknade äro *til tess folket warder better vnderwijst*».

samlingssången. Ty under det att den gregorianska kyrkosången på allt sätt omhuldas[1]), finnas ännu i *1557-års Mässa* inga andra spår af luthersk koralsång än: *O Rene Gudz lamb*... (efter *Agnus dei*) och de tre redan nämnda psalmerna under sjelfva distributionen. Ännu vid midten af 1500-talet måste alltså den lutherska psalmsången varit blott en ganska svag och obetydlig factor i det svenska gudstjenstlifvet[2]). Deremot hade det svenska ritualet den fördelen framför det tyska, att det genom sin mera konservativa anläggning erbjöd en långt rikare anknytning för en allsidigare utveckling.

---

1) T. o. m. *Fader vår* förses ju 1541 med notlinier!

2) Osannolikt är t. o. m. icke, att en tillbakagång i detta hänseende egt rum. Åtminstone ega vi *ett* exempel, som antyder detta. I *1531-års mässa* förekom dock *en* psalm i luthersk mening, ehuru väl äfven den alternativt *läst*: »*Then som vil en Christen heta*...» (p. 34). Men 1541 uteslutes den åter för att i st. ersättas af *de bibliska budorden* (p. 62). — Jfr f. öfr. Gustaf I:s tal till dalallmogen d. 14 Maj 1527 (*Gustaf I:s Registr. IV: 173*).

IV.

Then Swenska Kyrkeordningen.

Läter all ting ährligha och skickeliga tilgå. 1 Cor. 14.
Tryckt j Stocholm Aff Amund Laurentzson.
Anno M.D.LXXj. [1])

Det kan synas underligt, att här i de liturgiska handböckernas rad finna en kyrkoordning upptaga ett sjelfständigt kapitel. Af den karakter är dock denna kyrkoordning, att den måste gälla för en af 1500-talets allra mest betydande, inhemska, liturgiska urkunder. Ungefär 1/3 af dess

---

1) Att denna bok, som utan hvarje tvifvel har Laurentius Petri till författare, redan före sin tryckning varit i manuscript spridd och iakttagen i landet, framgår af följande ord i *Företalet*: »Men effter thet ock kommet är in för then Stoormechtiga och Högborna Första och Herra, Her Johan then tridie . . . At vthi några landzendar än nu skal wara någon åtskildnat och misdregt emellan Clerckrijt på någor aff the stycker, som vthi thña Kyrkeordninge författat äro, *Oc at slijkt kõmer aff thñ brist som är på Exemplaren ther the äro fåå som them haffua bescriffuen.* Haffuer H. K. M. aff then godha och Christeliga benägenhet, som H. K. M. haffuer til at foordra Guddomlig ähro, retta och rena Christeligha religionen, vthgiffuet befalning til Kyrkionnes personer, Biscopar och andra, at the samma Kyrkeordning först fliteliga skulle öffuersee, och sedan aff trycken lata vthgå» (jfr bl. iij: »För thenna samma saken skul later man aff Gudz nådiga hielp genom trycket vthgå thenna Kyrkeordningen, at alle Sweriges inbyggiare måghe henne bekomma, läsa, och sigh ther effter retta, *såsom ock alt her til dags öffuer hela Riket skedt är*»).

innehåll är af rent liturgisk art. Dertill äro dess liturgiska föreskrifter de första i Sverige, som efter reformationen gifvas under uttrycklig, kunglig sanktion [1]).

Redan företalet, »Til Läsaren», är för oss af intresse, synnerligen derför att här Laurentius Petri med mycken bestämdhet och utförlighet sjelf anger sin liturgiska ståndpunkt öfver hufvud. Att denna i grund och botten var genuint luthersk, så att intet i kulten tåldes, som stod i väsentlig strid med den lutherska grundåskådningen; derom lemnas oss i detta företal mer än ett otvetydigt bevis. I sådana fall sparas icke ens på sådana kraftuttryck som dessa: »the Påueske äro her igenom j theras groffua wilfarelse oc stygga affguderij så förhärde, at the nu aldeles like wordne äro widh the förstockadhe Iudar».... »så fierran äro the til en ganska stoor part, kompne ifrå then enfalligheet, som är i Christo, at hoo som helst haffua och behålla wil then retta och rena Euangeliska Lärona, han moste sådana stadgar lika som hinderliga och förargeliga j sakenne förkasta och bortleggia»... »een falsk oc Gudi wederstyggeligh religion» o. s. v. [2]). Men å andra sidan möter oss här ej mindre otvetydigt hans af oss redan ofta påpekade, varma förkärlek för sådana drag i den romerska mässan, som han räknade för *res indifferentes*, och bland hvilka särskildt nämnas: *messokläder, altare och altarekläder*, »*Vphöjelsen*», »*ordentliga Psalmer*», *Hymner*,

1) »Wil ock (H. K. M.) at alle öffuer hela Riket wid tilbörligit straff, vthi Kyrkionnes handlingar, sigh effter thenna ordningen hålla och retta skola.»

2) Enligt hvad upprepade uttryck såväl i *1571-års KO.* som annorstädes i Laur. Petris skrifter gifva för handen, är det förnämligast följande 5 drag i den romerska kulten, som synas varit honom »wederstyggeligha och förargeliga»: *the ochristeliga wijelse*, *eller beswärielse; Helgona dyrkan;* nattvarden såsom »*Prestaoffer*»; *Rosenkrantzar* och *Siälamessor.*

Antiphoner, *Lecser*, *Responsorier*, »*Collecta både på Latijn och Swensko*» m. m. I sitt försvar af »thessa åthäffuor» vänder han sig mot »Suermare, wedderdöpare, Sacramentz skändare, Zwinglianer och Caluinister» med icke mindre skärpa och våldsamhet än nyss förut mot »the Påueske», sägande sig icke ämna låta sig »vnder theras träldoms ook fånga, thet må wara them leedt eller liwfft». Erkebiskop Lars fasthåller alltså ännu 1571 samma ståndpunkt, som vi skymtade redan bakom *1541-års mässa*, för så vidt den der förmådde göra sig gällande: å ena sidan *lutheran* af själ och hjerta; å den andra en nästan envis uthållighet att i medeltidens gamla läglar ösa reformationens nya vin.

Innan vi öfvergå till granskningen af sjelfva texten af 1571-års mässordning, vilja vi inledningsvis meddela ett och annat drag från gudstjenstlifvet öfver hufvud på denna tid, hemtade från olika delar af kyrkoordningen.

Att ännu kyrkor funnos utan predikstol, framgår af följande stadgande: »Så finnes ock wäl än nu några Landzkyrkior, ther antighen alzingen Predikestool är, eller elaak och oskickeligh. Therföre skal ock ther leggias böter vppå, så at skickelighe Predikestolar warda vprettadhe, ock stelte på the rum j Kyrkionne, som ther til finnas wara bequemmast, tå at man rydier vndan hwad j wäghen står, antighen altare, stolar, beläter eller annat» — ett äkta lutherskt drag i *1571-års KO!*

Blott *ett* altare tillstaddes, med undantag af städerna, der man väl kunde »lijda flere altare». Altaret pryddes dels med »altarekläder», dels med ljusstakar[1]).

De gamla dopfuntarne qvarstodo på sin gamla plats invid kyrkdörren, rymliga nog, om så gällde, för barnets

---

3) »Ellies må man wäl bruka liws widh Altaret ther Tidhegärden hålles.»

totala neddoppande. Ty väl tillråder KO:n, »at man allenast blottar och medh watnena begiuter hoffuud och skuldror på barnen»; men hon tänker sig på samma gång såsom möjlighet, att »såsom ock wäl någorstädz än nu skeer — menniskian komme allsammans blott och naken til dopet». Troligen voro de allt fort täckta med dessa vackra, konstnärligt bearbetade messingsfat, som ännu en och annan åldrig kyrka har att uppvisa[1]).

Ej heller torde biktstolarne saknats. Ty så länge bikten i kyrkan fortgick under väsentligen samma form som förut[2]), inser man icke, hvarför biktstolen skulle bortskaffats.

Utom tjensten tyckes vid denna tid ingen särskild drägt hafva utmärkt presten. T. o. m. klagar KO:n öfver »stackotta kappor och hoffmans hattar, som en part aff the vnga Prester nu löpa medh, så wel i kyrkior som annorstädz»[3]). År 1571 synes dock hafva utgjort en vändpunkt i detta hänseende; ty nu tillhållas presterna allvarligt att nyttja »sidha kiortlar[4]) och Prestehuffuor»; och i denna drägt återfinna vi dem regelbundet i 1600-talets tafvelgallerier.

---

1) Jfr *Dhale Laghen*, Ed. Sthlm 1676, K. B. 12: »Nu skal Klockare Font wakta, hon skal äi länger öppin stonda än fontir wighis oc Barn döpis».

2) Jfr bl. XXVII: »Så skola ock Kyrkiopresterna altijdh (så mykit som them kan wara mögheligit) så lagha sina saker, at the om Helgedagarna äro j Kyrkionne en tima widh lagh, eller åt minsto en halff tima, förr än the begynna Messona, på thet om någre äro som wilia gå til Scrifft, mågha i så måtto ther til haffua tilfelle. Och skola the som Scrifft höra, sittia vthi vppenbara rum j Kyrkionne för all mans öghon, at the således mågha kunna bliffua vthan taal och mistancka.»

3) Jfr en dylik klagan hos *Baazius (Inventarium Eccles. Sveogothor. III: VI, 312)* från 1569: »Nimis curtam, brevem & palliatam vestem; item militares & oblongos pileos non gerant Sacerdotes.»

4) De på denna tid af de lärde vanligen brukade svarta kappor, af hvilka våra n. v. »prestkappor» äro en egendomlig qvarlefva.

Annat var förhållandet med det *tjenstgörande* presterskapet. Det uppträdde fast mera i medeltidens hela ståt: i »Mässuhakeln och Mässusärcken» såsom regel[1]); i »Röklijn och Chorkappo» vid högtidligare tillfällen[2]).

Att under gudstjensten ej alltid önsklig stillhet och värdighet iakttogs, antydes på flera ställen. Så t. ex. klagas öfver, att många hellre ville »gå spatzera eller hålla kyrkioglam» i kyrkan än lyssna till predikan, att qvinnor föra med sig »spät och gråtogt barn», att »kyrkehundar» springa omkring »bådhe widh altare och annorstädz och ther snarast skemma och wäta, som bäst är tilpyntat» o. s. v. På det söndagliga kyrkobesöket hölls med stränghet. Uteblef någon »på föracht» eller tog »ööl för sigh, så at han ther medh försummar komma til Kyrkio», hotades han med »bådhe kyrkioplicht och werldzligit straff». Dock läses strax bredvid detta frisinnade medgifvande: »Vthi andztima, bådhe om wåår och sommar. Item vthi fiskeleek behöffuer menighe man icke så nögha achta Helgena, at han ther aff tagher någhon merkeligh skada, vthan sedan

---

1) »När tå Presten skal hålla Messo, klädher han sig såsom plägsedh är.» Jfr *Biskoparnes bevillning Sept. 1583 (Bidrag till sv. kyrkans och riksdagens hist., p. 15, Sthlm 1835)*, hvarest de förbinda sig att tillse, att »alltid prästerne hafwa Mässe kläder eller åtminstone Röcklin och Stola uppå när de hålla Mässa för den sjuka, och Röcklin uppå når de joorda lijck, döpa barnen, taga hustrur i Kyrckia och predika» — Dock saknades icke betänkliga undantag från denna regel. Så t. ex. anser sig Johan III några år senare behöfva uttryckligt tillhålla presterna att icke »imponere Dei altari contritos pileos vel sordidas manichas» (*Baazius* a. a. III, 362); och vid ett annat tillfälle klagar han öfver, att de i ridstöflar och sporrar utdelade nattvarden (*Anjou* a. a. III, 116).

2) Såsom t. ex. vid biskopsvigning, då enligt KO:n såväl ordinator som ordinandus Episcopus och assistenter böra hafva »Röklijn och Chorkappo vppå». *Röklijn* är (enligt *1575 års Ordinantia*) det svenska uttrycket för *vestis candida*, troligen en hvit underrock.

man haffuer warit widh Tidhegärden (gudstjensten) om daghen, må man wäl wara vth om sitt besta på åker och äng» etc.

Af icke minst intresse är *1571-års KO.* på grund af dess många och omständliga bestämningar angående gudstjenstens *musikaliska* sida. Då upplysningar af denna art äro ytterst sparsamma och osäkra inom 1500-talets inhemska, liturgiska literatur, hafva vi desto mer anledning att något dröja vid dem, som här gifvas oss.

Härvid märka vi först och främst, huruledes den lutherska koralen under de 15 år, som förflutit sedan sista mässordningens utgifvande, ändtligen lyckats tillkämpa sig en något mer erkänd ställning inom högmässoritualet, än hvad då tillmättes den. Såsom vi minnas, visste *1557-års Mässa* (med undantag af psalmversen *Guds rena lam*) icke om någon annan luthersk psalmsång än de 3 psalmer, som under nattvardsdistributionen plägade sjungas. Nu föreslås dessutom åtminstone 4 svenska sånger såsom alternativ *Introitus* och 6 såsom alternativt *Graduale* (dock uttryckligen blott i de fall, att dessa moment icke sjöngos »på Latijn»). Dertill tillstaddes, att (»såsom nu mest allestädz är kommit j brwk») äfven före predikan »sjunga någon Bönepsalm eller Loffsong» [1]).

På hvad sätt tänkte man sig dessa »*Swenska Sånger*» utförda? Deltog redan nu folket nog allmänt i denna psalmsång, för att den skulle få karakter af verklig *församlingssång?* Eller utfördes den allt fort af kören blott å folkets vägnar liksom de ännu bibehållna latinska sequentserna?

Frågan är naturligtvis svår att med bestämdhet besvara. Om vi dock erinra oss dels det ytterligt ringa rum, som

---

1) 1571 må alltså gälla för födelseåret för såväl vår närvarande s. k. *Ingångspsalm* som för den s. k. *Gradualpsalmen* och *Predikstolspsalmen.*

ännu 1557 var i mässan upplåtet åt den lutherska psalmen, dels huruledes *KO. 1571 icke med ett enda ord antyder folkets deltagande i kyrkosången*[1]); torde häraf kunna slutas, att ännu inemot slutet af 1500-talet den svenska församlingssången (i motsats till den tyska) i hvarje fall blott i ganska ringa mån var utvecklad. Emellertid ega vi en några år yngre antydan, att just på 70-talet en ändring till det bättre i detta hänseende tycks hafva inträdt. Det heter nämligen i *Nova Ordinantia Eccles. 1575 (Codex Stockholm, Art. VIII: III)* i samband med symbolets förflyttning från predikstolen till näst efter evangeliets läsning från altaret: »Men all then stundh församblingenne är nw (thet Gudi skee loff) bättre vnderwist och ther till wan, att hon icke allena troon, vthan och annadt hwad påå förståndeligit måål i Coren siunges, gerna medh siunger». Härmed antydes alltså, att åtminstone vid denna tid ett uppvaknande å församlingens sida i denna punkt egt rum, om än blott föga uppmuntradt af hennes främste målsmän.

På de stora högtidsdagarne förekom enligt tidens smak följande egendomliga kombination af latinsk och svensk kyrkosång: »Jwledagh må man bruka then Sequentien *Grates nunc omnes*, med then Swenska Loffsongen,

---

2) Här nämnes fast mera städse endast »*choren*» (d. ä. *Dieknanar*, skolgossarne), såsom t. ex. bl. LXXXI: »Ther effter siunger Choren pro Introitu Nu bidie wij then helge And...» bl. LXVIII: 2: »Och begynnar Ordinarius then songen Nw bidie wij then helge And . . . Och hele Choren fulfölier samma song alt in til enden» etc. Och när i kapitlet om *Ordning medh Kyrkesong* tillstädjes, att icke »allasammans skeer på Latijn», motiveras detta medgifvande icke (såsom vore att vänta) dermed, att folket härigenom skulle kunna vara med om sången, utan blott dermed, att »folket må ock haffua ther på *någhot förstånd*». Vi finna häraf, hvilken kylig ställning Laurentius Petri ini det sista intog till den egentliga församlingens aktiva ingripande i gudstjensthandlingen.

Loffuat ware tu Jesu Christ, emellan hwar vers. Eller *Letabundus*, och emellan hwar tw vers then songen Christus är födder aff een iungfru reen etc. Om Påscha siunges *Victimæ paschali* medh then Suenska Loffsongen Christus är vpstånden aff dödha, emellan hwar tw wers, så när som then första, effter hwilken man strax siunger samma Loffsong».

Om man undantager »the Swenska Scrifftorden», Lesten och Nattvardsförmaningen, hvilka alla *lästes*, torde altartjensten för öfrigt på medeltidsvis såsom regel *mässats*[1]). Men äfven från predikstolen torde allt som oftast de gamla, gregorianska mässtonerna ljudit. Att nämligen *Symbolum* utfördes *från predikstolen*, i samband med bönerna efter predikan, framgår otvetydigt ur ett annat yttrande från nyss anförda ställe i *Nova Ordin. 75.* Ty när det här heter, att »troon» dittills utförts — icke »*in i Corum*» utan »*vth om Choret*», så kan härmed endast predikstolen afses. Men att samma *Symbolum* gemenligen *sjöngs* eller *mässades*, underrättar oss KO:n sjelf med dessa ord: »symbolum *siunges* mest altijdh på Swensko». Hvad här yttrats om Tron, torde också gälla *Litanian*, hvilken äfvenledes blef »offuerliwdt läsin eller siungen» i samband med predikan[2]).

Kyrie sjöngs vid högtidligare tillfällen »niyo gånger, vnder åtskilieligh thon, såsom waant är, på Latijn eller Swensko».

Om orgeln nämner *1571-års KO.* intet. Att åtminstone i de större kyrkorna detta instrument dock icke saknades, upplyser oss en i *Nytt Förråd af Äldre*

---

1) *Anjou (a. a. III: 31)* anför ett exempel, huruledes ännu på 1580-talet man ända derhän höll på mässningens konst, att det ena stiftets mässningsmetod icke alltid godkändes inom det andra.

2) Såsom en egendomlighet må anmärkas, att vid prest- och biskopsvigning Litanian skulle sjungas af »twå små drengar» — då naturligtvis »in i Corum».

och Nyare Handl. rör. Nordens Hist. (Sthlm 1753, p. 239) intagen redogörelse för Erik XIV:s kröning i Upsala d. 29 Juni 1561, der särskildt nämnes, att det »*speltes på årghor*», under det »H. M:tz Systrar vthi gyllene stycke och beklädde mz theres Cronor» intågade i domkyrkan. Dess uppgift måste tänkas varit den under 1500-talet vanliga: att dels intonera melodien, dels utföra sjelfständiga musiknummer. Att en af orgeln ledd eller ackompagnerad psalmsång var en för detta århundrade helt och hållet okänd företeelse, har prof. Rietschel i sitt intressanta arbete *Die Aufgabe der Orgel im Gottesdienste (Leipz. 1893)* till fullo bevisat.

1571-års »Ordning medh Messonne» gör sjelf intet anspråk på någon sjelfständighet. I allt väsentligt hänvisar den till *1557-års Mässa*[1]) och inskränker sig till blott den kompletterande uppgiften, att än bestämma närmare ett der gifvet stadgande, än tillägga ett och annat nytt moment.

Vi minnas, huruledes 1557 det lemnades i prestens fria val att börja gudstjensten antingen med det latinska *confiteor* »för sigh sielff» eller ock med den gemensamma syndabekännelsen på svenska. Häri göres 1571 följande ändring: det lemnas nu i prestens skön, huruvida han för egen del vill nyttja den latinska bekännelsen eller ej; deremot uppmanas han att regelbundet för folket uppläsa »the Swenska Scrifftorden», vare sig det sker »nu strax wid begynnelsen eller sedan effter Predicanen»[2]).

De svenska psalmer, som föreslås till ombyte med den latinska *Introitus* äro: *Aff diupsens nödh*[3]), *Fader*

---

1) »Men medh Messone rettar han sigh ellies effter thet sätt och ordning, som then Swenska Messeboken vthwisar.

2) Jfr II: 60.

3) Öfversättning af *De Profundis*, femversig psalm från 1536-års *Swenske Songer*.

wår som j himblom äst[1], *O Fadher wår*[2], och *Nu bidie wij*[3]. Härmed är nu första steget taget till det urgamla Introitusmomentets förvisning ur den svenska högmessan. Ty den väsentligen *sakrificiella* koralen kan aldrig uppbära introitusmomentets väsentligen *sakramentala* karakter[4].

Kyrie sjöngs än tre gånger, än nio (»effter som lägenheten kräffuer»), än på latin, än på svenska. Om vare sig ett latinskt eller ett niofaldigt *kyrie* har ej förut varit fråga inom vår agendariska reformation.

1557-års Mässa visste blott om *en collecta* före episteln. 1571 tillstädjas »flere Collecter», dock alltid inledda med *collecta de tempore* eller *de festo*.

Med *Graduale* förfares såsom med *Introitus:* i stället för de 1557 föreslagna, davidiska psalmerna på svenska eller *Tiyo Gudz bud* föreslås nu (»om man thet icke siunger på Latijn») följande 6 svenska psalmer: *Then som wil en Christen heta*[5]; *Gudh ware oss barmhertigh och mild*[6]; *O Herre Gudh aff himmelrik*[7]; *O Jesu Christ som mandom togh*[8]; *Säl är then man som fruchtar Gudh*[9];

---

1) Öfversättning af den tyska psalmen: *Vater unser im Himmelreich.*

2) Jfr *Sv. Psalmb.* 1819, N. 21 (från *Gudhelige Wijsor* 1530).

3) *Nu bidie wij then helge And.* Jfr *Een ny hådbog. Roztock 1529:* »*Nw bede wij then Helliaand, alt om then Christelig tro oc ret forstand* . . . (fyrversig psalm).

4) Se *Kliefoth: Liturg. Abhandl.* VI: 222—223. (Schwerin 1859).

5) »Then som wil en Christen heta, och rett thz namnet bära, han skal tiyo bodhord weta . . .» (*Några Guhelige Wijsor* 1530).

6) Jfr *Swenske Songer* 1536 och N:o 402 *Sv. Psalmb.* 1819.

7) »O Herre gudh aff himmelrich, wij må thet alle clagha, ath werlden är olydigh tich . . .» (*Några Gudh. Wijsor* 1530).

8) »O Jesu Christ som mandom togh, j reena iomfru liffue . . .» (*Några Gudh. Wijsor 1530).*

9) Jfr *Swenske Songer 1536* & *N:o 339 Sv. Psalmb. 1819.*

Wår Gudh är oss een wäldigh borgh. I samband med *Graduale* anbefallas »*Christeliga Sequentier*» (»serdeles på thessa högtidher, Jwl, Påcha, Helghe Toorsdagh och Pingesdagha») och »om Fastona» *Tractus.*

Ännu 1571 förspörjes intet om en ändring af *Credos* plats efter predikan. Deremot förordnas detta år det *latinska* symbolets sjungande »vndertidhen j Städerna, serdeles på alla Apostladaghar» [1]).

1571-års KO. är mycket omständlig vid bestämmandet af *Predikans* liturgiska infattning. Dessa bestämmelser äro af desto större intresse, som de utgöra *den första agendariska behandlingen af denna fråga efter reformationen* (så vida vi icke såsom sådan räkna 1530-års postillas redan anförda anvisningar om predikans inledning och afslutning). Hvilka äro då Laurentius Petris tankar om denna sak?

Vi hafva redan nämnt, att 1571 tillstädjes afsjungandet af »någon Bönepsalm eller Loffsong» före predikan. Såsom exempel på sådana *predikstols-psalmer* anföras: *O tu helge Ande kom; Nu bidie wij;* samt »vid Juletiidh»: *Een jungfru födde* [2]). Dessa psalmer inleda alltså numera närmast predikan. Angående deras plats lemnas dock valet fritt, »hwadh thet skeer strax effter thenna förmaningen

---

1) Apostladagarne erkännas uttryckligen i *1571-års KO* såsom »Helgedagar», dock »för vthan S. Pedhers dagh om wintren» — ett lätt förklarligt undantag.

2) Jfr *Kliefoth: Die ursprüngl. Gottesdienst-Ordnung. Schwerin* 1861, V: 48: »Nicht wenige KOO. haben die Vorschrift, dass der Prediger, ehe er das Vater unser vorspricht, die Gemeinde auffordern soll, sich auf solch Gebet durch Singen eines Liedes vorzubereiten. Auch wird es so gewendet, dass statt des Gebetes von der Gemeinde ein Lied gesungen werden soll. Es ist diess das sogenannte Kanzellied . . . . Manche KOO. beschränken indessen dies Kanzellied auf die Festtage». Vi spåra alltså här ett direkt, tyskt inflytande.

(d. ä. uppmaningen till F. V.) eller ock tilförenne, såsom nu mestadeels är sedher»[1]).

KO:n håller på, att predikan städse inledes med *Fader vår*. Bruket är ett arf från medeltiden, såsom vi redan pag. 59 försökt visa[2]). Det inleddes med en kort *Förmaning* (i nära anslutning till *1530-års Postilla*) och borde läsas »öffuerliwt». Ja, ända derhän håller Laurentius Petri på denna form för bönens föredragande, att han t. o. m. föreslår presten att hafva orden upptecknade framför sig antingen i »bokena eller på ett brädhe», så att han kunde »läsat ther vthaff longsambliga och beskedeliga, så at bådhe vng och gammal må görligha förnimmat, och hwar widh sigh läsat effter» — ett råd, som för öfrigt också gäller en annan här förordad medeltidssed, nämligen att i samband med detta F. V. äfvenledes förtälja »orden j Catechismo: *Jag tror* o. s. v.»[3]). — Att efter F. V. ännu en bön följer, anser vår KO. icke »til straffandes», och bifogar derför för detta fall följande vackra böneformulär: *O alzmechtige ewige Gudh, tu som aff Faderligh barmhertigheet oss arma bedröffuade och fåkunniga menniskior til tröst och rettilse, titt helga och helsosamma ord förkunna och predica läter, thet wij doch för wåra stora brist och swagheet skul, hwarken rett fatta eller behålla kunne, För then skul bidie wij tigh ödmiukeliga, at tu aff samma Fa-*

---

1) Det är ur detta alternativ vår närvarande, mycket oegentliga sed, att vissa högtidsdagar hafva 2:ne »Kanzellieder», uppkommit.

2) *Kliefoth* (a. a. p. 48) tyckes anse det *tysta F. V.* före predikan såsom en reformationens »spätere Einrichtung». Detta troligen på den grund, att reformatorerna såsom regel yrkade på bönens höghjudda föreläsande. När icke desto mindre ännu långt fram i reformationsseklet den hos folket djupt rotade vanan, att före predikan half högt mumla ett *Pater noster*, här och der åter uppdök, låg antagandet nära, att anse detta för »eine spätere Einrichtung».

3) Jfr *Reuterdahl: Statuta Synodalia. Lundæ* MDCCCXLI p. 127 & *Örebro Mötes beslut* 1529.

derliga mildheet ock så werdigas sampt medh Ordet, förläna oss tin helga Anda, at wij genom honom måge warda beqwemlige, til at rett vndfå thenna helga sädena (som är titt ord) j wår hierta, lijka som vti een godh iord, och bära ther effter mykin frucht j tolemodh. Genom tin . . .»

Nu följde *Lestens* uppläsande, hvarunder folket borde »stå stillo»[1]. I högmässan var *evangelium de tempore* giffven predikotext[2], och skulle det från predikstolen ånyo uppläsas, äfven då det förut blifvit läst från altaret.

»En klockotime» ansågs vara »lagha tijdh til predican[3]. På landsbygden användes dock vissa tider af året (»vthi Aduentet och Langafaston») blott hälften af denna timma till evangeliets utläggning; under den andra halftimman skulle »Catechismus predicas»[4].

Det gälde nu, att äfvenledes agendariskt bestämma predikans *liturgiska afslutning*. Åter här hade Laur. Petri endast rådande häfd till anknytning. Enligt *1530-års Postilla* hafva vi att tänka oss denna häfd sålunda: I) *3:ne förböner;* II) *Confiteor;* III) *Absolution*[5]. Icke ens ordningsföljden bibehålles 1571: syndabekännelsen med

---

1) Enligt så väl detta som äfven andra uttryck i *1571-års KO* är mer antagligt, att folket *stående* åhörde predikan än sittande.

2) Bl. VII: »Euangelium eller Lästen, som effter sedwenion plägar j Messonne läsen eller sungen warda, skal man iw altijdh Predica, så wäl om andra Helgedagar, som Söndagarna».

3) »Ty skal och Predicaren ther vthöffuer icke dröya, mz mindre någhor synnerligh orsaak ther til sigh begiffua kan. Och skal man thetta så förstå, at innan en tima skal thet alt endas, som en tijdh til talande är, bådhe förmaningen til bönen, förr och effter predican, så ock sielffua predicanen eller vthlegningen, ellies huar man göret förmykit longt, så at folcket begynnar ledhas widh, fölier ther fögo fruct medh» Tiden för sjelfva predikan torde alltså Laur. Petri näppeligen tänkt sig längre än circa 3/4 timma.

4) Bl. VII.

5) II: 59.

absolutionen ställes nu i spetsen och förbönerna följa först efteråt. Detta utan tvifvel för att bereda »*then almenneliga bönen*» en mer sjelfständig, fristående plats i högmässan[1]).

»*Scrifftordens*» införande efter predikan berodde emellertid (såsom redan anmärkts) på liturgens godtycke (»om ock honom synes förtälja Scrifftorden för folkena»). De inledas med en kort *Förmaning*, genom hvilken de knytas vid den efterföljande böneakten på följande sätt: »Och på thet wij teste heller måghe kunna bliffua bönhörde, så later oss först göra Gudhi wår allmenneligha Scriffter-mål, så säyandes hwar widh sigh». Sjelfva bekännelsen torde vara original. Absolutionen är deremot hämtad ur en vid denna tid flitigt anlitad källa, *Brandenb. Nürnb. KO. 1533*[2]).

KO:n lemnar derhän, huruvida *de kyrkliga lysningarne och kungörelserna* böra införas omedelbart efter predikan eller »alrasidst». Deremot protesteras mot deras inblandning »j then almenneliga bönen, som offta obeqvemliga skee plägar».

Hvad sjelfva *Kyrkobönen* vidkommer inledes den med ett högtidligt: *Haffuer fridh.* Såsom *första* alternativa böneformulär hänvisas till »thet sett som nw alment är» (hvarmed 1530-års formulär måste afses). Vid sidan af detta sätt föreslår Laur. Petri ett annat i närmare anslut-

---

1) I allmänhet egnar L. P. *den allmänna kyrkobönen* myc-ken uppmärksamhet: han behandlar henne i ett särskildt kapitel, utreder hennes liturgiska betydelse, meddelar icke mindre än 4 alternativa formulär för hennes affattning o. s. v.

2) Bådadera momenten förelågo redan 1563 i tryck i ett litet häfte: *Een almennelig Scrifftermål och Bön som brukas må effter predican. Sthlm 1563.* Skriften anses af G. E. Klemming vara af Laur. Petri författad. Troligen är den blott ett utdrag af den redan då färdigskrifna kyrkoordningen.

ning till den tyska typen för *Allgemeines Kirchengebet*[1]. Bönen är tredelad: I) för den »*helga Christeligha försambling j hela werldenne*»; II) för »*Öffuerhetena*»; III) för »*alla menniskior*». På dessa allmänna förböner följde de enskilda förböner, som »någhor vthi synderheet begärar för sigh eller sin wårdnat».

Det 3:dje alternativet återfinnes under kapitlet: Om Ordning medh almennelig bön och Litanien. Det är i nästan ordagrann öfverensstämmelse med den af *Daniel* (a. a. II: 147) från *Agenda Coburg 1626* citerade *Allgem. Kirchengebet*[2].

Såsom 4:de och sista alternativ anföres *Litanian* (»Then andra Böneforman, som pläghar brukas til almenneligha Bön, är Litanian»). Den skulle »åt minsto hwart månadt moot j Kyrkionne hållen warda, Söknedagh eller Helgedagh, tå mesta folket är tilstädhes, Och synnerligha skal man ijdka Litanien then tijdh allmenneligh nödh är på färde, och på the daghar, som man nämpner Bönedaghar».

Efter denna rikliga och omständliga anordning af den allmänna kyrkobönen öfvergår KO. till *Canon Missæ*. Här lemnas sjelfva ritualet helt och hållet orördt. Blott lemnas en och annan bestämmelse om dess utförande.

Alla *Missæ priuatæ*, *Missæ pro defunctis*, *Missæ votiuæ* etc. förklaras »platt afflagda». I stället skulle »hållas een almenneligh Messa j Församblingenne»; och det blott

---

1) Jfr t. ex. den inledande tack-kollekten (»*Allzm. Gudh och barmhertighe Fader, wij tacke tigh aff alt wårt hierta . . .*») med den af *Bodemann (Samml. liturg. Formulare. Götting. 1846, II: 42)* anförda böner: »*Barmherz. Gott und Vater, wir sagen dir Lob und Dank . . .*»

2) Då ett den Coburgska agendans lån från den svenska kyrkoordningen svårligen är tänkbar, är en äldre, gemensam källa väl här att förutsätta.

i det fall, att »nâghor är widh handenne, then Sacramentet anamma wil»[1]. Men om vid söndagsgudstjensten ingen sådan nattvardsgäst förefans, huruledes skulle då presten förhålla sig? KO:n upptar frågan men besvarar den temligen otillfredsställande. Det heter nämligen härom: »är tå bättre at Messan hafs fördragh, och brukas någhot annat j then stadhen, nemligha några gudeliga Psalmer, Predican och Litanian, ther aff folcket må warda vpweckt til gudeligheet, och warda ther igenom förbättrat». Presten hade alltså i detta fall temligen fria händer att sjelf anordna gudstjensten på bästa sätt.

Äfven 8- à 9-åringar torde ännu på 1570-talet varit sedda bland nattvardsgästerna[2]. Deremot skulle »then som banlyster är... strax predicanen är lychtat gå sijn koos vth igen».

Vphöyelsen bibehålles såsom »welkorligh ting». Enligt företalet till *1614-års handbok* afskaffades den definitivt först 1595.

Om prestens sjelfkommunion säges: »Så är ock wäl behöffueligt och nyttigt, at Kyrkiotienaren som androm Sacramentet vthskiffter, warder ock sielffuer ther aff deelachtigh, hwilket om han försummar, eller tilbaka låter, kommer thet hans soknafolcke til förargelse. Icke kan thet heller wara honom til skadha, om han än flere resor en dagh, thet är, så offta som han håller Messo widh sina Soknakyrkior, anammadhe ock så han sampt med the andra Sacramentet». I denna punkt fortgick alltså förreformatorisk praxis orubbad.

---

1) *Anjou* (a. a. III: 30) anför exempel på, att ännu 1553 mässa hölls utan kommunikanter. Första förbudet häremot utgick 1562.

2) »Item icke barnom yngre än niyo eller åt minsto otta åhr, Ty yngre barn kunna fögo beskedh weta om Sacramentet».

Vi afsluta härmed vår granskning af 1571-års Mässordning.

I hvad mån må nu denna mässordning gälla för ett framsteg framför *1557-års mässa?* Kanske är bristen på principiell hållning och fasthet blott än större nu än då. Derigenom att Laur. Petri å ena sidan alltjemt åtminstone alternativt behåller allehanda medeltidsformer, men å den andra af en allt mäktigare församlingsopinion drifves att rikligare låna från tysklutherska agendor[1]), blir nämligen divergensen mellan dessa olika kultprinciper blott än bjertare än förut. Dertill lida många af KO:s bestämmelser onekligen allt fort af en betänklig obestämdhet och godtycklighet, liksom ej heller ett och annat afgjordt missgrepp saknas. Och dock måste vi, allt detta oaktadt, anse *1571-års KO.* representera ett mycket betydande framsteg i vår kultuella utveckling. Först hon inför nämligen i den svenska gudstjensten *den lutherska koralen* såsom verkligt integrerande moment af hennes organism. Först hon fixerar vidare *den allmänna kyrkobönen*, som hittills varit lemnad så godt som vind för våg. Slutligen afskaffar hon sista resten af medeltidens blott *repre-sentiva* nattvardsfirning samt riktar vår kyrkohandbok med åtminstone *utkastet till ritual för högmessogudstjenst utan nattvardsgång.*

Och härmed försvinner från vår kulthistoria en af hennes mest betydande gestalter. *1571-års KO.* är nämligen afskedsordet till svenska kyrkan af den man, i hvars hand hennes kultuella utveckling minst 1/4 sekel så godt som uteslutande hvilat. Full rättvisa torde ännu icke hafva vederfarits Laurentius Petri såsom särskildt *liturgisk* re-

---

1) Jfr de i samband med särskildt den lutherska koralens införande så ofta återkommande uttrycken: »*såsom nu mestadeels är sedher . . .*» »*såsom mest allestädz är kommit j brwk*» o. s. v.

formator. Må vara, att här, liksom i så mycket annat, *initiativets* mer i ögonen fallande ära tillhör brodren Olaus. Liturgiskt måste dock Laurentius ställas ett trappsteg högre. Ty hur högt vi än må skatta *1531-års mässas historiska* betydelse; från strängt *liturgisk* synpunkt kan den dock ej gerna gälla för mera än ett hastverk, en temligen osjelfständig bearbetning af den romerska mässordningen, bestämd å ena sidan af det rent dogmatiska intresset, att ur denna mässordning utrensa allt, hvad smakade af papistisk surdeg, å den andra af det praktiska intresset, att göra gudstjensten »then menighe man förstondeligh». Helt annorledes gestaltar sig deremot förhållandet, från den stund Laurentius griper in i vår kultutveckling. Ty om än äfven nu enskilda, ofta ganska skärande missgrepp för ingen del saknas, ledes den dock icke längre af hufvudsakligen blott dogmatiska motiv och intressen; vid sidan af dessa göra sig nu äfven äkta kultuella kraf på firande värdighet och högstämdhet allt mer gällande, och ett sjelfständigt om än långsamt sammanjemnkningsarbete mellan katolsk formskönhet och luthersk evangeliskhet tager vid. Men just detta dubbla väsensdrag af å ena sidan måttfull konservatism och å den andra äkta, innerlig lutherskhet har städse varit det för det svenska ritualet utmärkande, dess egendomliga individualitet. Och derför att Laurentius Petri dock var den, som djupare än någon annan påtryckte det denna dess egendomliga pregel, kunna vi icke vara med om, att något namn sättes framför hans inom den svenska liturgiens historia.

V.

Det svenska högmässoritualet och Johan III.

Att redogöra för den s. k. *Liturgiska striden* i dess olika skeden och yttringar, är icke vår utan kyrkohistorikerns sak. Vår uppgift är snarare, att med tillgängliga, samtida kulturkunder belysa striden än att med striden belysa dessa urkunder. Dock torde vara nödigt, att vi dessförinnan försöka i någon mån för oss klargöra den historiska synpunkt, från hvilken denna märkliga rörelse såsom helt må pröfvas och dömas.

Vanligen fattas förhållandet så, att sedan vår kultuella reformation allt intill 1571 gått stadigt om än varsamt framåt i en viss, oafbruten riktning, gör Johan III plötsligen front mot denna utveckling och försöker med våldsam hand införa den på nya, främmande banor. För så vidt vi dock icke missuppfattat den svenska kultutvecklingens gång alltifrån 1541, är denna uppfattning ej fullt historiskt korrekt. Kännetecknande för hela Johan III:s liturgiska reform är å ena sidan en djupt rotad motvilja för den lutherska gudstjenstens kala stränghet och fattigdom liksom å den andra en varm förkärlek för medeltidens rikare, stämningsfullare gudstjenstformer. Men hvad annat än samma förkärlek för de medeltida gudstjenstformerna liksom en viss kyla gent emot det lutherska gudstjenstskicket hade alltifrån 1541 utmärkt så godt som hvarje nytt drag i den svenska gudstjensten? Vi behöfva i detta hänseende endast påminna om den starkt romaniserande karakteren af *1553-års Sångbok* eller sådana stadganden ännu 1571 som t. ex. dessa: »Te Deum, Hymnen, Collecta, Benedictus, Benedicamus må stundom siungas på Swensko och stundom på Latijn, *alt thet andra* j Ottesongen må siungas på Latijn»; eller: »Om the afftnar som äro näst för Helgedagharna... tå antingen litet eller ock alzintet folck är j Kyrkionne, mågha Dieknanar *altsammans* j afftonsongen siunga på Latijn» (*KO. 1571*, bl. XLIV:b & XLV:a). Väl är sant, att Johan ur den inslagna riktningen utdrog praktiska konseqvenser, för hvilka han aldrig skulle lyckats vinna Laurentius Petri, liksom äfven att han i en och annan punkt försökte i den inlägga enskilda tankar, som från strängt luthersk ståndpunkt svårligen kunde godkännas. Men riktningen i och för sig var *icke ny* utan blott en djerfvare, hänsynslösare, kanske äfven konseqventare, fortsättning af något redan för handen varande. Och derför tro vi det icke vara fullt rättvist, att låta Johan III ensam uppbära hela ansvaret för den liturgiska rörelsen. Vi kunna icke annat finna, än att erkebiskop Laurentius Petri, genom de många anknytspunkter, hans föregående agendariska verksamhet erbjöd, i icke oväsentlig mån måste dela detta ansvar.

En annan missuppfattning af den historiska situationen är utan tvifvel, att försöka allt ifrån början påtrycka Johans liturgiska åtgöranden en *kyrkopolitisk* pregel, så att dessa icke skulle kommit till för sin egen skull utan hufvudsakligen såsom medel för andra, främmande syften. Denna åsikt, som ännu några decennier tillbaka var den allmänt rådande, har understundom antagit en nästan fanatisk karakter[1]). Äfven Johans varme beundrare, den

---

1) Vi erinra oss t. ex. Abraham Angermanni, Raimundii m. fl:s våldsamma utfall. För Mäster Abraham var hela rörelsen från början till slut blott en enda väfnad af jesuitiska stämplingar, en maskerad,

katolske historieskrifvaren Augustin Theiner, vill gerna alltifrån början se den liturgiska striden från samma synpunkt[1]. Huru sjelfständig och af alla kyrkopolitiska unionsförsök oberoende denna rörelse dock innerst var, bevisar bäst det factum, att ännu när sista gnistan af hopp om en återförening med Rom redan länge sedan slocknat, fortsätter Johan kampen för sin liturgi med oförminskad — för att icke säga ökad — energi och hänförelse[2]. Så handlar dock endast den, som i striden insatt sjelfva sitt hjerta. Och det var just detta, Johan III gjorde. Han, om någon, var liturg af själ och hjerta. Att »föröka och förbättra Gudstjensten», att i renad form åt den svenska kyrkan återskänka den gudstjenstordning, han under sin uppväxt sett stycke för stycke nedbrytas — detta var för honom icke en kall, politisk beräkning utan hans hjertas ärliga, brinnande tro och öfvertygelse, hans lifs käraste tanke och uppgift[3]. Så blir för oss denna rörelse innerst

---

papistisk propaganda, hvars hemliga trådar förnämligast lågo i Herbsts och Kloster-Lasses händer (*»Blasphemum idolon Herbst-Clost-Lass-Possvinianum»)*. Hvad dock »den arge och ilfundige bofven, Papisten och Liturgisten Herbestus» vidkommer, torde han stått utanför hela den egentliga striden, då bevisligen redan före 1574 en brytning mellan honom och konungen inträdt, som snarare tilltog än aftog (jfr *Theiner: Schweden u. seine Stellung zum heil. Stuhl. Augsb. 1838, I: 347, 397* — medgifvanden, gjorda mot författ:s eget intresse och derför desto pålitligare). Och »den ilfundige och illistige bofven och Jesuiten Lars» kunde åtminstone ej gerna före 1576 i den varit invecklad, då han först detta år anlände till Stockholm. Men redan i början af 1576 förelåg Liturgien afslutad.

1) Jfr a. a. I: 344, 347, 351, 399.

2) Jfr konungens eget yttrande (*Phrygius: Agon Regius* etc. *Holmiæ 1620*, p. 46): »Men them, som beskylda och vthropa oss, i thenna handelen leeka och göra ett medh then Romerska Påwen, bliffwer således swarat: at wij giffwe honom Fanin».

3) Äfven här tvingas Theiner till ett och annat medgifvande, som skulle kunna användas mot honom sjelf. Så t. ex. skrifver han p. 346:

och väsentligen *estetisk-religiös* och dess kyrkopolitiska sida endast en öfvergående episod.

Detta är alltså den yttre och inre situation, ur hvilken vi tänka oss den liturgiska rörelsen hafva framgått. Vi gå nu att granska de samtida urkunder, som belysa Johan III:s ställning till särskildt *det svenska högmässoritualet.*

Den första urkunden af detta slag är den af Baazius åt oss bevarade redogörelsen för *Articuli ab Episcopis & Clericis in conventu Holm. an. 74*[1]). De äro till antalet 10, samtliga gällande *modum administrandæ Missæ*, med undantag af den sista, som rör presternas lefverne i allmänhet[2]).

Art. I blott stadfäster *KO. 1571.* De mycket starka uttryck, som härvid begagnas (*»ne aliqui ritus approbati omittantur, aut superstitiosi admisceantur»)*, angifva, huru föga Johan tänkte sig vid denna tid i väsentlig opposition till kyrkoordningen.

Art. II—V & VII äro af mer pastoral än agendarisk natur. Här talas nämligen om nattvardsberedelsen, om

---

»Die Beibehaltung des Layenkelches schien ihm unbedingt nothwendig. Er betrieb diese Angelegenheit mit einer Art Leidenschaft und *opferte ihr alles»*. Och p. 374: »Die Communion unter beiden Gestalten hatte eine Art Zauber für ihn ... Er theilte diese Irrthümer *in aller Aufrichtigkeit seines Herzens und mit Ueberzeugung»*. Märkliga yttranden såsom bekräftelse på ärligheten af konungens liturgiska öfvertygelse.

1) *Inventarium Eccles. Sveo-Gothorum. Lincop. 1642, p. 360.*

2) Till föga heder för dåtidens presterskap anses här nödigt, att bland annat äfven strängeligen varna det för *»sermo inhonestus et cantiones lascivæ»*. Redan i det föregående hade antydts, att presten ännu vid altaret kunde understundom fördrifva tiden med en läsning, *»ei loco minime conveniens»*. Dessa yttranden må icke fattas såsom uttryck för någon personlig ovilja å konungens sida gentemot det svenska presterskapet. Fast mer tyckes efter alla tecken förhållandet mellan konungen och hans presterskap ännu vid denna tid varit på det hela godt.

prestens enskilda andakt i gudstjensten, om folkets undervisning om nattvardens rätta betydelse o. s. v. Dessa artiklar vittna fördelaktigt om konungens intresse för icke blott den yttre kultformen utan äfven den inre hjertestämningen.

De för oss intressantaste bestämmelserna återfinnas under art. VI, VIII och IX. Dessa gälla nämligen omedelbart högmässans liturgiska anordning. Så yrkas här på återinförandet af de »*laudes, quas vetus Ecclesia instituit & usurpavit, præsertim ut præfationi addatur Epiphonema: per quem majestatem tuam laudant Angeli & Archangeli* etc. Yrkandet, som ofta återkommer under stridens gång, står i nära samband med Johans egendomliga uppfattning af nattvarden — väl icke såsom ett »prestaoffer» men dock såsom ett församlingens tack- och lof- och minnesoffer[1]). Vidare förordnas med mycken omständighet, huru förhållas skall vid de båda fall, att af nattvardselementen antingen något fattas eller något blifver öfver: i förra fallet skulle det tillagda brödet eller vinet ovilkorligen särskildt konsekreras; i senare fallet skulle presten förtära allt det öfverblifna, (»*nec enim poterit portio elementorum consecrata absque gravi scandalo cum reliquo non consecrato permisceri*») Äfven för dessa stadganden ligga utan tvifvel egendomliga drag af Johan III:s nattvardsteori till grund. Då vi dock i samband med vår granskning af *1575-års Ordinantia* blifva i tillfälle att

---

1) Jfr *Dialogus Om then förwandling som medh Messonne skedde... Scriffuin Aff Erchebiscop Lars j Upsala 1542 (Wittenb. 1587, p. 106):* »Ty kan och Messan sålunda wara offer, epter som Sacramentit fordom pläghadhe kallas tackseyelse, eller Eucharistia». *N. Ordinantia 1575:* »Til thet fierde kallas ock Natwarden offer, effter man tackar, loffuar, ährar, prijsar och åkallar Gudh i Natwardens handell.»

närmare sysselsätta oss med denna teori, låta vi f. n. bero på det af honom sjelf uppgifna skälet.

De 17 betingelser, som i Dec. s. å. aftvingades Laurentius Gothus såsom vilkor för hans utnämning till erkebiskop[1]), äro i och för sig visserligen af liturgiskt intresse men afse dock mindre sjelfva mässan än andra kyrkliga handlingar[2]). Om mässan säges blott i allmänhet, att de fromma sequentierna, hymnerna, responsorierna och kollekterna böra fortfarande brukas, faste-evangelierna såsom förut användas, Kristi lekamens och blods *sanna* (icke blott »*ko-existerande*») närvaro i nattvarden läras o. s. v.

Den 16 Mars 1575 underskrefs i Stockholm af fem biskopar och sju andra »prelater» *Nova Ordinantia Ecclesiastica. Anno 75 Conscripta Et Vnanimj Epischoporum Consensu Approbata*[3]). Denna skrift gör dock blott föga skäl för sitt namn. Af verklig kyrkolagsnatur är väl knappt mer än 35 à 40 af arbetets 166 trycksidor. Allt det öfriga är af antingen dogmatisk eller liturgisk eller homiletisk eller pastoral natur.

Framför allt är dock *1575-års Ordinantia* dogmatisk. Väl 2/3 af dess innehåll torde kunna gälla för ren dogmatik. Och skälet härtill ligger nära. Utan tvifvel stod redan nu Liturgien i dess allmännaste grunddrag klar för Johan. Men så mycket hade han förstått af redan

---

1) Äfvenledes af *Baazius* (a. a. p. 365) anförda.

2) Så t. ex. tillhålles här erkebiskopen att återupptaga den redan 1541 aflagda *sista smörjelsen*, att tillse att *bönen för de döde* icke förbigås i begrafningsritualet, att den biskopliga *konfirmationen* icke försummas o. s. v.

3) Först 1872 har denna urkund blifvit i tryck tillgänglig: *Handlingar rör. Sveriges Historia. Andra Serien II. Sthlm 1872.* Dessförinnan förefans den blott i olika handskrifter, icke alltid i full öfverensstämmelse med hvarandra. Att konungen sjelf, i samråd med sin sekreterare Petrus Michaelis (Fecht), är författaren, antages allmänt och på goda grunder.

hafda underhandlingar med sitt presterskap, att den tid numera var förbi, då Sveriges konung i samråd med en eller annan förtrogen kunde efter godtycke ändra gudstjensten, här uteslutande ett moment, der tilläggande ett annat. Lärokonflikterna det sista decenniet hade öppnat presternas ögon för dolda faror och anslag. Deras misstänksamhet hade väckts. För detta factum blundade icke Johan. Han insåg, att det kungliga maktspråket ensamt för sig ej längre gjorde till fyllest i frågor af denna art; att åtminstone om de allmännaste och hufvudsakliga principerna måste enighet mellan honom och presterskapet råda, för så vidt någon utsikt skulle förefinnas för hans kultreformers genomförande. Häraf Ordinantians vidlyftiga dogmatiska undersökningar. Men derför är det också här framför allt, tillfälle erbjudes oss att få lära känna den dogmatiska grundåskådning, som utgjorde den liturgiska rörelsens dolda bakgrund och i så mycket blef för denna bestämmande. Detta må alltså blifva vår närmaste uppgift.

Art. 1 handlar *Om Predican och Christeligh Läro* (19 sidor). Detta kapitel kan sägas i hufvudsak besvara dessa två frågor: *hvad är att förstå med Evangelium? och hvar är detta evangelium i sin största renhet att finna?*

Den förra af dessa frågor besvarar Ordinantian i en öfver all förväntan luthersk anda[1]). Så heter det t. ex. p. 186 f.: »Thenna sin welgerningh, som Gudh menniskona genom Christum beuist haffuer, läter han wtropa genom sitt ordh och helga Ewangelium och säger henne thet till, at han haffuer förlåtit henne syndena för Christi förskyllan skul, och icke för hennes skull, effter hon hade intedt vthan ondt förtient. Sådana predican om syndernars förlåtelse haffuer Gudh latidt wtgåå öffuer hela werldena,

---

1) En uppgift förefinnes (*Anjou a. a. III: 90*), att åtminstone delvis en äldre, reformatorisk skrift legat till grund för detta kapitel.

säyandes menniskomen thet till, att om hon förlåter sigh ther vppå, setter fulla troo och lijt till sådana tilsäielse, tå skal hon niuta Christi förskyllan thet till godho, at hon skall hafua för hans skull syndernas förlåtelse, och warda ther medt rettferdigh recknatt i Gudz åsyn.... Ty att anamma syndernars förlåtelse, thet är anamma rettfärdigheetena: then är rettferdigh, som Gudh haffuer förlåtett synderna, och reeknat för from och godh o. s. v.»

Våga vi nu äfven taga dessa ord såsom uttryck för Johans verkliga, personliga öfvertygelse? Vi tro så. Johan III var nämligen i dessa ting alldeles för mycket en öfvertygelsens man för att såsom sin mening utgifva något, som i sak icke så var. Dertill finnes intet i hans följande uttalanden eller åtgöranden, som motsäger denna evangeliska grundåskådning. Att han af uppriktigt hjerta förkastade den romerska satisfaktionsteorien med dess »Messooffer», aflat, helgondyrkan etc. kan ej gerna betviflas[1]). Och att innerliga, evangeliska tankar gömde sig på djupet af hans väsen, vittna ord lika dessa från hans dödsbädd: »Men jagh flyr til Gudz Faders barmhertigheet, och beder honom för Sonsens, Medlarens skull, at han sigh öffwer migh förbarma, och förlåta migh alla mina synder...» »Sannerliga o Herre, thetta skeer icke aff nogon wår förtienst eller förskyllan, vthan aff tina godheetz sötma och behagh»[2]).

---

1) Jfr p. 248: »Så ogiller man och fördömer aldeles her medh the vptenckte menniskors verk, såsom opera supererogationis, Messo skifftelse, sielabadh, afflatz kram, pelegrims reesor, sigh sielff hudflenga, Roosenkrantzar at bidia, gå vllen etc. Ther medh Gudh haffuer *meera waridt vpretatt til wredhe och straff*, än til hielp, och the fattige Christne menniskor iämmerligen förfördhe», p. 328. »Nu troo wij allena på Gudh och icke påå någott Creatur. Therföre åkalle wij Gudh allena vthan Creaturen o. s. v.»

2) *Phrygius: Sanferdigh berättelse om k. Johans wördelige och gudelige Affskeedh. s. a. & l. p. 4. 23.*

Mindre luthersk blir Ordinantian, när det gäller att besvara den andra frågan: hvarest är detta evangelium renast och klarast att finna? Ty då visar han snarare *ifrån* än *till* den lutherska teologien[1]). I stället är det *»the äldsta och bästa som skriffuit haffua strax effter Apostlarnas tijdh, intill Gregorium Magnum»*, som för henne utgör den fulla garantien i detta hänseende[2]). Detta, att så hänvisa till *patristiken* såsom den enda ogrumlade och tillförlitliga källan för skriftens rätta tolkning, är framför allt ett utmärkande drag för Johan III:s teologi. Blott hvad såsom gemensam trosåskådning framgick ur de 6 första seklens kyrkliga literatur, var för honom symboliskt bindande. Och derför blef han äfven, oaktadt de många beröringspunkterna, aldrig annat än en främling inom den lutherska dogmatiken.

Den nästa läropunkt, som utförligare behandlas i *1575-års Ordinantia*, är sakramentläran och i all synnerhet *nattvarden.* Härom handla icke mindre än 76 sidor. Redan denna utförlighet gör det svårt, att bestämma Johans verkliga ståndpunkt i frågan. Den försiktighet, med hvilken han på grund af ämnets ömtåliga art måste uttrycka sig, utgör en ytterligare svårighet.

Anjou håller före, att Johan absolut förkastade »de påfviskes brödförvandling»[3]). Och så kan nog sägas, om uttrycken till det yttersta pressas. Ty Ordinantian häfdar

---

1) P. 199: »Men all then stundh i wår tijdh, Gudh bättre, vpstiga så många säckter, och alla haffua nogh til att föregiffua, och skriffua vthann åtheruendo, giffue vij thet rådh för wår Suenska, att the eenfåldighe sparsamliga ther aff läsa, och ehuars scripta the läsa, mera Lutheri, Philippi, Brentij eller andras, så skola altijdh rätta sigh effter then förklaringh, som vthi then prentade kyrkio ordningh kan om några articlar allaredho wara författat och then man nu bådhe om lärdomen och Cæremonier giordt haffuer».

2) Ibid.

3) A. a. III: 86.

uttryckligen den åsikten, att äfven *efter* brödets och vinets förening med Kristi lekamen och blod *bibehålla* de förra »then lekamliga och naturliga substantiam eller wäsendet»[1]. Men å andra sidan återvänder gång på gång den tanken, att det en gång konsekrerade brödet och vinet icke desto mindre äro *realiter* Kristi lekamen och blod — icke blott (enligt lutherskt åskådningssätt) i sjelfva undfåendets ögonblick utan »*antingen thet är på altarett eller i prestens handh, eller i hans mun som thet vndfår*»[2]. Och detta så att förstå, att i kraft af konsekrationen en *unio sacramentalis* egt rum mellan nattvardens »huardags spijs» och dess »odödeligheets spijs», närmast liknande föreningen af Kristi synliga människonatur och osynliga gudomsnatur under hans jordelif: båda äro alltfort der »samfelt» (»utan sammanblandning och utan förvandling»); blott äro de jordiska realiteterna *synliga*, de himmelska *osynliga*[3].

1) P. 290: »Dock skal man thetta icke så förstå, att i Herrans Natward icke bliffuer sannskyligt naturligitt och wäsentligitt brödh och win vtskifft och undfångit . . . .» (jfr p. 293, 296).

2) P. 290: »Therföre är brödet *verum corpus Christi*, Christi sanna lekamen, således, att ther thet welsignade brödett är i Herrans Natwardh, som i hans försambling, effter hans inrettelse och ordningh, begås, antingen thet är på altarett eller i prestens handh o. s. v.» Jfr p. 294: »Ty thet (scil. »thet brödh, som welsignat och helgatt är genom Christi ord») är icke nu mera nogot gemeent och huardagz brödh, vthan welsignat och helgat till itt Sacrament, ther medh Christi lekamen är tilstedz» (hvartill lägges följande citat från Augustinus: »*quod ante verba Christi, quod offertur, panis dicatur, vbi verba deprompta fuerint, iam non panis dicitur, sed corpus appellatur*»).

3) P. 290: »Så warda thå the thw åtskilelige tingh i Herrans Natwardz sanskylliga brukningh, genom Christi ordh, effter hans insettelse och ordningh sammanfogat, vnione Sacramentali, att Christus medh thenna synliga medell wil vthi osynliga motto wara tilstedz, och meddela oss sin sanna lekamen och blodh»; p. 297: »Och såsom wij i Christi person allenast haffua sedt hans menniskeliga natur, och icke hans guddomeliga natur, så skier ock i thetta Sacramentet, som wij för

Vi finna häraf, huruledes Johans mening närmar sig den romerska transsubstantiations-läran så mycket, som gerna är möjligt utan att med den helt sammanfalla. Äfven förstå vi nu, hvarför han redan 1574 så ifrigt yrkade på såväl förnyad konsekration öfver det nya bröd- och vin-förrådet som derpå, att hvad af det redan konsekrerade förrådet öfverblefve, skulle af presten förtäras. Detta var icke, såsom uppgafs, blott en formsak (»*ut Ecclesia sciat Elementa usui sacro destinata esse consecrata*»). Från Johans ståndpunkt måste det varit en verklig samvetssak. Ty *okonsekreradt* bröd eller vin kunde för honom aldrig blifva något annat än »huardagsspijs». Och vidare: om verkligen allt fortfarande Kristi lekamen och blod s. a. s. osynligen *bodde* i brödet och vinet — hvilken profanation, att blanda denna trefaldt heliga »spijs» med »gemeent» bröd och vin![1])

Deremot skiljer sig Johan mycket afgjordt från den romerska nattvardsläran i andra punkter. Så betonas upprepade gånger, att konsekrationens sakramentala kraft *icke* beror »aff prestens wilia och werdigheet» utan ensamt och allena af *Kristi instiftelse*[2]). Vidare hörer till sakra-

---

ögonen see, att hans guddomeliga wäsende haffuer sigh i thetta Sacrament vthi oseyeliga motto ingiffuet»; p. 302: »Therföre när Christi ordh äro öffuer brödh och vin sagde i församblingenne, ther Herrans Natward begången och hållen warder, effter Christi befalningh och ordningh, så tror man aldeles att brödh och vin icke ähro meer blot bröd och vin, vthan Herrans Jesu Christi sanna lekamen och blodh».

1) I följande årets *Liturgi* går också hans nitälskan ända derhän, att om något af vinet blefve öfver, skulle presten icke blott utdricka det öfverblifna utan dertill skölja kalken med ovigdt vin, hvilket han äfven borde utdricka. Helt annan var den ståndpunkt, som i denna fråga *KO. 1571* intog. Der heter det blott: »Men thet som öffuer bliffuer, skal förwaras j sitt beqwemligha rum, så lenge thet åter behöffues j Församblingenne».

2) P. 299, 302 etc.

mentens *substantia (Essentialia sacramenti)*, att de brukas »till intedt annat, eller ock annorledes, än thet the äro, och såsom the äro aff Christo insatt»[1]. Om derför »brödett ther öffuer welsignelsens ord ähro sagde, warder insatt i Monstrans, til att bära thet i Process om alla gathor till itt skodespel, och att tilbedia thet, såsom sielffuan Gudh o. s. v.»; då är »thenna handell icke något Sacrament, vthan itt förskräckeligitt misbruk och affguderij, för huilkit Gudh hårdeliga straffa will»[2]. Af samma skäl förkastas såsom »een slem wilfarelse och största styggelse och mishandell», att göra nattvarden »sig till itt *synda offer*»[3]. Warsewicz uppgift, att Johan »das Abendmahl ganz nach der Lehre der katholischen Kirche glaubte, auch die Messe»[4], måste alltså förkastas. Enligt den urkund, i hvilken Johan III utförligare än på något annat ställe i denna punkt uttalat sig, var hans nattvardsteori på det hela vida mer luthersk än romersk.

I jemförelse med Ordinantians dogmatiska vidlyftighet, förekomma hennes agendariska bestämmelser något knapphändiga. Dessa äro dock för ingen del utan betydelse och äro framför allt med säker hand nedskrifna.

Den obligatoriska karakteren af prestens enskilda, latinska *Confiteor* blir detta år ytterligare betonad (1571: »*må* han göra Gudhi sijn bekennelse medh thet Latiniska *Confiteor*»; 1575: »Then som Messo håller *skal* aldra först falla på knä widh Altaredt och läsa *Confiteor* widh thetta sättit *Confiteor tibi Deo* . . .»). Momentet är äfven något utvidgadt, dock mer i protestantisk än i romersk riktning.

---

1) P. 219: »När the icke bliffua vthi sitt rätta bruk effter Christi klara och wttryckta ordh och befalningh, så äro the ingen Sacrament».

2) P. 220.

3) P. 313.

4) *Theiner* a. a. I: 394.

Ty de ord, med hvilka presten ännu 1557 utbad sig sina embetsbröders förbön, riktas här direkt till Gud.

Symbolum skall icke längre sjungas *efter predikan* utan »emillan Euangelium och *Veni Sancte Spiritus*». I denna punkt visar sig alltså Johan III ega större liturgisk klarsynthet än både Olaus och Laurentius Petri. — »På alla helgedagar, förvthan på Söndagarna» skulle *Symbolum Nicænum* sjungas, i städerna »vndertijden på Latijn vndertijden på Suensko», på landet »allenast på Suensko».

Att »*Euangelia* och *Epistlar*» hänföras till kapitlet *Om Kyrkiosångh*, torde angifva, att man tänkte sig äfven dessa moment helst *sjungna*, icke lästa — ett från luthersk ståndpunkt djupt reaktionärt drag[1]).

Predikan skulle afslutas med »en kortt Bönepsalm, som kan komma öffuer ens medh Ewangelio, som thå förhandlat är i prædicanen» (vår närvarande *psalm efter predikan*). Om en psalm på detta ställe ha föregående agendor intet talat.

Then allmenneligha bönen vill *1575-års Ordinantia* hafva förlagd från predikstolen till altaret (*Codex Stockh.*: »man måå fulfölia medh een bönepsalm siungandes, och *sedan wid Altaret* medh bidiande och Sacramentzens bruck»). Men hvar i altartjensten införa den? Hade Johan känt sig fullt fri, skulle han utan tvifvel (enligt mycket tidig ehuru ej uråldrig kyrklig praxis) velat inlemma denna bönegrupp i Offertorium-gruppen. Han kände sig dock uppenbarligen alltför mycket bunden af den 50-åriga, reformatoriska häfden för att redan nu våga en så radikal rubbning i sjelfva nattvardsordningen. I stället förlägges momentet »*efter Communicationem*» — en anordning, väl enastående i hela liturgiens historia. Och dock ej alldeles grundlös. Den ursprungliga meningen med kyrkobönens

1) Visserligen talas äfven 1571 om »Lecserna» under kapitlet *Kyrkesong* men på ett sätt, som otvetydigt anger, att de blifvit *lästa*.

införlifvande med *canon missæ* var nämligen, att härigenom göra den desto mer verksam. Man tänkte sig, att kyrkans förböner, på detta sätt liksom inväfda i nattvardens offerhandling, skulle verka i dubbel kraft. Men härifrån var steget icke långt till dessa böners förläggande »effter communicationem». Ty här bäras de dock liksom af nattvardens omedelbara krafter och gåfvor; här är det dock den af den omedelbart föregående nattvarden helgade och styrkta församlingen, som uttalar dem.

Men kyrkobönen erhåller 1575 äfven en ny gestalt, ehuru tankegången är väsentligen densamma som 1571. Den skulle blott då användas, när *Litanian* icke lästes. Då nämligen litanian sjelf gällde för »*almenneligh bön*», skulle eljest detta moment tvenne gånger förekommit i samma gudstjenst.

Såsom inledning till nattvardsmässan (»för än Præfatio begynnas») skulle en längre bön »läsas öffuerliut», på det att »både Presten, som Messa håller, så ock församblingen, motthe thes mera wpueckte bliffua, till att rett begå wårs Herras Jesu Christi Natward, och betenkia the guddommeliga tingh, som ther förhandlas». Härmed vill Johan uppenbarligen göra nattvardsförmaningen af 1531 öfverflödig, hvilken på sin plats »näst för Communionen» onekligen verkade i hög grad störande. På inre grunder kan med temlig visshet antagas, att Johan sjelf är författare till detta väl mycket resonerande och något tunga böneformulär.

1575-års Ordinantia påbjuder mässas hållande äfven följande 5 helgedagar[1]): *Festa Magdalenæ et Laurentij; Festum corporis Christi; Assumptionis*

1) »Til att tacka Gudh för the heligas troo och lärdom, och stella theras exempel oss för ögon, them effterfölia både i lärdom och leffuerne och Ewangelij bekennelse» (men icke »at man them bidia och åkalla skall til hielp eller tröst, ty thett är tuert emot Gudz klara ordh och wåra Christeliga troo» p. 327).

et Natiuitatis Mariæ. »Och skall man i Städernar bruka the *Euangelia* som thå falla. Men vppå landzbygdenne må *Catechismus* förhandlas, doch så att man först säger *summan* af Ewangelio, som på then dagen faller, och sedan förhandlar itt stycke af *Catechismo*».

Liturgia Svecanae Ecclesiae catholicae & orthodoxae conformis 1576.

Sedan 1557 hade ingen ny upplaga af *Swenska Mässan* utkommit[1]). Behofvet af en sådan upplaga borde dock numera varit känbart. Ty dels äro agendariska böcker ju mer än andra gemenligen utsatta för slitning; dels hade under tiden, särskildt genom kyrkoordningarne af 1571 och 1575, en hel del nya, delvis hvarandra motsägande, bestämmelser tillkommit, hvilka måste vållat icke ringa ovisshet och oreda. Konungen sjelf åtager sig nu att möta detta behof. Att nämligen han och ingen annan (åter biträdd af sin sekreterare Fecht) är Liturgiens författare, torde numera få gälla för erkändt historiskt factum[2]).

---

1) Man hör ofta framhållas, att samtliga upplagor af svenska mässan före 1576 voro i saknad af officiell karakter. Redan 1571 måste dock *1557-års Mässa* anses hafva beklädts med sådan karakter, då det i detta års KO. heter: »Men medh Messonne rettar han sigh ellies effter thet sätt och ordning, som then Swenska Messeboken vthwisar» (bl. XXXVII).

2) *G. E. Klemming (Kgl. Bibl:s Handl. 1 Årsberätt. 1878 p. 47)* räknar Johannes Herbst och Laurentius Norvegus såsom medarbetare. Detta är dock oantagligt, dels på grund af den redan nämnda brytningen mellan konungen och Herbst redan före 1574, och dels på grund deraf, att Laurentius Norvegus först *efter* Liturgiens afslutning anlände till Stockholm *(Anjou a. a. III: 110).* Deremot råder någon ovisshet, huruvida Fecht eller erkebiskop Laurentius Gothus skrifvit företalet.

Boken utkom i början af år 1576[1]). Redan till den yttre gestalten kan emellertid knappt tänkas en större olikhet än mellan dessa båda upplagor: *1557-års mässa* — en liten tunn skrift i qvartformat med gammaldags typer; *1576-års mässa* — en prydlig folio med både svensk och latinsk text och vidlyftiga, lärda kommentarier och randanmärkningar[2]).

Arbetet är af det liturgiska intresse och värde, att det väl förtjenar en ingående granskning.

Innehållet af det mer historiskt än liturgiskt intressanta *Företalet*[3]) kan sägas vara väsentligen sammanfattadt i följande uttryck: »*Quare vt antecessoribus nostris contra superstitiones pugnandum fuit, ita nobis cum sæuiore prophanitatis Bestia belligerandum est . . . Magna pars pietatis in ceremonijs sita est, cum Deo non solum corde sed et manibus ac pedibus sit seruiendum*». Med dessa få ord äro äfven Liturgiens hela principiella ståndpunkt angifven: *att medels de kyrkliga ceremoniernas ordnande och höjande i öfverensstämmelse med fornkyrklig praxis bekämpa den öfverhandtagande profaniteten i gudstjenstfirningen.* Att en sådan profanitetens fara verkligen var för handen, intyga

---

1) *Anjou a. a. III: 105.* Den lärer redan i Mars d. å. öfversändts till hertig Carl, ehuru först hösten s. å. påbuden till allmänt bruk (III: 106). Dess *svenska* text återfinnes *Bilaga II.*

2) Att den redan 1594 var känd under namnet »*then rööde book*», framgår af Erik Skepperi bref till erkebiskop Abraham d. 4 April d. å.: »Utj hele denne Comoedia war Hindrich Matsson med *sin rööde book*» (*Skriftel. Bewis Hörande till Sw. Kyrckio-Hist. Ups. 1716, p. 120).* Sannolikast har den erhållit denna benämning på den grund, att de första af konungen utdelade exemplaren troligen varit (i likhet med det i Kgl. Bibl. i Stockholm förefintliga) bundna i rödt band.

3) Enligt *Raimundius (Hist. Liturgica, Sthlm 1745, p. 19)* »opräknade och straffade» *Concil. Strengn.* i detta temligen oskyldiga företal icke mindre än 49 »vederstyggeliga och grofwa errores och wilfarelser».

alltför många samtidiga, trovärdiga utsagor för att kunna betviflas. Mången prestman torde varit vida ifrigare att bevisa sin lutherskhet medels de misstänkta »ceremoniernas» åsidosättande än medels evangelii kraftiga, allvarliga drifvande. Å andra sidan ljuder emot oss i företalets: »*Deo et manibus ac pedibus servire*» — liksom preludiet till den motsatta ytterlighetens antågande.

Vi minnas, huruledes prestens enskilda förberedelse för mässan under medeltidens lopp utbildat sig till en sjelfständig gudstjenstgrupp af ganska invecklad natur. Denna tredelade grupp återfinnes i hela sin medeltida vidlyftighet och omständlighet i Liturgien.

I.) Först möter oss prestens rent privata andakt, som »*pro opportunitate temporis*» kunde ske »*vel domi suæ, vel in templo*». Någon väsentligare afvikelse från Linköpingsbreviariets redogörelse för samma akt förefinnes icke, om vi undantaga en och annan vexling af bibelspråk samt momentens antal, som här reducerats till i det närmaste hälften (*Brev. Linc.* 30; *Liturgien* 16). Den öppnas med den på detta ställe föga lutherskt klingande versikeln: »Herre, Jagh wil mz brenoffer ingå j titt hws, och betala tig mijn löffte, hwilken mine leppar loffuat haffua». Härefter följa (efter en kort *antifoni*) 5 af breviariets 8 *davidspsalmer* (Nr. 84, 85, 86, 116 och 130). Vidare *Kyrie*, *Pater noster*, 5 *versikler* och 7 *kollekter* (dessa senare i nästan ordagrann öfverensstämmelse med det latinska breviariet)[1].

II.) *Sequuntur orationes Dicendæ, cum celebraturus induit sacris paramentis.*

---

1) Dock icke utan undantag. Så uteslutes t. ex. bönen: *Omnipotens sempiterne deus: respice propicius ad preces meas et libera cor meum de tentatione malarum cogitationum, vt spiritus sancti dignum habitaculum sit*». Den har tydligen hos författaren väckt dogmatiska betänkligheter.

Äfven här ansluter sig Liturgien till föregående praxis, dock med större frihet. Gruppens förnämsta intresse ligger i uppräknandet af »mässoklädernas» olika delar, hvarigenom en bild gifves oss af den tjenstförrättande presten i sin fulla skrud enligt dåtidens sed. Den bestod af åtta plagg. Sedan särskilda böner blifvit lästa dels vid afklädningen af hvardagsdrägten, dels vid handtvagningen, påtog presten sitt »*hufwudlin*» (*amictus*, *humerale*), ett slags kapuschong af linne, som föll tillbaka öfver skuldrorna och bildade liksom ett halskläde. Härefter iklädde han sig »*Mässusärken*» (*alba linea*, vår närvarande s. k. mässkjorta), hvarvid han läste denna sköna bön: »*Gör mig Herre Gud hwijt, och mit hierta rent, at iagh vthi Lambsens blodh rengiord, må haffua ewinnerligha glädi*». Följde så »*Lindan*» (*cingulum*, *zona*), »*Stola Brachialis*» (»handlin», »manipel, quem in leua ponit sacerdos»[1]) samt den egentliga »*Stolan*», ett bredt, vanligen rikt smyckadt sidenband, som från halsen föll ned framtill på hvardera sidan om bröstet[2]). Angående de tvenne följande klädesstyckena (»*Dalmatican*» och »*Tunican*», två lifrockar, öppna på sidorna, den ena kortare än den andra) anmärker Theiner[3]): »Ausser den gewöhnlichen Messkleidern werden ferner die Tunika, die Dalmatica und die Inful erwähnt, welche letztern nur von Bischöfen gebraucht werden sollen». Det kan dock vara tvifvelaktigt, huruvida meningen var, att hvilken »*celebraturus*» som helst skulle anlägga samtliga de uppräknade kläderna (*Brev. Lincop.* säger intet om dalmatican eller

---

1) Detta plagg nämnes visserligen icke uttryckligen 1576 men tillägges i upplagan 1588 vid motvarande moment.

2) Att i samband med detta band det i bönen talas om »retferdighetennes och odödlighetennes kiortel» beror derpå, att det ursprungligen utgjorde blott en del af en egendomlig rock eller kjortel (jfr romarnes *stola*).

3) A. a. I: 415.

tunican vid uppräknandet af de sedvanliga mässkläderna). Återstå slutligen »*Mässuhakeln*» (*casula, planeta*) och »*Kloffhatten*» (*mitra*), hvilken äfven den icke-biskoplige officianten tyckes burit[1]).

III.) Den sista afdelningen af *preparatio sacerdotis* (hans offentliga syndabekännelse och aflösning) erbjuder mindre intresse, då här *Ordo Romanus* så godt som ordagrant följes[2]). Att så i den gemensamma gudstjensten införa icke mindre än tio särskilda moment, till hvilka församlingen förhöll sig endast åskådande, är onekligen en främmande företeelse inom en kyrka, som dock redan 1/2 århundrade bekänt sig till den lutherska reformationens principer[3]). Och dock saknas icke ens här anknytning i föregående praxis. Ty när Laur. Petri redan 1541 återupptar prestens enskilda, latinska confiteor och ännu 1571 än ytterligare bekräftar denna anordning: då är härmed den *princip* redan införd, som Johan här blott i rikare mått tillämpar[4]).

1) *Laurent. Petri* (i sin skrift: *Om Kyrkio Stadgar och Ceremonier*) räknar till »Messokläder» förutom de nämnda äfven *Sandalia; Succinctorium* (»a resemblance of the ends of a ribbon, formerly worn by most bishops as a cincture over the alb, and which was called balteum pudicitiæ»: *Lees Glossary*); *Chirotecæ* (chiridotæ?); *ring; kryckia; Sudariolum* (ett stycke linne eller silke, fästadt vid »kryckian» och afsedt att skydda denna mot handens fuktighet) och *pallium* (»a square piece of millboard, from six to eight inches either way, covered with linen — used to place over the chalice at certain portions of the Mass»).

2) Blott följande ändringar förekomma: de till helgonen ställda orden i confiteor uteslutas liksom assistenternas syndabekännelse och aflösning samt slutmomentet: »*Oramus te Domine per merita Sanctorum tuorum* . . .»; på ett ställe ändras *mereamur* till *possimus*; och ett alternativt formulär för prestens confiteor tillägges för det fall, att inga assistenter äro för handen (jfr *Bil. II*).

3) Abraham Angermannius kallar den »en Afgudisk willfarelse».

4) Äfven för det korstecken, med hvilket 1576-års mässa öppnas, kunde Johan åberopa sig på Laurentius Petris auktoritet. Ty icke blott

Men hvad blir då 1576 utaf momentet: »*Kære wener bröder och systrar*...» och den *gemensamma* syndabekännelsen? De följa till sist såsom ett slags *post scriptum*, att brukas »*interdum*» (jfr *Mässan 1557:* »... må Presten, *om honom så synes*, haffua thenna bekennelse»). Orden: »j brödh och wijn» uteslutas och uttrycket: »itt åminnelse tekn» ändras till: »een åminnelse».

Nu först tager den egentliga gudstjensten vid, sedan så den presterliga förberedelsen afslutats. Den öppnas såsom vanligt med *Introitus*.

I. Introitus och Lectiones.

KO:n 1571 hade medgifvet, att »när man samma *Introitum* icke siunger på Latijn», några svenska psalmer skulle i stället få brukas. Detta medgifvande inskränkes 1576 till endast »*ecclesiæ vero rurales*» [1]).

---

låter denne korsteckningen qvarstå ännu 1557 i dopformuläret utan försvarar dertill bruket uttryckligen i sina *Kyrkio Stadgar och Ceremonier*, 1556 (bl. 54:b f.).

1) »*Sequitur Introitus qualis in libro Gradualium et latine et Vulgari lingua statis assignatur temporibus. In ecclesijs vero ruralibus, potest pro Introitu latino cantari Psalmus aliquis linguæ vulgaris*».

Man har frågat, hvad här är att förstå med uttrycket: »*in libro Gradualium*». *Schück* i sin *Sv. Literaturhistoria* (pag. 344) svarar på denna fråga: »Liturgisterna synas äfven hafva utgifvit eller åtminstone tänkt utgifva en sångbok med omväxlande latinska och svenska hymner. I Liturgien omtalas nämligen på flere ställen en *Liber Gradualium*, hvilken säges innehålla psalmer både på latin och svenska. I hvarje fall har intet exemplar af detta arbete bevarats till våra dagar». Alternativet skulle alltså vara detta: antingen hafva Liturgisterna verkligen utgifvit ett dylikt arbete, som sedan spårlöst försvunnit, eller ämnade de åtminstone så göra vid tiden för Liturgiens affattning. Denna lösning af svårigheten förekommer oss dock föga tillfredsställande. Ty

Med introitus-gruppens följande moment vidtages ingen annan ändring än den, att *Laudamus* affattas i något strängare öfverensstämmelse med det romerska missalet samt dessutom upptar ett för såväl detta som för den svenska mässan okändt: »*Och then helge Ande*» (närmast efter: »thens alra högstes enfödde Son Jesu Christe»).

Lektionsgruppen[1]) anordnas i närmaste öfverensstämmelse med *KO. 1571*, dock med 2:ne betydande undantag: det allt ifrån 1531 qvarstående, onaturliga alternativet, att i stället för dagens epistel eller evangelium läsa

---

att antaga en blott *tillämnad* bok, förbjuder oss ordalydelsen. Och föga sannolikt är, att en bok af den betydelse som ett *Graduale* skulle ännu 1576 förefunnits utan att derefter efterlemna ringaste spår i vår literatur. Uttrycket: »*in libro Gradualium*» återgifves i 1588-års upplaga af Liturgien med: »*Graduals Bökerne*». Detta tyder på, att Johan icke haft någon viss, enskild bok i sikte utan i allmänhet refererat till *Gradualia* såsom de böcker, hvilka om i fråga varande sak lemna upplysningar (i hvilket fall uttrycket: »*et latine et vulgari lingua*» får hänföras till »*Introitus*»). Pressas emellertid ordalydelsen, så att vi måste tänka oss en viss bok afsedd, innehållande både latinska och svenska hänvisningar; då synes oss ingen förmodan ligga närmare än att tänka på *Een liten Songbook til at bruka j Kyrkionne. MDLIII.* Till innehållet är nämligen dennn lilla bok, just hvad dåtiden förstod med ett *Graduale;* liksom dess titel svårligen kan bättre återgifvas på latin än med *Liber Gradualium.* Dertill är för detta lilla arbete utmärkande, att, för så vidt ske kan, städse angifva psalmerna »*et latino et vulgari in lingua statis temporibus*». Så angifves för icke mindre 13 af dess 17 hymner den motsvarande latinska texten medels begynnelseordens anförande (t. ex. *De natiuitate Christi. A solis ortus.* »Wij loffuom Christ . . .» *In Quadragesima. Christe qui lux.* »Christus som liws och daghen är . . .» etc.). De 2:ne följande hänvisningarne till *Liber Gradualium* träffa än närmare in på *En liten Sångbok.*

1) *Theiner* (a. a. p. 416) anger oriktigt »der fromme König» såsom författare till den *collecta*, som inleder denna grupp (jfr II: 32). Den näst följande bönen är 22:dra tref:s-sönd:s *collecta* i *1557-års Mässa.*

»itt Capitel eller halfft», utgår, och *symbolum*[1]) förlägges till den redan af Ordinantian 75 bestämda platsen mellan evangeliet och predikstolsversen[2]).

Predikan införes med psalmversen: »*O tu helge Ande kom*» (*Veni sancte spiritus*) och affärdas för öfrigt med endast dessa två ord: *Sacra Concio.* Af en anmärkning inom följande afdelning framgår dock, att Johan tänkte sig predikan afslutad med antingen *Litanian* eller »*psalmus aliquis in vulgari lingua*» (jfr *1575-års Ordinantia*).

II. Altera Pars missæ.

Såsom *Inledning till Canon missæ* har *Ordo Romanus* en grupp af 14 moment: det s. k. *Offertorium*[3]). Den är allt igenom byggd på den tanken, att de jordiska element, som i det följande mässoffret skola förvandlas och förklaras till Kristi lekamen och blod, först högtidligt frambäras inför Herren såsom församlingens gåfva och helgas medels hennes böner om nådigt undfående[4]).

Vi minnas, huruledes denna del af det romerska missalet 1531 afskars allt intill roten[5]). Redan Luther hade brännmärkt den med benämningen: »*illa abominatio*». Icke desto mindre gör Johan III i sin Liturgi ett djerft försök

---

1) I *Symb. Nicenum* märkas följande ändringar: 1557: »*Och wardt kött genom then heliga Anda*»; 1576: »*Och anammade mandom genom then helga Anda*»; 1557: »*Och menniskia worden*»; 1576: »*Och wardt sann menniskia*».

2) En desto märkligare ändring, som den tyckes strida mot äfven romersk praxis (*Theiner a. a. p. 417*).

3) Jfr II: 12.

4) Jfr t. ex. *Offertorium in Festivitate Corporis Christi:* »*Sacerdotes Domini incensum et panes offerunt Deo: et ideo sancti erunt Deo suo et non polluent nomen eius. Alleliua*».

5) II 36.

att återupptaga den. Dock under betydligt mildrad, halft förklädd form.

Så införes sjelfva hufvudmomentet (*Offertorium* i inskränkt mening) på följande försiktiga vis: »*Interdum etiam ad Psalmus adijcitur Cantus, cui nomen Offertorij datum est*» — alltså mest såsom ett slags fortsättning af *psalmen efter predikan*, om man »så lägligt fann». Och med blott än större varsamhet anbefalles den hithörande *tvagningen*. Ty denna handling skulle af presten utföras, under det att psalmen och offertorium sjöngos af kören; och samtidigt skulle han *tyst* (»*secum*») läsa *Ps. 26: 6*: »*Jag tvår mina händer* . . .». Men icke ens här stannar Iohans försiktighet. Liksom för att afleda uppmärksamheten från den härmed införda offertorii-tanken, tillägger han omedelbart en liten evangelisk collecta från *1557-års Mässa*[1]), en bön om det rätta sinnet till Herrens tillbedjande »i anda och sanning».

Härnäst följer bönen: *Te igitur*, den romerska mässans välkända *allmänna kyrkobön* (der införd närmast efter *Sanctus*[2])). Att äfven Johan så fattar denna böns bety-

---

1) 18:de trefaldighets-söndagens collecta i något utvidgad form.

2) Ändringar: *Ordo. Rom.*: »...*petimus uti accepta habeas et benedicas hæc dona, hæc munera, hæc sancta sacrificia illibata*»; *Liturgien*: »*petimus, vt preces nostras acceptas habere easque exaudire digneris*». *Ordo Rom.*: »*una cum famulo tuo Papa nostro N. et Antistite nostro N.*»; *Liturgien*: »*una cum omni magistratu ecclesiastico et politico, cujuscunque dignitatis præeminentiæ et nominis sint*». Det är i detta sista uttryck, Olaus Medelpad., Abrahamus Ang. och Petrus Ericus funnit ett af sina hufvudargument mot Liturgien. De vilja nämligen ännu här spåra en förklädd förbön för påfven: »*quandoquidem Titulus Magistratus Eccl. notat fieri deprecationes in Liturgia pro Papa. Rom. qui hunc Titulum sibi arrogat, quem scimus esse Antichristum, est hæc precatio in nostra Ecclesia plane damnabilis*». (*Baazius a. a. p. 396*). Ej under, om sådan argumentation väckte vrede och bitterhet i konungens sinne!

delse, säges uttryckligen i randglossan: »*precatio pro Ecclesia, Republica & omni statu*»[1]. Han ändrar alltså här sin bestämmelse af 1575 (då den allmänna kyrkobönen förlades *efter nattvarden*) och återskänker åt denna bön dess gammalkyrkliga plats[2], utan tvifvel ett af Liturgiens lyckligaste grepp[3].

Gruppen afslutas med *1575-års nattvardsbön*, dock nu förkortad till blott en ringa bråkdel af sin ursprungliga längd och dermed omgestaltad till en bön af obestridligt liturgiskt värde[4].

Canon Missæ.

I. De sanctificatione seu benedictione Sacramenti.

1.) Här märka vi i första rummet *Præfationen*, som anföres i tiofaldig gestalt, dock alltid inledd med samma, urkyrkliga formel: »*Dominus vobiscum. Et cum spiritu tuo. Sursum corda etc.*» samt på samma sätt öfvergående i *verba institutionis*.

De åtta första prefationerna äro utan nämnvärd ändring hemtade ur *Missale Romanum*. De fördelas på följande sätt: *In die Natiuitatis Domini vsque ad festum Epiphaniorum; In die Epiphaniorum & per Octauam, quæ est Dominica Christi amissi a matre in duodecimo Paschate;*

---

1) Momentets införande motiveras på följande vackra sätt: »*dilectio requirit orationem. Etsi non omnes consequuntur salutem, nec meriti sunt vt oratione iuuentur, tamen nostrum officium faciendum est, et dignus est cui obediamus, qui iussit nos orare*».

2) Jfr *Kliefoth* V: p. 302.

3) Efter 300-årig glömska har äfven denna Johan III:s tanke just i våra dagar lyckats tillvinna sig ett slags officielt erkännande inom svenska kyrkan, i det den upptagits i *Kgl. Handboksförslaget 1892*.

4) *Bil. II.*

In die Annunciationis cæterisque festis B. Mariæ Virginis[1]; *In Dominica passionis Domini, in Dominica palmarum, in feria quinta, in Coena Domini, in feria sexta pœnosa seu passionis Domini; A die Paschæ vsque ad Octauam & in Dominicis vsque ad Ascensionem, & in diebus festis eo tempore occurrentilbus, nisi propria in festis assignatur; A die Ascensionis Domini in coelum vsque ad diem Pentecostes exclusiue, & in festis tunc occurrentibus; A die Pentecostes vsque ad diem Trinitatis; In festo sanctæ, indiuiduæ & adorandæ Trinitatis*[2].

De tvenne återstående prefationerna (»*Præfatio Quotidiana & Dominicalis, eaque duplex, altera proxilior, breuior altera*») äro de redan 1541 i *Svenska Mässan* förekommande.

2.) I enlighet med föregående praxis utmynna samtliga prefationer omedelbart i *Instiftelseorden*[3]. Dessas sakrificiella lofkarakter framhäfves dock här än starkare, dels medels tillägg i sjelfva texten[4], dels medels de s. k. *Laudes* såsom momentets afslutning.

---

1) Här utbytes uttrycket: »*in veneratione b. Mariæ*» mot: »*in festivitate b. Mariæ.*»

2) Flera af dessa böner utmärka sig för stor skönhet och skulle väl försvara sin plats än i dag i vår kyrkohandbok (t. ex. i samband med *Benedicamus*).

3) Att Johan särskildt åt *verba institutionis* skulle skänka uppmärksamhet, var på grund af dessas fundamentala ställning i hans nattvardsteori redan på förhand att vänta. Icke mindre än sex olika redaktioner anföras från kyrkans 6 första århundraden.

4) Sådana tillägg äro: 1557: »han togh brödhet, tackadhe sin himmelska Fadher, brööt thet . . .»; 1576: »han togh brödet j sina helga och werdigha hender, sågh vp j himmelen, tackade tig helige Fader, alzmectige ewige Gud, welsignadhe, brööt thet . . .». (*Ordo Rom.: accepit panem in sanctas ac venerabiles manus suas et elevatis oculis in coelum ad te Deum Patrem suum omnipotentem tibi gratias agens benedixit, fregit . . .»*); 1557: »Sammalunda togh han ock Kalken, tackade sin himmelska Fader, och gaff sina Läriungar»; 1576:

Vid *Elevationen* anmärkes i randen: »*Eleuat aliquantulum manus: Ritus et ceremoniæ in orationi seruire debent pietati excitandæ, non superstitioni confirmandæ. In habitu corporis humili ac modesto conueniens est Deum inuocare, et multo maxime cum verenda mysteria peraguntur.*»

3.) *Sanctus* bibehåller sin förra plats[1]. Dess gammalkyrkliga karakter af vexelsång mellan den himmelska och jordiska församlingen häfdas sålunda: »*Sicut duplex est Ecclesia, Angelorum et hominum: ita duæ partes huius Hymni. Prior Angelorum ex Esaia Propheta. Altera hominum ex historia ingredientis Christi cum triumpho in sanctam vrbem, inter ramos palmarum et olearum*»[2].

4.) Den nu följande bönegruppen (motsvarande bönerna *Unde et memores*, *Supra quæ propitio* och *Supplices te rogamus*: *Ordo Romanus*) utgör en af Liturgiens sjelfständigare delar, för så vidt som här hvarje anknytning saknas i den svenska mässordningen och de motsvarande momenten i den latinska mässan (såsom representerande den egentliga offerhandlingen) vore så djupt preglade af romersk offerkult, att de blott i mycket stark omskrifning voro användbara.

Detta gäller i all synnerhet om momentet: *Unde et memores*. Här förekommer nämligen i *Ordo Romanus*

»Sammalunda effter Natwarden togh han ock kalken j sina helga werdigha hender, sågh vp i himmelen, tackade tig helige Fader alzmechtige ewige Gudh, welsignade och gaff sina Läriungar . . .» »(*Ordo Rom.*: »*Simili modo postquam coenatum est accipiens et hunc præclarum Calicem in sanctas ac venerabiles manus suas item tibi gratias agens benedixit, deditque discipulis suis . . .*»); 1557: »Thetta är kalken thes nyia Testamentzens j minom Blod . . .»; 1576: »Ty thetta är min blodh, thes nyia testamentzens . . .». (*Ordo Rom.*: »*Hic est enim Calix sanguinis mei, novi et æterni testamenti . . .*»).

1) I stället för: »Osianna j höghdenne» (1557) heter det nu: »Saligh gör oss j högdenne».

2) Jfr pag. 15.

formeln: »*offerimus præclaræ maiestati tuæ de tuis donis ac datis Hostiam † puram, hostiam † sanctam, hostiam † immaculatam, Panem † sanctum vitæ æternæ et Calicem † salutis perpetuæ*». I stället för denna formel möta oss på detta ställe i Liturgien följande lutherska tankar: »*Quem immensa tua misericordia nobis donasti ac dedisti, vt victima pro peccatis nostris fieret, et vna sua oblatione in cruce, solueret tibi pro nobis precium redemptionis nostræ, et iustitiæ tuæ satisfaceret, et impleret Sacrificium profuturum electis ad finem vspue mundi. Eundem Filium tuum, eiusdem mortem et oblationem, hostiam puram, hostiam sanctam, hostiam immaculatam, propitiationem, scutum et uinbraculum nostrum contra iram tuam, contra terrorem peccati et mortis, nobis prepositum fide amplectimur, tuæque præclaræ Maiestati humilimis nostris precibus offerimus.*»

Momenten *Supra quæ propitio* och *Supplices te rogamus* sammanslås till *en* bön, sammansatt af spridda uttryck i det latinska missalet med följande undantag: »*Supra quæ (Panem et Calicem) propitio ac sereno vultu respicere digneris*» ändras till: »*vt propitio ac sereno vultu ad nos nostrasque preces respicere digneris*»; vidare i stället för: »*Iube hæc (Panem et Calicem) perferi per manus sancti Angeli tui in sublime Altare tuum*» denna mer evangeliska vändning: »*easque (preces nostras) in coeleste altare tuum — suscipias, gratas et acceptas clementer habeas*»; slutligen omskrifves uttrycket: »*sacrosanctum Filii tui Corpus et Sanguinem sumpserimus*» på följande vis: »*benedictum et sanctificatum cibum et potum, panem sanctum vitæ æternæ, et calicem salutis perpetuæ sacrosanctum Filij tui corpus et preciosum eius sanguinem sumserimus*»[1]).

---

4) Bönen inledes med följande formel, som äfvenledes saknas i *Ordo Rom.*: »*per eundem Filium tuum vnicum intercessorem nostrum in arcano consilio diuinitatis a te constitutum, Dominum nostrum Jesum Christum*».

Att dessa ändringar till hvarje sitt minsta ord äro dogmatiskt och icke liturgiskt bestämda, ligger i öppen dag.

5.) *Commemoratio pro Defunctis*[1]) uteslutes helt och hållet. *Nobis quoque* anföres oförändradt, undantagandes, att uttrycket: »*et omnibus sanctis tuis*» användes i stället för de enskilda helgonens anförande vid namn[2]).

6.) *Oratio Dominica* inledes med den romerska formeln: *Oremus. Præceptis salutaribus moniti et divina institutione formati audimus dicere: Pater noster...*»[3]). Då mässan *lästes*, tillades: »*Libera nos...*» (med uteslutning af orden: »*et intercedente beata et gloriosa semper virgine Dei genitrice Maria cum beatis Apostolis tuis Petro et Paulo atque Andreæ et omnibus Sanctis*»).

II. Dispensatio et communio Sacramenti.

1.) *Inledning:*

I *1557-års Mässa* inledes sjelfva kommunionhandlingen med följande tre moment: *Pax*, *Adhortatio*, *Agnus dei*. *Nattvardsförmaningen* skulle fortfarande användas blott »*si necessum fuerit*» (ett något starkare uttryck än mässordningens: »om honom så synes»). Den förblef väsentligen orörd. Blott en ändring torde förtjena här anmärkas: efter orden »när wij besinne wår brott och synder» tillägges: »*Och tycke thz illa wara, at wij haffue förtörnat Gud*». Detta tillägg stod utan tvifvel i samband med en hos Johan ofta framskymtande fruktan, att lutheranerna togo det väl lätt med sin förtröstan på syndernas förlåtelse.

---

1) Jfr pag. 17.

2) Äfven ordet »*hæc*» uteslutes i meningen: »*Per quem hæc omnia Domine semper bona creas*» — säkerligen ej af förbiseende.

3) Deremot i den svenska texten den vanliga formeln: »Läter oss bidia. Såsom wår Herre Jesus Christus sielffuer oss lärdt haffuer så säijandes. *Fadher wår...*»

Emellan denna förmaning och *Agnus dei* inskjutas samma tvenne böner, som i *missale romanum* gå omedelbart före prestens sjelfkommunion: *Domine Jesu Christe Fili Dei viui* och *Perceptio corporis.* Den förra är oss allt ifrån 1541 bekant[1]); den senare är för svenska ritualet ny[2]).

Förläggandet af *Agnus dei*[3]) till platsen omedelbart före kommunionen är från såväl svensk som romersk ståndpunkt ett nytt och egendomligt drag. Såsom så ofta är dock Johans tankegång äfven här fin och träffande: han hade nått fram till det stora ögonblick, då presten skulle inbjuda församlingen till delaktighet i åminnelsens heliga måltid; huruledes lämpligare göra detta än att med Johannes peka på *Guds lam, som borttager werldens synder?*

2.) *Actio Communionis.*

Af särskildt intresse är denna afdelning, för så vidt den i en och annan punkt belyser äfven föregående praxis i Sverige.

Så få vi här veta, att det *Amen*, som allt ifrån 1531 afslutat distributionsformeln, troligen icke uttalades af liturgen utan af kommunikanten *(»Respondit communicans Amen»).* Vidare bekräftas vår förut angifna uppfattning af det 1543 införda momentet: »*Discubuit Jesus*» af följande not: »*Rectissime autem hic canitur Responsorium Discubuit Jesus, eo quod in hac Cantione, ipsa Sacramenti institutio commemoratur*». Seden var tvifvelsutan gammaldags[4]).

---

1) II: 62.

2) Båda bönerna gälla i romerska mässan presten ensamt, under det att här 1:sta person pluralis brukas.

3) Nu utan 1557-års alternativ: *O Rene Guds lamb.*

4) Ännu en annan latinsk *Pro communione* föreslås 1576, nämligen antifonien: »*O sacrum conuiuium*».

Att prestens sjelfkommunion följde först *efter* församlingskommunionen, var nog äfvenledes en svensk egendomlighet (enligt *Ordo Romanus* borde den gå *förut*). Akten ansluter sig för öfrigt på det närmaste till det romerska missalet: presten fattade hostian knäböjande, upprepande formeln »*panem coelestem accipiam et nomen Domini inuocabo*»; derefter säger han tre gånger: »*Domine, non sum dignus, ut intres sub tectum meum; sed tantum dic verbum et sanabitur anima mea*»; före brödets anammande skulle han sjelf uttala formeln: »*Corpus Domini nostri Jesu Christi custodiat animam meam*»; så en stund försjunka i »*cogitationes occupatas in meditatione sanctissimi Sacramenti*» och derpå åter knäböjande fatta kalken, sägande: »*Quid retribuam*... (ps. 116: 12—13); sedan han uttalat den vanliga formeln och druckit af vinet, skulle han för sig sjelf läsa suspiriet: »*Quod ore sumsimus*...» (med förbigående af uttrycket: »*de munere temporali*»); till sist sköljer han kalken med okonsekreradt vin, dricker och läser för sig sjelf: »*Corpus tuum Domine*[1]). Med undantag af *ablutionen* torde den af Laur. Petri ännu 1571 förordade, presterliga sjelfkommunionen gestaltat sig på väsentligen samma sätt.

3.) *Post Communionem.*

Denna grupp är allt igenom ett aftryck af *1557-års Mässa.* Så följa nu efter den vanliga salutationen samma fem böner med det enda undantag, att de två första byta plats, så att numera bönen: *Gratias agimus* intar första och bönen: *Sacrorum mysteriorum* andra rummet. Och med allt skäl. Ty *första* känslan efter sakramentets undfående bör väl vara tacksägelsens? Först derefter inträder den mer reflekterande tanken på delaktighet i äfven den eviga nattvardsfirningen. Med vanlig tvärsäkerhet anger

1) Denna bön dock i något ändrad form: »*adhæreat visceribus meis*» återgifves nämligen med: »komme wår siäl til godhe»

Theiner konungen sjelf såsom de fem bönernas författare[1]). De förekomma dock samtliga redan i *1548-års Mässa*, alltså då Johan ännu var blott 11 år gammal.

Gudstjensten i dess helhet afslutas i ordagrann öfverensstämmelse med *Mässan 1557*[2]). —

Sedan vi så redogjort för Liturgiens väsentliga tankegång och dermed fått hennes innersta byggnad för oss blottad, återstår att äfven pröfva halten och värdet af denna så mycket omskrifna och omtvistade urkund.

Af vår undersökning framgår, att detta arbete i endast ringa mån kan göra anspråk på originalitet. Blott ett enda moment hafva vi funnit verkligen originalt (nämligen nattvardsbönen: »*O Herre Gudh, som ville*...»); allt det öfriga var endast lån (om än delvis omskrifvet). Och hvad den *formella anordningen* af dessa lån-moment vidkommer, är visserligen att erkänna, att här flera både sjelfständiga och värdefulla drag finnas (såsom t. ex. symbolets förbindelse med evangeliet, predikans afslutning med psalmsång, den allmänna kyrkobönens förläggande till altaret o. s. v.). Men så slafviskt ansluter sig dock uppställningen i dess helhet, drag för drag, till det romerska missalet, att såsom helt *1576-års Liturgi* svårligen kan gälla för mer än en lycklig och fin revision af detta missal.

Dertill lider denna mässordning af ett mycket betänkligt fel: *den är utan hvarje organiskt samband med det för handen varande församlingsläget.* I detta hänseende är Johan III:s liturgi förunderligt opraktisk. Af det verkliga församlingslifvets varma pulsslag förnimmes här så godt

---

1) A. a. p. 419: »Beigefügt sind fünf kleine Gebete, die wieder allein den König zum Verfasser haben».

2) De 2:ne sista sidorna upptagas (»*ne vacua esset charta*») af tio kollekter. De äro på höft hemtade ur medeltidskyrkans oändliga collectaförråd (t. ex. 9:de, 10:de, 15:de trefaldighetssöndagens collecta, *Coll. Dom. infra oct. natiuitatis Dom.* o. s. v.)

som intet. Allt är reflexion, boklärdom, kammararbete. Ej under att den för det svenska folket skulle framstå såsom en olidlig tvångströja, ett tomt skådespel utan inre sanning eller verklighet. Ty församlingslifvet, lika litet som hvarje annat lif, låter sig dock *utifrån* påtvingas de former, i hvilka det skall lefva och röra sig. Blott i de former, hvilka halft omedvetet liksom framvuxit ur hennes egen lifsutveckling, känner församlingen igen sig sjelf, känner hon sig fullt fri och sann.

Härmed sammanhänger en än betänkligare brist: hur ängsligt, nästan spetsfundigt noggrant Liturgien än försöker i det enskilda uttrycket undvika hvarje jota, som kunde såra det lutherska trosmedvetandet; såsom omotsägligt factum qvarstår dock, att hela dess anda och riktning icke desto mindre är *oluthersk*. Ty med hvilket namn än den ande må nämnas, som rör sig bakom dessa långa, mässade böner och texter, dessa presterliga tvagningar och bugningar m. m. — icke är det Luthers stora, enkla, manliga, innerliga ande! »Händerna voro Esaus, men rösten var Jakobs».

Slutligen kan icke förnekas, att derigenom att allt emellanåt i den redan i och för sig starkt öfverlastade romerska mässordningen lutherska kultmoment inskjutas (adhortationer, psalmer, ja, den timslånga predikan), preglas det hela af en tröttande utdragenhet och öfvermättnad, som gör detta ritual så godt som omöjligt för det praktiska lifvet. Derför sveks det också så mången gång *i praktiken* äfven af dem, som *teoretiskt* icke tycktes hysa någon djupare betänklighet mot det[1]).

Men om så från *luthersk* synpunkt hvarken få eller oväsentliga anmärkningar kunna framställas mot Liturgien;

---

1) Jfr t. ex. Johans bref till biskop Mårten af d. 18 Maj 1580 (*Skriftelige Bevis Hörande till Sw. Kyrckio-Hist. Upsala 1716, p. 117*).

vida fördelaktigare utfaller omdömet, om vi ställa oss på dess egen ståndpunkt d. v. s. på den basis af bred katholicitet, som är för henne kännetecknande. Från denna ståndpunkt skall nämligen Johan III:s mässa alltid framstå såsom ett liturgiskt konstverk i stor och ädel stil, såsom en restauration af *Missale Romanum* åt rätta hållet, renadt från dess senare misstag och dermed framträdande i ny, föryngrad skönhet. Om derför en den romerska kyrkans pånyttfödelse i gammalkatolsk anda ännu vore tänkbar, tro vi, att denna förnyelse skulle få svårt att finna ett sannare och skönare liturgiskt uttryck än *Liturgia Svecanæ Ecclesiæ catholicæ & orthodoxæ conformis af 1576.*

Till sist några ord om den liturgiska rörelsens utveckling mellan 1576 och 1592, Johans dödsår. Blott föga för oss af intresse är från denna tidrymd att anteckna. Ty under det att rörelsen till det yttre antog en allt våldsammare och mer invecklad karakter, qvarstod den till sin innansida väsentligen på samma punkt, der den stod 1576. Det fordrades Johans hela energi och despotism, att blott der qvarhålla den.

De punkter, som i *1583-års »Bevillning»* mer omedelbart röra mässan, äro följande: »Theslikest hvad mässan tillkommer, förplickte wij oss härmed, så nu som tillförende, derutinnan wilja och skola rätta Oss effter den nyligaste utgångne Mässe-ordningen eller Liturgia, effter som wåre underskrifningar tillförene giorde, lyda och förmähla. Såsom wij och härmed wele hafua stadfäst samma wåra förra förskrifningar i alla sine punkter. Wij lofwe och här med at wele beställa, hwar uti sitt Biskops Stifft, Mässe- och Sång-böcker, Officialia, Gradualia, Responsorialia, Historialia och Antiphonalia, effter the toner som tilförene hafwa warit uti hwart Biskops Stift brukliga. Thesslikest när wij ock sjelfwe hålla Mässa, hvilket skall ske på Stora Högtider, eller eljest uthi förnämlige samquämder, då wele wij bruka wår Biskops skrud, såsom wij och wele beställat, at på de förnämlige Högtider om åhret, skall ena reso till det minsta, mässan hållas på Latin, besynnerligen vid Domkyrckiorne och elljest uthi Städerne; der sådan församling är, at deraf ju en stor dehl förstå det Latinska tungomåhlet; och på samma tid tillika, låta hålla en eller två läsande Svenska Messor, wid de andra Altare, besynnerligen när några äre som wele anamma wårs Herras Lekamens och blods Sacramente»[1]. Citatet är i mer än ett afseende märkligt. Det upplyser oss om, att latin-mässan numera intog en afgjord undantagsställning; att mässfirning tänktes äfven i det fall, att ingen var närvarande, som ville »anamma wårs Herras Lekamens och blods Sacramente» (detta i uppenbar strid med *KO. 1571*); samt att kyrkomusiken fortfarande hölls i strängaste medeltidsstil.

År 1588 utkom Liturgiens andra upplaga[2]. Den representerar ingen väsentlig ändring i den kultuella situationen, lika litet innebärande något medgifvande åt den växande oppositionen som något ytterligare framsteg i den inslagna riktningen. De flesta ändringar äro rent språkliga. Alldeles sknas dock icke äfven ändringar af mer saklig natur. Så t. ex. tillägges nu i *Symbolum Nicenum* orden: »*descendit ad inferos*»[3]; sista ledet i *Agnus Dei* (»*Giff oss tin fredh och welsignelse*») ändras (i öfver-

---

1) »*Biskoparnes bevillning till 1575 års Ordinantia*» *d. 10 Sept. A:o 1583 (Bidrag till Sv. Kyrkans och Riksdag:s Hist. Sthlm. 1835, p. 14).*

2) *Liturgia Eller Then Swenske Messeordningen. På nytt tryckt i Stockholm, Anno 1588* (qvartformat). Förord och samtliga glossor utelemnas detta år. Deremot bibehålles alltfort både den latinska och svenska texten (nu äfven för anvisningarne, hvilka 1576 gåfvos blott på latin).

3) Ett eljest för detta symbolum okändt led.

ensstämmelse med *Mässan 1557*) till: »*Förbarma tigh öffuer oss*»; och bönen *Gratias referimus* uteslutes i den latinska texten men bibehålles i den svenska[1]).

I hvad ringa mån Liturgien under sin 16-åriga tillvaro lyckats slå rot i det svenska församlingsmedvetandet, och till hvilken grad den hela denna tid burits af det konungsliga maktordet: det bevisas bäst deraf, att när å Upsala möte 1593, året efter Johans död, förslag väckes, att Liturgien, såsom »i alle måtte wijskepelig och i sielwe grunden aldeles lijkformigh then Påweske Messe», skulle »aldeles ogilledt och af Christeligit alfwar med hierta och mun wedersaket warda»; då höres mot denna förkastelsedom ej en röst till gensägelse[2]). Så slogs till jorden med ett enda slag denna stolta tempelbyggnad, som dock kostat Sverige, dess konung och folk, så mycken möda och strid, så mycken oro och smärta. Och det utan att sten lemnas på sten!

---

1) Det är svårt att följa Johans tankegång i denna sista punkt. Ty hvarför utesluta momentet i det ena språket och bibehålla det i det andra? Möjligen beror denna oegentlighet blott på sättarens bristande uppmärksamhet, liksom när 2:ne blad betecknas med LVIII och intet med LXXVII.

2) *Stjernman: Samling utaf åtskill. Kongl. Stadgar m. m. Sthlm 1744, p. 4.*

VI.

1614-års Mässa och hennes förberedelser.

Vi hafva angifvit *Upsala möte 1593* såsom den liturgiska stridens ändpunkt. Men detta möte kan på samma gång gälla såsom utgångspunkt för den nya liturgiska rörelse, som först i *1614-års handbok* fann sin fixerade afslutning. Ty när 1593 jemväl beslutes, att »Bisperne med några af hwart Capitel i all Sticht samt andre the lärdeste af Presterskapet» skulle undersöka, i hvad mån vissa ännu 1571 bibehållna ceremonier (såsom t. ex. »vphöyelsen», »Messebokens» flyttning från den ena till den andra sidan af altaret o. s. v.) gåfvo anledning till missbruk och i så fall »om fogeligeste medel och wäger sig betänckie, rådslå, och endrächteligen sammansättie, huruledes thesse förnämde Ceremonier medh tijden (dogh vthan någen förargelse och buller) i stillhet kunde aflägges»[1]); då blef detta beslut anledningen till de nya strider och förvecklingar, som gjorde 1500-talets sista och 1600-talets första decennium nästan lika mycket till liturgiska stridsår som de två närmast föregående. Af det framgick nämligen 1595-års mötesbeslut i Upsala, »at offtab: Ceremonier, effter Concilij Beslut, aldeles skulle afläggas och skaf-

1) *Stjernman* a. a. p. 8.

fas vthur ögonen»[1]); hvilket åter i sin tur tände striden i full låga.

Här griper nämligen hertig Karl omedelbart in i frågans behandling, förklarande de nämnda ceremoniernas afläggande ingalunda räcka till utan fordrande der utöfver hela »Messebokens» genomgående revidering[2]). Men detta var icke presterskapets mening. De visste väl, att en handboksrevision under Karls regering vore liktydig med en kalvinistiskt färgad gudstjenstordning. Och derför satte de sig från början till motvärn mot detta förslag, förklarande 1571-års agendariska åtgöranden (med undantag af de uppgifna ceremonierna) i allo välbetänkta och till fyllest görande.

Icke desto mindre genomdref hertigen en handboks revision i Stockholm åren 1598 & 1599[3]). Denna icke mycket godvilligt företagna revision torde också skett blott under lindrigaste form. Baazius fäller om den detta totalomdöme: »*In hoc Manuale receptæ sunt ceremoniæ in Ecclesijs Evangelicis potiori parte usitatæ*»[4]). I sjelfva mässordningen vidtogs troligen ingen annan ändring än den af Baazius anförda: »*In administratione S. Coenæ, seu cele-*

---

1) *1614-års Handboks Företal.*

2) *Norlin: Svenska Kyrkans Hist. eft. Reformationen. Lund 1864, p. 100.*

3) *1614-års Handboks Företal.* Såsom medarbetare (»dogh på åtskillige tijdher») i denna *Sveriges första* »*handbokskomité* uppgifvas på detta senare ställe: »M. Abrahamus. A. V: M. Nicolaus O. Electus V: M. Olaus Mart. A. V: M. Petrus K. A. V: M. Petrus B. Ep. L: M. Petrus I. Ep. St: M. Ericus I. Acad. Rect: M. Olaus S. Ep. A: M. Petrus I. Ep. W: M. L. Paulinus Ep. St: M. Jonas Kyl. Ep. Lin: M. Ericus Scepp. past. Stock: M. Joh. Vngius Sup. Calm: M. Matthias Sup. M: M. Petrus Melart. Sup. M: M. Israel Past. Linc: M. Nicolaus Krokius past. W. Och många andra hederlighe Prästmän, hwilkes Nampn at oprekna wore här förlångt».

4) A. a. p. 620.

bratione Missæ jubet Manuale retinendam esse simplicem præfationem cum recitatis verbis institutionis Christi & Trisagio Angelico, addita Oratione Dom.» [1]). Och härmed trodde presterskapet sig hafva uppfyllt all rättfärdighet och frågan vara afgjord.

Hertigens tankar gingo dock i annan riktning. Han hade tydligen aldrig menat, att presterna ensamt skulle afgöra denna sak, och yrkar derför på dess hänskjutande till Riksens Ständers afgörelse. Så återfinna vi vår fråga i främsta ledet af Linköpings-riksdagens ärenden 1600 [2]). Vid detta tillfälle framlägger äfven hertigen sitt första motförslag, en högst egendomlig, agendarisk produkt, lika oliturgisk som oluthersk [3]).

Sjelfva mässordningen öppnas här på följande, betecknande sätt: »Gott Christit folck, Effter wij wele begåå wårs Herres Jesu Christi åminnelse och hålla hans Nattward och afftonmåhl, der hans Lekamen och blod effter Sacramenterlig sätt med bröd och wijn som äre synliga Element, ther till aff Jesu Christo sielf stichtade och insatte äre wele wij höre orden, som the tre Ewangelister och Paulus Jesu Christi Apostel beskrifwit hafwa»; hvarefter följer — icke såsom vanligt en kombination af dessa

1) I samband med detta revisionsarbete lät Karl (Febr. 1599) ett påbud utgå, »at de ceremonier allenast skulle brukas, som lände till andakt, utan präcktig widskiepelse, samt at i alla Kyrkior öfwer hela Riket enahanda Kyrkio-seder måtte iakttagas» (*Bælter: Kyrko-Ceremonierna Örebro 1838 p. 54).*

2) *Bælter a. a. p. 54.*

3) »*Then högborne Furstes och Herres, Herr Carls, Sveriges Rijkes regerende Arffurstes Skrifft förmälandes om Herrens Nattward, dopet och annat mehra. Öfverandtwardat Prästerskapet then tijd the försambblade woro vti Linköping Herredag vti Februarij och Martij Månander Anni Domini 1600*» (*Palmsk. papperen i Upsala Bibl. Acta Eccles. IV: IV).*

fyra bibelställen utan det ena efter det andra: Matt. 26: 26—29; Mark. 14: 22—25; Luk. 22: 14—20 & 1 Kor. 11: 17—29. Alltså en *fyrfaldig* upprepning af instiftelseorden. Och icke nog härmed. Nu införes än ytterligare 1557-års längre eller kortare prefation, hvarest *verba institutionis* för 5:te gången komma före. Skälet till denna underliga anordning är skönjbart nog. Genom att så gång på gång framställa nattvardsinstiftelsen såsom *en historisk tilldragelse under Jesu jordelif*, ville hertig Karl uppenbarligen i reformert intresse med Skriftens egna ord afbryta udden på den lutherska ubiquitetsläran. Ty en *ubiquitas carnis Christi* redan *före* hans död och förklaring — hvilken orimlighet!

Efter denna inledning följer ett naket *Fader vår*, med uteslutning af såväl *Sanctus* som *Agnus dei* (troligen räknade till »den papistiska surdegen»).

Deremot utvidgas den gamla *nattvardsförmaningen* till flera gånger sin längd, allt i torraste dogmatiska stil. Bland annat införes här hela dekalogen med parenetisk utläggning[1]). Följande uttalanden må tjena såsom uttryck för författarens dogmatiska ståndpunkt i den pågående nattvardsstriden: ». . . och *sielf satt wid bordet* och sina Apostlar utdeelte Bröd och wijn, thet han sin Lekamen och blod *kallar och nämpner*. Så sannerliga warda wij deelachtige *med* detta bröd och detta wijn som wij undfå, äte och dricke, hwilket bröd och wijn är hans Lekamens och Blods *deelachtigheet* som han på korzens trää för oss och hela werlden till syndernas förlåtelse sinom himmelske Fader till een ewig förlossning ofret hafwer och bekommer ther med barnskap» o. s. v. Detta predikoartade aktstycke utmynnar till sist i 1531-års förmaning, från och med orden: »äte af thetta bröd och dricke af denne kalk»[2]) (med för-

---

1) Jfr *Liturgia Palatina 1567 (Daniel a. a. III: 177).*
2) *»ut in vetusto exemplari nuper emendato».*

bigående alltså af inledningen: »K. wener, effter här begåås Christi Natward, och vthspijsas hans werdigha Lekamen och dyra Blodh»).

Detta var således den riktning, i hvilken hertigen för sin del ville hafva den påyrkade handboksrevisionen utförd. Naturligtvis blef verkan den rent motsatta. Omedgörligare än någonsin ställde sig presterskapet såsom en man på 1599-års ståndpunkt och vägrade att taga ett enda steg härutöfver[1]. Så återstod för Karl intet annat än att sjelf taga saken om hand. Med den »kalviniske presten D. Theodorico Micronio» utarbetar han ett sjelfständigt gudstjenstförslag, som 1602 utgafs af trycket under denna titel: Christelig Ordning och Sätt, *huruledes hålles skal, vthi then Högborne Furstes och Herres, Herr Carls med Gudz nåde, Sweriges Rijkes Regerende Arffurstes, Hertigh til Sudermanneland, Näriche och Wermeland, etc. Hof-Försambling medh Gudztienesten*[2].

Vi lemna här en kort redogörelse, för hvad i denna egendomliga kulturkund rör särskildt högmässogudstjensten[3].

---

1) *Norlin a. a. p. 162.*

2) Se *Bil. III.* Allt talar för, att hertigen sjelf är författaren (icke minst frändskapen med hans skrift i samma ämne 1600). Micronius tyckes vid denna tid intagit alldeles samma ställning till Karls teologiska författareverksamhet som Fecht till Johans 1/4 sekel tidigare.

3) Från inledningen till den egentliga gudstjenstordningen anföra vi följande spridda bestämmelser om den söndagliga hufvudgudstjenstens anordning: hvarje söndag skulle *tvenne* predikningar hållas »för Middagh»; jul, påsk och pingst skulle »effter gammal Swensk plägsedh» firas i fyra dagar; hela fastetiden skulle »predikas passionen»; ingen skulle ega tillträde till nattvarden, »för än han giordt sin bekennelse för Predicanten» (hvarvid såsom framför andra lämpliga kyrkotuktsobjekt särskildt nämnas: svärjare, spåmän, »then som sin Son eller dotter later

Redan inledningsorden till Predikogudstjensten[1]) äro anmärkningsvärda: »När nw folcket är församblet, at wele höra Gudz ord, anten j *Kyrkior*, *Capel*, *eller Saler*, *eller vthe på Marcken*, såsom lägenheeten sigh kan begifwe, skal Predicanten wände sigh til folcket och säye: Gott Christet folck . . .».

Sjelfva ritualet för denna del af gudstjensten affärdas på knapphändigaste vis: en kort *Bön* (troligen original men i reformert stil)[2]); *Troon* (sjungen) eller en *Psalm* (»meere eller mindre, efter lägenheten»); och så *Predican:* detta var allt. Dock är härmed att märka, att Karl utan tvifvel tänkte sig predikan alltjemt inledd och afslutad på sedvanligt sätt, ehuru härom intet säges[3]).

Nattvardsmässan ansluter sig detta år något närmare till 1557-års mässa än 1600. Den antar dock äfven här en ända till oigenkänlighet förvriden gestalt.

1:o. Sedan nattvardsgästerna samlats »för Altaret», inledes akten med ett trefaldigt, svenskt *Kyrie* jemte åtföljande *Gloria in excelsis* och *Laudamus* — en

---

gå egenom eeld», »daghwäliere», »then som opå Fuglalåt achter», »en swart Konstug» o. s. v.).

1) På reformert vis skiljes skarpt mellan *predikogudstjenst* och *nattvardsgudstjenst*. De stå här fullt lika sjelfständiga bredvid hvarandra som någonsin under medeltiden. Inom den engentliga hufvudgudstjensten eller mässan finnes intet rum för predikan.

2) ». . . wij som nw försambledhe äre, för titt höge Guddommelige Majestetz ansichte . . . så bidie wij titt Guddommelige Majestät . . . och så höre titt helige ord, at thet må lände titt Guddommelige Majestät til loff prijs och ähro, oss tine fattige Creatur til tröst och rättelse . . .» o. s. v.

3) Att han åtminstone icke förkastade den med predikan vanligen förbundna *litanian*, bevisas bäst af dessa hans ord i inledningen: »Til thet Tridie, skal och *alle dagher* thes emellan opläses Litania, när så lägenheeten tilsäye kan».

motsvarighet alltså till den vanliga introitus-gruppen[1]). II:o. Nu följde en *confiteor*-grupp, inledd med *salutatio* och en reformert hållen *collecta*. Det egendomligaste draget inom denna grupp är, att *absolutionen*: »Then alzwoldige ewige Gudh...» (blott i ringa mån ändrad) går *före* syndabekännelsen. Denna senare är ordagrant aftryck från 1557. Blott i adhortationen: »Käre wenner, brödher och systrar...» omskrifves uttrycket: »hans werdiga lekamen och blod *i* brödh och wijn» — med: »hans wärdige lekamens och blodz *Sacrament medh* brödh och wijn»[2]). Gruppen afslutas med en längre, resonerande bön utan hvarje liturgiskt värde. III:o. Såsom *lectio* användes 1 Kor. 11: 23—29 (i likhet med *Züricher Gudstjenstordning* 1525). IV:o. Härefter (på predikans plats) den för den reformerta gudstjensten egendomliga »Prüfung und Bekentniss» i nära anslutning till *Liturgia Palatina* 1567[3]). Dessa frågor och svar (närmast erinrande om våra konfirmationslöften) afslutas med en högtidlig *absolutio*. V:o. Nu *prefationen* i trefaldig gestalt. Sjelfva prefations-formeln återgifves i alla tre fallen nästan ordagrant efter motsvarande moment 1557[4]). Deremot formuleras de bifogade *instiftelseorden* för hvarje gång på ett afvikande sätt: första gången i enlighet med Luk. 22: 15—20; dernäst enligt Matt. 26: 26—29; och sist Mark. 14: 22—24.

De nu följande momenten: *Sanctus* (sjunget af »Folcket och Dieknerne medh Predicanten»), *Fader vår* (läst), *Pax*

---

1) Härvid anses nödigt anmärka: »Folcket och Diäknarne skole siunga medh».

2) Vi minnas, huruledes samma ord helt och hållet utelemnades 1600.

3) *Daniel a. a. III: 172.*

4) Afvikelserna äro blott två och temligen obetydliga: i uttrycket »*altijdh och alstädhes tacke och loffue tigh*» (1557) uteslutas orden »*och loffue*» (troligen af skuggräddsla för romerska mässans *laudes*); vidare tillägges alla 3 gångerna: »*och ihugkommelse*» efter: »*til een förmaning*» (såsom ytterligare betoning af nattvardens karakter af *minnesmåltid*).

och *Agnus dei* (med »*O Rene Gudz Lamb*») — äro endast aftryck från 1557. Desto mera afviker *distributionens* anordning. Någon egentlig distributionsformel, upprepad för hvarje nattvardsgäst, förekommer icke. I stället skulle »Predicanten säge til folcket thesse ord twå reesor, Först när han vthdeler Brödhet, sedhan Kalken»: *Jesus Christus som hafwer vpofrat sin alrahelgeste lekamen på korset för wåra synder skuld, och instichtat thette sitt lekamens Sacrament, styrkie idhra troo, och beware idhra siäl och krop til ewinnerligit lijf.* När Predicanten hafver vthdeelt Kalken, skal han så säye: *Jesus Christus som hafwer vthgutit sin alrahelgeste blodh på korset för wåra synder skuld, och insatt thetta Nyia Testamentet, styrkie idhra troo, och beware idhra siäl och krop til ewinnerligit lijf*» [1]).

Hela gudstjensten afslutas med endast en kort *collecta*, hvarvid valet lemnas fritt mellan 1557-års 4 första »*postcommuniones*» [2]). Samma års *salutation*, *benedicamus* och *benedictio* utelemnas följaktligen. —

En kritisk granskning af denna gudstjenstordning kommer här naturligtvis icke i fråga. Den står alltför mycket vid sidan af den svenska kultutvecklingen och är af alltför ringa inre värde, för att vi skulle anse den häraf vara förtjent. Dess betydelse inskränker sig till att såsom historiskt aktstycke belysa den kultuella situationen i Sverige närmast efter Upsala möte 1593.

---

1) För att förstå detta stadgande om en blott 2:ne gånger upprepad formel, oberoende af nattvardsgästernas antal, måste vi erinra oss, huruledes på 1500-talet ännu ingen altarring förefans (jfr p. 66). Här kunde alltså icke blifva fråga om s. k. »dukar»; utan åt den kring presten samlade nattvardsskaran utdelades *utan afbrott* först brödet, (med motsvarande formel, uttalad öfver alla gemensamt), sedan vinet (med likaledes gemensam formel).

2) Blott N:o 2 ändras i någon mån mot slutet. N:o 5 (»*O Tu ädhla Jesu Christe . .*») uteslutes helt och hållet.

Om vi dock mena, att den varit alldeles utan inflytande på den svenska kulten, skulle vi misstaga oss. Indirekt torde den fast mer haft en ganska betydande inflytelse. Ty när reaktionen mot Johans romanisering afstannade redan med 1595-års åtgöranden; så berodde detta tvifvelsutan endast på hertig Karls uppträdande i frågan. Detta var nämligen allt ifrån början af en så utmanande och hotande karakter, att presterskapet rent af tvangs tillbaka till 1571 för att fatta fäste och stöd i detta års allmänt ansedda kyrkoordning. Så uppkom detta för den svenska kultutvecklingen egendomliga förhållande, att gudstjenstliga bruk och former, som inom hvilken annan luthersk kyrka som helst vid samma tid skulle gält för ganska tvetydiga och betänkliga, i Sverige gällde för uttrycket *κατ' ἐξοχήν* för äkta luthersk kult och ordning. Och när vi än i dag se vid våra altare medeltidens »mässekläder» och derifrån höra medeltida »mässetoner»; då är detta blott ännu ett vittnesbörd om lifskraften i den motrörelse, som Karl genom sina misslyckade reformförslag väckte till lif. Utan Karl IX skulle i dag tvifvelsutan vår svenska kult i mycket varit en annan än den är.

Öfver förväntan snart tyckes Karl sjelf öfvertygats om orimligheten af att försöka påtvinga den svenska kyrkan detta konglomerat af romerska, lutherska och kalvinska kultmoment och kultpriciper. Efter en helt kort polemik med erkebiskop Olaus, lärer hertigen sjelfvilligt indragit det[1]. I stället öfverflyttas nu striden hufvudsakligen på det dogmatiska området[2].

---

1) Jfr *Baazius a. a. p. 605: »Tamen Nullam praxin invenit hæc innovatio et exemplaria illius ordinantiæ seponebantur Monuit autem El. Rex revidendum esse Manuale in nostris Ecclesijs hactenus usitatum, sicut decrevit conventus Holm. An. 1602».*

2) *Norlin a. a. p. 208 f.*

Först vid kröningsriksdagen i *Upsala 1607* kommer åter handboksfrågan fram i förgrunden[1]). Här upptager konungen sina gamla beskyllningar mot presterna för påfviska sympatier och klagar särskildt öfver, att instiftelseorden icke *lästes* af presten, *vänd mot folket*, utan *sjöngos i riktning mot altaret*[2]). Äfven ogillar han, att brödet icke i nattvarden brytes.

När samma anklagelser med än mer våldsamhet åter upptogos i *Örebro 1608* (Januari)[3]), låta presterna sig ändtligen förmås att ännu en gång öfverse sitt handboksförslag. Detta sker vid *Upsalamötet i Juni s. å.*[4]). Och härmed löses slutligen den 13-åriga stridsfrågan. Ty det förslag, som här utarbetades, var intet annat än det, som sedermera (med en och annan ändring) på riksdagen i *Nyköping 1611* antogs att »vthi alla Församblingar öffuer hela thetta Loffligha Konungerijket» brukas och efterföljas[5]).

---

1) *Bexell: Bidrag till Sv. Kyrkans o. Riksd. Hist. Stockholm 1835, p. 133 f.*

2) Till bemötande af denna klagan lär presterskapet icke haft något bättre argument till hands än det, »att man ofta ju vänder sig ifrån den person, som man talar till, såsom ock presten på predikstolen har en del af församlingen bakom sig»; hvarpå konungen lärer svarat, att »uti ingen disciplina morum eller rhetorica lärer man sådana mores eller gestus att man skall vända ryggen till den man talar med» *(Norlin a. a. p. 241).*

3) *Baazius a. a. p. 610—614.* Presterskapets svaromål tyckas denna gång något bättre öfverlagda: till försvar för messkläderna säges »*decorum esse, ut pauper minister Eccles. peracturus Sacra, induat vestem honorificam, ne vili habitu prodiens exponat officium risui*»; vidare heter det om instiftelseordens föredragningssätt: »*loqui, cantare & vertere se, sunt Adiaphora*» o. s. v.

4) *Erkeb. Kenicii Förord till 1614-års Handbok.*

5) Ibid.

Handbook, Ther vthi är författadt,

hurulledes Gudztiensten, medh Christelighe Ceremonier och Kyrkiosedher, vthi wåra Swenska Försambllingar skal bliffua hållin och förhandladt.

Förbättrat och förmeradt j Stockholm, *Anno MDXCIX.*

Och åter öffuerseed *Anno MDCVIII.*

Upsala MDCXIV.

Denna handbok (den första i Sverige, som framgått ur ett komité-arbete, och jemväl den första, som sammanslår *Messeboken* och *Handboken* till ett) anger såsom sin grundprincip, att »icke något är infördt, medh mindre thet antingen är taghit vthur wår Trykte Kyrkeordning, eller och aff andra reena och omisstenckte Evangeliske Kyrkeordningar». I hufvudsak ställer hon sig alltså på 1571-års ståndpunkt. Och när ett eller annat kompletterande drag anses nödigt, då öses endast ur otvetydigt lutherska källor — en princip, som här för första gången inom den svenska kulthistorien konsequent tillämpas.

Det är emellertid icke handboken i dess helhet, som vår undersökning denna gång gäller, utan endast *Sättet för Almenneligh Kyrkiotienst*[1]) *på Söndaghar och Helghedaghar*[2]). På grund af denna urkunds utomordentliga betydelse för den svenska kulthistorien, låta vi härvid den kritiska synpunkten i något rikare mån åter göra sig gällande.

1) Med tydlig afsikt undvikes detta år uttrycket »*Messa*».

2) Enligt *1686-års Kyrko-Lag* började »Högpredikan» redan »Klockan otta» (»Afftonsången» kl. 1 1/2). Den som icke var i kyrkan, »straxt thet war ringt i lille klockan», skulle böta »2 öre penninger».

1:o.) *Confiteor-gruppen.*

Om ett prestens enskilda *confiteor* på latin talas ej vidare. Ej heller om 1571-års alternativ, att läsa »the Swenska Scrifftorden» antingen »nu strax wid begynnelsen eller sedan effter Predicanen». I båda dessa fall återgår alltså 1614-års handbok till 1531-års fastare och korrektare ståndpunkt, bestämmande såsom mässans regelbundna inledning detta års gemensamma *confiteor* jemte *absolutio*. Att den inledande *adhortationen* derhän ändras, att den numera icke längre gäller ensamt nattvarden utan gudstjensten i dess helhet[1]), är ännu en vinning från 1614.

Sjelfva confiteor-formulärets enda ändring består deri, att i meningen: »Jag haffuer (ty werr) j margfalliga måtto syndat» inskjutas orden: »*medh mina Fädher*» — en på detta ställe skön och berättigad erinran om församlingens solidaritet med äfven »fädernas missgerningar», hvilken 1811-års revision med orätt åter uteslöt[2]).

2:o.) *Introitus-gruppen.*

Man är frestad att fälla en sträng dom öfver 1614-års handbok, när man här för första gången finner introitusmomentets plats tom. För att dock äfven här rättvist fördela ansvaret, må vi ej förgäta, att redan *KO. 1571* tillstadt detta moments utbyte mot en svensk psalm. Men

1) »Käre wenner Brödher och Systrar j Christo Jesu, effter wij nu försambladhe äre til at hålla wår Gudztienst, tacka Gudh för alla sina Guddomliga welgerningar, såsom och bidhia honom om alt thet oss nödhtorfftigt är, bådhe j Andelighe och Lekammelighe saaker, Och ther hoos förnimma at wij jw alle, vthan twiffuel, äre medh synder beswäradhe . . .» (jfr *Bil. I).*

2) Hvilket högt anseende detta moment för öfrigt ända till ordalydelsen städse åtnjutit inom svenska kyrkan, bevisas bäst — icke blott deraf, att denna ordalydelse än i dag är väsentligen densamma som för 350 år sedan, utan kanske ännu mer deraf, att hvarken Johan III eller Karl IX dristade sig till att i sina reformförslag rubba den.

härmed var dess öde redan afgjordt. Ty den sakrificiella koralen kan aldrig annat än till namnet uppbära den väsentligen sakramentala introitus-tanken.

År 1614 införes psalmen: »*Alleneste Gudh j himmelrijk*» såsom alternativ till *Laudamus* (enligt *1622-års Psalmbok. Sthlm 1623.* antifoniskt sjunget af »Primus chorus & Secundus chorus»). För öfrigt är denna grupp ordnad i sträng öfverensstämmelse med 1557-års Mässa (med uteslutning af 1571-års alternativa, *latinska Kyrie* liksom det samma år förordade *niofaldiga* kyriet »vnder åtskilieligh thon»).

3:o.) *Lektions-gruppen.*

Äfven här äro flera förbättringar att erkänna. I stället för 1571-års »flere collecter» angifves nu endast *collecta de tempore*, ännu ett drag af den sunda måttfullhet, som utmärker 1614-års revision. Likaledes angifves såsom *epistel* och *evangelium* endast den text, som »then daghen tillydher», hvarigenom de föregående mässordningarnes sväfvande ställning till det kyrkliga perikopsystemet definitivt upphäfves[1]).

Åt *Graduale* lemnas mycken uppmärksamhet. Redan *KO. 1571* hade här sex svenska koraler såsom omvexling med det latinska skrift-gradualet. Man går 1614 ännu ett steg vidare i samma riktning. Något latinskt gradual omnämnes icke längre. I stället angifves nu för hvarje enskild söndag och helgdag i kyrkoåret en bestämd psalm (t. ex. »*Dominica 1 Adventus. Ach wij syndare arme. II. Waker vp j Christne alle. III. Herren vthi sin högste Thron*» o. s. v.)[2]). Att på detta ställe fornkyrkans bibelmoment utbytas mot koraler måste från luthersk ständ-

---

1) Att Epistel och Evangelium fortfarande *mässades*, anger *KL. 1686.*

2) För jul-, påsk- och pingst-högtidligheterna samt trefaldighetssöndag angifvas 2:ne koraler.

punkt (i motsats till reformert) gälla för riktigt, så vida momentets uråldriga karakter af *responsum* till episteln fasthålles. Ty den ur församlingens eget inre framvuxna psalmen måste här sannare, omedelbarare uttrycka hennes stämning än den från den gammaltestamentliga gudstjensten lånade psalmen. Äfven momentets agendariska fixering anse vi berättigad. Då nämligen dess motsvarande *sacramentum (Episteln)* ju äfven är fixeradt, kunna vi ej se någon fördel af, att här göra psalmvalet beroende af den enskilde liturgens kompetens.

Efter evangelium följer *Credo: symbolum apostolicum* och *symbolum nicenum.* Här åtminstone är alltså ett drag i 1614-års handbok, i hvilket Johan III:s inflytande spörjes. Ty han var dock den, som först insåg den liturgiska fördelen af att till denna plats förflytta trosbekännelsen såsom evangeliets *responsum.* Anordningen har såsom välbetänkt äfven erkänts af samtliga senare revisioner.

Apostolicums text lemnas oförändrad med ett enda undantag: 1557-års »Ena hela almenneliga kyrkio» ändras till: »Ena Christeligha Kyrkio» (i enlighet med 1529-års dopformulär)[1]. Det *nicenska symbolets* text afviker deremot i någon mån från 1557-års redaktion samt bibehåller det af Johan III 1588 tillagda ledet: »nederstegh til Helwetes». Såsom tredje alternativ anföres Luthers sköna credopsalm: »Wij troo vppå Alzmechtigh Gudh» — en psalm, af hvilken gerna rikare bruk må inom församlingen göras, än hvad f. n. sker, men hvilken dock ej *i högmässan* får ersätta urkyrkans tusenåriga bekännelseurkunder.

4:o.) *Predikogruppen.*

Formen för predikans *inledning* var, såsom vi minnas, ännu 1571 temligen vacklande: »någon Bönepsalm eller

1) 1811: »en helig, Christelig Kyrka»; 1874: »en helig, allmännelig kyrka».

Loffsong för predican» tillstaddes efter godtfinnande; huruvida den infördes före eller efter »Förmaningen» till *Fader vår* var »lika mykit» o. s. v. 1614-års mässa visar åter här större fasthet och klarhet. »Tå Presten skal gå j Predikostolen» skulle såsom regel antingen: »O Tu helghe Ande kom» eller: »Nv bidie wij then helige And» sjungas[1]. Jul, påsk, pingstdagen och trefaldighetssöndagen skulle härutöfver »för Bönen och Euangelium» en högtidspsalm sjungas[2]: en oegentlighet, då ej gerna liturgiskt kan försvaras, att 2:ne psalmmoment af väsentligen samma karakter följa omedelbart på hvarandra.

Med uttrycket: »för Bönen» kan endast *Fader vår* med *adhortatio* afses[3]. Att denna bön skulle inleda predikan, var alltså 1614 underförstådt om än icke uttryckligen utsagdt.

Ännu i *1609-års Acta synodica*[4]) fasthålles den egendomliga bestämmelsen från 1571, att »orden j Cate-

---

1) Båda mer exempelvis anförda redan 1571 såsom lämpliga »Kanzellieder». Ett *fritt psalmval* är för 1614-års mässordning öfver hufvud en främmande sak. Visserligen tyckes så icke vara fallet, när det efter predikan blott heter, att »een psalm siunges, om tijdhen så tilsägher», utan att närmare bestämmes, hvilka psalmer här må användas. Men redan 1609 hade presterskapet (troligen just såsom komplement till 1608-års handboksförslag) fattat detta beslut: »Finita concione Siunger man Bewara oss Gudh uthi titt Ordh, eller helge trefaldigheet, eller Tigh Herre mildh, eller Gudh ware oss barmhertig och godh, så som årsens tijdh synes kräfwia» *(Thyselius: Handlingar rör. Sv. Kyrk:s och Läroverkens Hist. II: 258. Acta Synodica seu Commitialia Anno 1609 tradita).* Undantaget torde derför vara mer skenbart än verkligt.

2) »Om Jul: En Jungfru födde itt barn jdagh, etc. Om Påscha: Christ lågh j dödzens bandom, etc. Om Pingesdagha: Kom helghe Ande Herre godh, etc. Helghe Treefaldigheetz Söndagh: Herre Gudh Fadher statt oss bij, etc.».

3) Jfr II: 84.

4) *Thyselius a. a. II: 258.*

chismo» skulle »förtälias» mellan förmaningen och evangeliet: »Una pars Catechesmi skall reciteras ante Evangelium cum explicationibus Catechesmi Lutheri». Uttryckssättet anger, att man nu icke längre (liksom 1571) inskränkte sig till endast *Fader vår* och *Jag tror* utan äfven införde andra delar af katekesen.

Den predikan *afslutande* bönegruppen återger ord för ord bestämmelserna af 1571 med ett enda undantag: 1571-års *confiteor* utbytes mot *Brandenb. Nürnb. KO:s*[1]) sköna confiteor-formulär: »Barmhertighe Gudh och himmelske Fadher, på hwilkens barmhertigheet är ingen ände . . .» [2]). Bytet måste gälla såsom synnerligen godt. Ty under det att Laur. Petris syndabekännelse på motsvarande ställe 1571 ej har ett enda ord för församlingsskulden, församlings-solidariteten, bäres 1614-års syndabekännelse allt igenom af denna gemensamhetstanke och blir så en verklig *församlingsbekännelse.*

Deremot är det ett svagt drag i *1614-års handbok,* att öfver hufvud här hafva ett *confiteor.* Platsen för hufvudgudstjenstens *confiteor* är icke här utan i inledningen. Men om der redan ett *confiteor* förekommit med åtföljande *absolutio:* hvilken skulle då meningen vara med ett nytt *confiteor* och en ny *absolutio* en half eller hel timma senare? Ej heller anföres momentet annorledes än vilkorligt (»Effter Predican, må thenna bekennelse brukas effter tijdzens lägenheet»). Det blef *1811-års handboks* sak, att fixera misstaget.

Liksom 1571 afslutas den allmänna kyrkobönen med *Fader vår* (enligt tysk-luthersk praxis). Härefter följer (i anslutning till Johan III:s Liturgi) den redan omnämnda

---

1) *Richter: Die evangel. Kirchenordn. des 16:n Jahrh:s Leipz. 1871. II: 204.*

2) Jfr *1811-års Handbok:* »Barmhertige Gud, allgode Fader, hvilkens nåd varar ifrån slägte till slägte . . .».

psalmen efter predikan (»om tijdhen så tilsägher»). Åter ett godt grepp, då predikans utdragna sacramentum nästan oemotståndligt fordrar en sin motvikt i koralens sacrificium. Skada blott, att detta så naturliga responsum till predikan skall från henne vara skild medels hela den allmänna kyrkobönens vidlyftiga grupp — ett missförhållande, af hvilket vi än i dag lida.

5:o.) *Nattvards-liturgien.*

Båda *prefationerna* från 1557 återfinnas oförändrade 1614[1]). Dock nämnes naturligtvis numera intet om *elevationen.*

På prefationen följa, såsom vanligt, *Sanctus* (läst eller sjunget) och *Fader vår* (sjunget), hvarefter *nattvardsförmaningen* införes. Denna har alltså än en gång fått sin plats ändrad: 1557 skilde den ännu *Agnus dei* från distributionen; Johan III flyttade den till platsen mellan *Pax* och *Agnus dei*; nu förlägges den mellan *Fader vår* och *Pax* — allt tecken till, hur främmande detta moment är i detta sammanhang[2]). Dertill utvidgas momentet 1614 icke obetydligt, men näppeligen till dess fördel[3]).

---

1) Endast det 2:ne gånger förekommande uttrycket: »*sin himmelske Fadher*» (i instiftelseorden) uteslutes, klarligen endast af pietet för bibeltexten.

2) *1811-års handbok* förlägger äfven riktigt förmaningen utanför hela *canon missæ.* Ännu riktigare torde varit, att förlägga den till skriftermålet.

3) Så inskjutes strax i början följande tunga mening: »och anammes vnder Brödh och Wijn hans sanna Lekamen och Blodh vthi öffuer naturligh och ovthransakeligh måtto, effter Gudz eghen wijsheet sanning och Alzmechtigheet, som thet sielff stichtadt och insatt haffuer». Och till sist denna föga evangeliska afslutning: »Men then som owärdeligha, thet är, medh itt obootfärdigt hierta, och vthan troon på Gudz löffte, äter aff thetta Brödh, och dricker aff Herrans Kalk, han bliffuer saaker på Herrans Lekamen och Blodh, och äter och dricker sigh sielffuom

Distributionen undergår åtskilliga ändringar af betydelse. Hittills lydde distributionsformeln alltifrån 1531: »Wors herras Jesu Christi lekamen (blodh) beuare thin siel til ewinnerlighit lijff. Amen». Den ändras nu till: »Wårs Herres Jesu Christi Lekamen (Blodh), beware tijn krop och siäl til ewinnerlighit lijff, Amen». Alltså en återgång till förreformatorisk medeltidspraxis (troligen i polemiskt intresse gentemot den kalvinska nattvardsläran)[1]. Vidare förlägges *Agnus dei* och *Reene Gudz Lamb*[2]) numera till sjelfva distributionshandlingen (sjungna »af Choren medh Församblingenne»); hvaremot *Da pacem* uteslutes såsom *pro communione*.

Afslutningens enda nämnvärda ändring[3]) är, att vårt högmässoritual detta år riktas för första gången med psalmsång *pro exitu*. Det är dels första versen af den från nattvardsmässan uteslutna *Da pacem* (»Förläne oss Gudh så nådheligh...»), som härtill brukas, dels psalmen: »Gudh giffue wårom Konung och all Oeffuerheet, Fridh och gott Regement...». Tanken är troligen lånad från följande ställe i *Christelig Ordning 1602*: »Och efter Litania skal siungas: Gif wårom Fursta och alla Oefuerheet, Fridh och gott Regemente... Thernäst efter: Förläne oss Gudh så nådeligh...». Härmed rubbas den urgamla ordningen, att sluta gudstjensten sakramentalt medels *benedictio*. Herren får icke längre *sista ordet* utan människan.

Till sist följer ett ritual för det fall, »at ingen ware förhanden, som begärer komma til Herrans Natward» — ett fall, som tyckes blifvit allt vanligare och derför allt

---

domen, icke åtskiliandes Herrans Lekamen. Therföre oss allom, Gudh Fadher, och Son, och then helghe Ande nådhelighen beware, Amen».

1) Jfr II: 19.

2) Med tillägget: »Giff oss tin ewiga fridh O Jesu».

3) Om man icke såsom sådan vill räkna, att i 3:dje kollekten tillägges: »Och aldrigh aff tino loff och prijs återwende».

allvarligare kräfde sin agendariska formulering. Redan *KO. 1571* hade i någon mån tillmötesgått detta behof, för så vidt som då i största allmänhet blef stadgadt, att i dylikt fall »några gudeliga Psalmer, Predikan och Litanian» skulle brukas[1]. Ej fullt så sväfvande och fattiga lyda 1614-års bestämmelser: »för Predican skal allena warda sungit, O Gudh wij loffue tigh. Thernäst Symbolum Nicenum, och sedhan, Nu bidhie wij then helghe And. Men effter Predikan skal siungas then Psalm, som på then daghen är satt tilförenne Pro Graduali, och sedhan beslutas medh welsignelsen».

Här lemnar 1614-års Handbok *Then Almenneli ghe Kyrkiotienst* för att öfvergå till olika kyrkliga handlingar. Det *Bihang* (innehållande *Ingångar*, *Gradualia*, *Epistlar* etc.), som alltifrån 1531 under städse utvidgad form varit *Swenska Messan* bifogad, utelemnas alltså detta år. Om någon kyrkligt sanktionerad s. k. *Evangeliibok* vet ej heller den svenska literaturhistorien från denna tid. Såväl dess redigering som dess utgifning lemnades hädanefter

---

1) II: 88. Den lättvindighet, med hvilken Laur. Petri här affärdar en så betydelsefull fråga, är desto mer oväntad, som han sju år förut i sitt herdabref af d. $^{14}/_{2}$ 1564 (*Palmsk. Saml. i Upsala: Acta Ecclesiast.* IV: IV) besvarat den på ett vida mer tillfredsställande sätt. Då heter det nämligen: »Och än tå at Sacramentet icke kan warda bereedt, Må Presten likwel läsa eller siunga för folckena hwad man ellies j Messonne pläghar alt in til predican, nemliga, Introitum, Kyrie, thet man kallar Glorificationes, Collectam, Epistel, Graduale och Euangelium, alt sammans på Swensko, Men strax effter predican och förmaningen ad preces, siunger man Litanien medh sijn Collecta, och sedhan Symbolum och finaliter secundam Collectam concludendo cum sollenni Benedictione». Denna tillbakagång 1571 till en tidigare, mer outvecklad ståndpunkt kan ej gerna annorledes förklaras, än att kyrkoordningen i enlighet med Baazii uppgift *(Inventar. p. 302)* varit författad redan *före* 1564 och det äldre stadgandet af rent förbiseende influtit vid dess tryckning 1571.

åt den enskilda företagsamheten. Den äldsta, kända evangeliibok af detta slag är af 1622 (sammanbunden med psalmböcker af samma år). Att sammanbinda psalm- och evangelii-bok jemte hvad helst annat, boktryckaren fann för godt, blef härefter gängse sed[1]).

Och härmed hafva vi nått fram till gränsen för vår uppgift denna gång: *till 1614-års fixering af högmässoritualets utveckling under 1500-talet.*

Vi hafva redan mer än en gång varit i tillfälle framhålla det egendomliga i denna utveckling. Framför allt har den utmärkt sig för vidhjertad katolicitet och nationell sjelfständighet. Att så vårt svenska högmässoritual ett helt århundrade fått fritt växa på svensk mark, fått obundet välja de former, som bäst motsvarade dess egendomliga lynne, utan att från början hafva intvingats i ett visst abstrakt, dogmatiskt system; derför hafva vi säkerligen till icke ringa del att tacka den rent personliga karakter, som vår kultutveckling under denna tid burit. För den var det moderna komité-arbetet med sin boklärdom och abstrakta förståndsmessighet en helt och hållet okänd sak. I stället var det enskilda, mäktiga personligheter, som hvar efter annan påtryckte dess olika stadier sin egendomliga, ofta vidt skiljda men alltid svenska individualitet: *Olaus Petri, Laurentius Petri, Johan III, Karl IX.* För hvilka

---

1) En sådan (under titeln: *Een Nyttigh Hand-Book.* Göteb. 1675) sammanslagen Psalm- och Evangelii-bok har t. ex. följande brokiga innehållsförteckning att uppvisa: »1) *Calendarium perpetuum* (med åderlåtningstabell; 2) *Tobiæ Book*; 3) *Judiths Book*; 4) *Een fulkomligh Psalmbook*; 5) *Ewangelij-Boken*; 6) *Kyrckio-Ordningen*; 7) *Om Nödh-Doop*; 8) *Then Swenska Mässan*; 9) *Allmennelighh Brudawigning*; 10) *Om Barnaqwiñors Kyrckiogång*; 11) *Böön tå Lijk jordas*; 12) *Catechismus Lutheri* (förutom ytterligare 12 olika nummer).

faror vår kultutveckling under sådana förhållanden än må varit utsatt; icke kunde det gerna vara abstraktionens och ensidighetens.

Deremot stod härigenom en annan dess sida onekligen i fara: *dess enhetliga fasthet och konseqvens.* Att tillgodose äfven dessa kraf, blef derför den uppgift, som närmast förelåg 1614-års män. Och på ett sådant sätt förstodo de lösa denna sin uppgift, att vi väl må i vördnad och tacksamhet böja oss inför de sjutton namn, som uppräknas i *Företalet till 1614-års handbok.* Ty under det att misstagen i deras arbete äro oväntadt få och framför allt förlåtliga, bär deras mässordning för öfrigt allt igenom pregeln af fasthet, måttfullhet, allsidighet och innerlighet.

BILAGOR.

Här bifogas såsom **bilagor** *de trenne mässordningar, som framför andra äro kännetecknade för den svenska kultutvecklingen under 1500-talet: Olaus Petris* **Swenska Messa af 1531;** *Johan III:s* **Liturgi af 1576;** *och Karl IX:s* **Christeliga Ordning af 1602.**

Bilaga I.

(1531-års Mässa.)

Vidh thetta settet holles een Euangelisk messa på Swensko.

Förſt thå preſten och folket år forſamlat j kyrkionne eller in for altaret ther meſſas ſkal, ſegher preſten til folket.

Kere wener brödhra och ſyſtra j Chriſto Jeſu, Epter wij nw hår forſamladhe årom til at holla wor herres Jeſu Chriſti natward, och anāma til oß hans werdugha lekamen och blodh j brödh och j wijn ſåſom han thet ſielff ſtichtat och inſat haffuer for itt åminnelſe teekn, at han ſamma ſin lekamen och bloodh til woro ſynders forlatilſe vthgiffuit haffuer, Ther före mådhan wij iw alle vtan twiffuel åre medh ſynder beſwårade, och åſtundom ſyndena gerna qwitte wara, wilie wij falla på wor knåå och ödhmiwka oß in for wor himmelſka fadher medh hierta och mund, och bekenna oß for arma ålēda ſyndare ſom wij och årom, bidhiandes honom om nådh och miskund ſå ſeyiandes hwar j ſin ſtadh.

Jach fatigh ſyndogh menniſkia ſom j ſynd bådhe aflat och född år, och iemwel ſedhan j alla mina lijffzdaghar itt ſyndogt liffuerne fördt haffuer, bekenner mich aff alt hierta in for tich alzwoldige och ewighe gudh min kåre himmelſte fadher, ath iach icke haffuer elſkat tich offuer all ting, icke min nesta såsom mich sielff, Jach haffuer (ty wer) j margfolleligha motto syndat emoot tich och thin helgha bodordh bådhe mz tankar ordh och gernīgar, och weet mich for then skul heluetit och ewinnerlig fordömelse werd wara om tu skulle så döma mich som thin strenga retwijsa kreffuer och mijna synder for tient haffua, Men nw haffuer tu käre himelske fadher vthloffuat at tu wil göra nådh och miskūd medh alla fatigha syndare som sich vmuenda wilia, och mz een stadigh troo fly til tijna obegripeliga barmhertigheet, medh them wil tu offuersee hwes the emoot tich brutit haffwa, och aldrigh meer tilräkna them theras synder, Ther forlater iach mich vppå arme syndare, och bedher tich tröstheligha at tu epter samma titt löffte werdughas wara mich miskūdsam och nådeligh och forlata mich mijna synder titt helga nampn til prijß och äro.

Sedhan segher presten thenna böön offuer folket.

Thē alzmectigiste ewige gudh for sina stora obegripeliga barmhertigheet forlate oß alla woro synder, och giffue oß nådhe til at wij mäghe bettra wort syndogha liffuerne och få medh honom euinnerlighit lijff. Amen,

Fölier nw ingongen j messone.

Ingongen må wara noghon psalm eller annan loffsong aff scrifftenne vthtaghen, Sedhan for Kerie-eleyson tree reesor

Herre forbarma tich offuer oß.
Christe forbarma tich offuer oß.
Herre forbarma tich offuer oß.

Sedhan for gloria in exelsis.

Ara wari gudh j höghden, Och fridh på jordene, menniskiomen en godh wilie, Wij loffue tich, wij welsigne tich, wij tilbidhie tich, wij prijse och äre tich, wij tacke tich for tijn stora åro, O herre gudh hīmelske konīg gudh fadher alzmechtigher, O herre thes aldra högstes eenfödde son Jesu Christe, O herre gudh, gudz lamb fadherens son, Tu som borttagher werldenes synder forbarma tich offuer oß, Ty tu är aleena heligh, Tu är aleena herren, Tu är aleena thē hörte Jesu Christe, medh then helga anda j gudh fadhers herligheet, Amen.

Presten wender sich til folket och segher,

Herren wari medh idher, Så och mz thinom anda.

Collecta then här epterfölier eller noghon annor epter tijdhen,
Låter oß bidhia.

Wij bidhie tich alzmechtuge gudh käre himmelske fadher, at tu forlåna oß en fast troo vppå tich och thin son Jesum Christum, itt oforskrect hop vppå thina barmhertigheet j allo wåro nödh och mootgong, och en grundeligh kärleek til wor nesta, genom samma thin son Jesum Christum wor herra, Amen.

Epter Collecten låses itt capitel eller halfft aff S. Pauli eller noghro ānar apostles Epistel, och må begynnas så,

Thesse epter följande ordh scriffuar S. Pauel apostel til the Romare, eller Chorinter etc.

For graduale låß man sedhā eller siwnger then songen om gudz bodhordh, eller noghon annan, Sedhan låses Euāgelium itt capitel eller halfft vthaff noghon Euangeliste, och må begynnas så,

Thetta Euangeliū scriffuar S. Johānes Euāgelista etc.

Sedhan låses Credo antingen symbolum apostolorū eller Nicenum.

Jach troor vppå gudh fadher alzmechtighan himmelens och jordennes skapare, och vppå Jesum Christum hans eenda son wår herra, hwilken aflat år aff them helga anda, Födder aff jungfrw Maria, Pijnter vnder pontio Pilato, Korsfester, dödher och begraffuen, Nidher stighen til heluete, på tridhie daghen vpstonden jgen aff dödha, vpstighen til himbla, sitiandes på alzmegtigh gudz fadhers höghra hand, tådhan jgen kommaskolandes til ath döma liffuandes och dödha, Jach troor vppå then helga anda, Ena helogha Almennelighа kyrkio, helga manna samfund, Syndernes forlatelse, kötzens vpstödelse, och ewinnerligit lijff, Amen.

Sedhan begynnar presten Prefationem så seyandes.

Herren wari med jdher, Så och mz thinom anda Vplyffter idhor hierta til gudh. Wor hierta vplyffte wij. Lått oß tacka gudhi wårom herra, Thet år rått och tilbörlighit,

Sannerligha år thet tilbörlighit råt och saligt, ath wij alstådhes tacke och loffue tich helighe herre, alzmechtig fadher ewighe gudh for alla thina welgerninga, och enkannerliga for then tu bewijste oß, thå wij alle for syndene skul så illa vthkomqne wårom, at oß icke annat stodh före vtan fordömelse och then ewighe dödhen, och intit creatur antingen j himmelen eller på iordenne kunde oß hielpa, Thå uthsende tu thin eenfödda son Jesū Christū som war samma gudhdoms natur medh tich, låt honom warda en menniskia for wora skuld, lagde wåra synder vppå honom, och låt honom lijdha dödhen j then stadhen wij alle ewinnerligha döö skulle, Och såsom han offueruan dödhen och stodh vp jgen til lijffz och nw aldrigh meera döör, så skola och alle the som ther vppå förlata sich, offueruinna syndena och dödhen och få ewinnerlighit liff genom honom, Och oß til een formaning at wij sådana hans welgerīng til sinnes tagha och icke forgåta skulle, om natten thå han förrådhen wardt hölt han een natward, j huilkō han togh brödhet j sina helga hender tackadhe sin hīmelska fadher, welsignade brööt thet och gaff sina låriungar och sadhe, Tagher och åter, thetta år min lekamen then fòr idher vthgiffuin warder, gòrer thet til mijn åminnelse.

Så lòffter presten thet vp, lågger nidher igen och tagher calken seyandes.

Sammalunda togh han och calken j sina helgha hender tackade sin himmelska fadher, welsignade och gaff sina låriungar och sagde, Tagher och dricker hår aff alle, thetta år calken thes nyia testamentzens j minom blodhe then for idher och for mongō vthgutin warder til syns dernes forlatelse, så offta som j thet gòren så gòren thet til min åminnelse,

Så vplyffter han och setter nidher jgen.

Sedhan låses eller siwnges.

Helig helig helig herrē gudh Sabaoth, fulle åre himblana och jorden aff thinne herligheet, osanna j hògdēne, Welsignat wari han som kommer j herrans nampn osanna j hògdēne.

Sedhan segher presten.

Låt oß nw alla bidhia såsom wår herre Jesus Christus sielffuer oß lårdt haffuer så seyandes.

Fadher wår som år j hīmelen, Helgat warde tit nampn, Tilkomme titt rike, Skee thin wilie så på iordenne som j himmelen, Wort dagheliga bròdh giff oß j dagh, och fòrlåt oß wora skuld såsom wij forlåtom thīm oß skyldoge åro, Och jnleedh oß icke vthi freestelse, Utan frels oß aff ondo Amen.

Så wender sich presten til folket och segher.

Herans fridh wari mz idher, Så och mz thinom anda.

Så låses eller siwnges Agnus dei.

O gudz lamb som borttagher werldenes synder, forbarma tich offuer oß, O gudz lamb som borttagher werldenes synder forbarma tich offuer oß, O gudz lamb som borttagher werldenes synder, giff oß thin fridh och welsignelse,

Ther nest wender han sich til folket och gör them thenna formaning om honom synes så behöffwas och tijdhen thet tilstådher.

Kåre wener epter hår begåß nw Christi natuardh, och vthspijsas hans werdigha lekamen och hans dyrbara blodh år rådelighit (som S. Pauel oß lårer) ath wij (hwar j sin stadh) bepröffue oß sielffue, och så sedhã åte aff thetta brödh och dricke aff thenne calk, Och pröffue wij oß thå retzligha, om wij besinne wor stora brut och synder, hungre och törste epter syndernes forlatelse, then oß j thetta sacramentet tilbudhin warder, om wij hungre och törste epter råtferdughetenne, och achte hår epter bettra oß, wenda jgen aff syndenne och leffua vthi itt got och retferdigt leffuerne, Om sådana stycke moste wij grãneligha bepröffua oß, elles gå wij hår icke werdeligha til, Och haffuer wor herre enkannerliga befalet oß bruka thetta sacramentit sich til åminnelse, thet år, at wij hår medh skole j hogkomma hans werdugha dödh och blodz vthgiutelse, och betenkia at thet til wåra synders forlatelse skedt år, Så wil han nw hår medh at wij sådana hans stora welgerning icke forgåta skole, vtan stadeligha halla oß ther widh medh all takseyelse, ath wij kunne wåra synder quitte warda, Ther före huilken nw åter aff thetta brödh och dricker aff thenne kalk mz een fast troo til the ordh som han hår hörer, som år, ath Christus år dödh och hans blodh vthgutit for wåra synder, fåår han och så for wisso syndernes förlatelse, och vndwijker ther medh döhhen som syndenes löön år, och fåår ewinnerlighit lijff mz Christo, Thetta låter idher kåra wener nw sagdt wara til en vnderwijsning j hurudana motto j skolen gå til thetta sacramentet, och hwad nytto j hår aff wisseligha hoppas skolen, om j aff een sådana bepröffuelse som föresagdt år, och medh een fast troo til Christi ordh och löffte hår til gongen, thet år (medh stackot ordh seyandes) j få hår syndernes forlatelse, vndwijken then ewigha dödhen, och fåån ewinnerlighit lijff, Thet vnne oß allom gudh fadher och son och then helge ande Amen.

Sedhan beretter han folket mz brödhet och segher.

Worß herras Jesu Cristi lekamen beuare thin siel til ewinnerlighit lijff. Amen,

Sedhan medh calkenom seyandes.

Wårs herres Jesu Christi blodh etc.

Så siüges thå eller låses pro Cõmuiõe en psalm på Swensko, eller Nunc dimittis på Swensko, Sedhan wẽder han sich åter til folket och segher.

Herren wari medh jdher, Så och medh thinom anda.

Låt oß bidhia,

O herre alzmechtigher gudh som haffuer låtit oß j thin sacrament deelactiga warda, wij bidhie tich at tu låter oß och så medh tich och alla thina vthkorade helgon vthi thina euogha åro och herligheet deelactugha warda, genom wor herra Jesum Christum thin son som leffuer och regnerar medh tich och them helga anda vthi een gudhdom aff ewigheet j ewigheet. Amen,

Aåter wender han sich om och segher.

Herren wari mz idher, Så och medh thinom anda, Tackom och loffuom herran, Gudhi wari tack och loff.

Nw segher han.

Böyer idhor hierta til gudh och anãmer welsignelse. Herren welsigne oß, och beuare oß, han vplyse sit ansicte offuer oß och ware oß nådhelighen, Herren wende sitt ansicte til oß och giffue oß en ewigh fridh, J nampn fadhers och sons och then helga andes. Amen.

Finis.

Ingongen j messone må wara någhon psalm halff eller heel, hwilkit och så j fortidhen haffuer sedher warit, Ther före fölia här nogro epter the man ther til ymsom bruka må til thes flere warda vthsatte på Swensko.

Psalmus Vj.

O Herre straffa mich icke vthi thinne grymheet, och neffs mich icke vthi thĩne wredhe, Herre war mich nådhe= lighen, ty iach är swagh, heela mich herre ty mijn been äro forskrekt, och mijn siel är suårligha bedröffuat ah herre hurulenge? Wendt tich herre och vndsett mijna siel, hielp mich for thina mildheet skul, for ty j dödhe= nom tenker man intit vppå tich, hoo kan tacka tich j heluete, Jach haffuer arbetat medh mitt suckkande, iach twår mijna seng offuer heela nattena, iach wåter mitt låghre mz min tåår, Min hyy haffuer foruãskat sich for wredhena skul, och iach är gammal worden ty iach be= dröffuas på alla sidhor, Gåår jfrå mich alle j som göre thz ondt är, ty herren haffuer hördt mijna böön, mijna böön haffuer herren anammat, Alla mijna fiendar måghe skemma sich och forskreckias, wende sich til baka och skemme sich snarligha,

Psalmus XXXjj.

Saluge äre the, hwilkom misgernĩgana forlotna bliffwa, och them syndenar offuerskylta warda, Salugh är then mennilſkian ſom herren icke tilräknar misgerninganar, vthi huilkes anda ingen falſkheet är, Ty thå iach tijgde förſmåchtade mijn been genō min daghligha grååt, Ty tijn hand war ſwår ofuer mich bådhe dagh och nat, mijn wetſka fortörkadhes ſåſom om ſommaren, Ther före thå iach forkūnade mijna ſynder, och intit ſkyylte mina misgerning, jach ſadhe iach wil bekenna mijn offuertrådelſe emoot mich for tich, thå forlåtſt tu mich mina ſynders ondſko, Om thetta warder hwar och een helogh mēniſkia bidhiandes ju for tich j rättā tijdh, Ther före thå ſtora watuflodher komma, ſkola the jntit reckia jn til honom, Tu åſt mijn tilflygt ath tu doch wille beſkerma mich for ångeſt, och vmlåggia mich medh ens frålſat mandz frögde, Jach ſkal giffua tich forſtōd och wijſa tich weyen thē tu wādra ſkalt, jach ſkal winka til tich medh mijn öghon, Warer icke ſåſom heſtar och mular, ther intit forſtond vthi är, huilkom man moſte låggia betzlet och bittet j munnen, om the icke wilia komma til tich, Then ogudhachtige moſte mykit lijdha, men then ſom haffuer ſitt hopp til herran, honom warder barmhertigheet ombelegiandes, Frögder idher aff herranom j råtferdighe, och warer gladhe, och berömer idher alle ſom retſinnogt hierta haffuen.

Pſalmus XXXVjjj.

Herre ſtraffa mich icke vthi thinne grymheet, och neps mich icke vthi thinne wredhe, Ty tijn ſkott hengia vthi mich, och tijn hand trycker mich, Ther är intit helbregda j minom krop for tit trughande ſkul, och ingen fridh är j minom benom for mijna ſynder ſkul, For ty mijna misgerninga åre gongne offuer mitt hoffwudh, ſåſom een ſwåår byrda åre the mich ſwåra wordne, Mijn ſåår åre worden luktande och rutin for mijna dårheet ſkul, Jach krökes och bögher mich ganſka faſt, j heela daghen gåår iach bedröffwat, Ty mijna inelffuer förtörkas med allo, och intit helbregda är j mijnõ krop, Jach är alt formykit stött och krossat, iach ryter for mijns hiertas oroo skul, Herre in for tich är alt mitt begiär, och mijn suckan är for tich intit fordold, Mitt hierta skelffuer, mijn mact haffuer offuergiffuit mich och mijn öghons liws är icke när mich, Mina wener och frender ståå hart när bredhe widh mijna plågho, och mina nestar trådha longt ifrå, Och the som ståå epter mina siel, the gildra for mich, och the som mich ondt wilia, the tala och dicta daghligha falskheet, Men iach moste wara såsom en döffuer och höra intit, och såsom en dumbe then sin mwnd intit vpläter, Och moste wara såsom en ther intit hörer och then som ingen gensegn j sinom munde haffuer, Ty iach wenter epter tich, tu herre moste swara, For ty iach tenkte the skola iw icke frögda sich offuer mich, när min foot slenter skola the höghe=ligha beröma sich emoot mich, Ty iach är giorder til at lijdha och werken är iw altijd for mich, Ty iach gör mina misgerningar kunnogha, och är sorgful for mina synder, Men mina fiendar leffua och äro mechtoge, och the mich oforskylt hata äro monge, Och the som mich betala thet godha medh ondo, the falla mich emoot, ther fore at iach far epter thet gott är, Offuergiff mich icke herre min gudh, dragh tich icke longt jfrå mich, War snar til ath stå mz mich minne helses herre.

Psalmus Lj.

Forbarma tich gudh offuer mich epter thina stora miskundsamheet, och vthskrapa mijn offwertrådhelse for thina stora barmhertigheet, Twå mich wel aff minne misgerning, och rensa mich aff mina synder, Ty iach kenner mina offuertrådelse, och mijn synd är altijd före mich, Tich allena haffuer iach syndat, och före tich giordt thet ondt är, Ther före warder tu retferdog blijffuandes j thinom ordhom och reen funden thå tu dömd warder, Sy iach är j odygd giord, och mijn modher haffuer mich j synd aflad, Sy til sanningena haffuer tu lust, thin wijsdoms heemligheet haffuer tu vnderuijst mich, Skira mich medh jsop at iach må reen warda, twå mich ath iach sniöhwijt warder, Lått mich höra glädhi och frögd, at the been som tu krossat haffuer mågha frögda sich, Wendt titt ansichte j frå mina synder, och bortskrapa alla mina misgerningar, Skapa mich gudh itt nytt hierta, och fornyia j mich en wiliogh anda, Bortkasta mich icke jfråå titt ansichte, och tagh icke thin helga anda bort j frå mich, Låt thinne helses tröst komma til mich jgen, medh en frij anda stadhfest mich, Jach wil låra the ogudachtigha thina wåghar, at syndarena mågha wenda sich til tich, Hielp mich ifråå blodhskylder, gudh som minne helses gudh äst, ath mijn tunga måå beröma sich aff thinne råtferdogheet, vplåt herre mina låppar, ath min mwn må forkunna thin prijs, Ty tu haffuer ingen lust til offer, elles gåffue iach thet, och brenne offer behagha tich intit, Gudz offer år en forskrect ãde, itt krossat och nidher trycht hierta forsmår tu icke gudh, Gör wel widh Zion epter tinom godha wilia, vpbyg muranar j Hierusalẽ, Så warder tu lust haffuandes til retferdugheetennes offer, til brenneoffer och all offer, så warder man oxar låggiãdes på titt altare,

Psalmus Cjj.

Herre hör mina bön, och låt mitt roop kõma til tich, Wendt icke tit ansichte jfrå mich j nödhennes tijdh, bögh thin öron til mich, När iach åkallar tich så hör mich snart, Ty mina daghar åre forswundne såsom en röök, och mijn been åro forbrend såsom en brand, Mitt hierta år nidherslaghit såsom gråß och fortorkat, ty iach haffuer förgätit äta mitt brödh, Mijn been lodha widh mitt kööt for mitt suckandes röst, Jach är wordē lijk en pellicano j öknenne, iach är bliffuin såsom en natskåffua vthi the forstörda städher, Jach wakar och är som en ensam foghel vppe j taket, Daghligha skemma mich mina fiendar, och the som begabba mich, the sweria emoot mich, Ty iach äter asko såsom brödh, och blandar min dryck medh grååt, För thina wredhe skul och owilia, ath tu haffuer taghit mich och bortkastat mich, Mina daghar äre förgongne såsom en skugge och iach warder torr såsom itt gräß, Men tu herre blijffuer ewinnerligha, och thijn åminnelse jfråå slechte til slechte, Statt doch vpp och forbarma tich offuer Zion, ty thet är tijdh ath tu miskundar tich ther offuer, och stunden är kommen, For ty thes stenar behagha thina tiänare, och åro thes stuffte gunstoghe, Och hedningana warda fructtandes titt namn, och alla konungar på iordenne thina åro, At herren bygger Zion, och låter see sich j sinne åro, Han wender sich til the forlatnas böön, och forsmår iche theras böön, Warde thetta scriffuit for epterkommandana, och thet folk som skapas skal warder herran loffuandes, Ty han skodhar vthaff sinom heligha högh, och herren seer aff himmelen på iordena, at han må höra the fongars suckan, och lösa dödzens barn, på thet at the skola j Zion predica hans namn, och hans loff j Jerusalem, När folken komma til samman, och konunga riken til at tiäna herranom, Han fornidhradhe på weyenom mina krafft, han forkortadhe mina daghar, Jach segher, Min gudh tagh mich icke bort j mina halffua dagar, tijn år wara jfrå slåcte til slecte, Tu haffuer j begynnelsen grundat iordhena, och himblana åro tijna henders werk, The moste forgåß, men tu bliffwer, the moste foråldras såsom en clådhabonat, och når tu forwandlar them, såsom en clådhabonat skola the forwandladhe warda, Men tu bliffuer alt then samme, och tijn åår tagha ingen ända, Thine tiänares barn warda bliffuandes, och theras sädh warder for tich bestondandes,

Psalmus CXXX.

Uthu diwpet ropar iach herre til tich, herre höör mina röst, lätt thin öron giffua acht vppå mina bööns röst, Om tu wil see til misgerninganar, herre hoo kan blijffua bestondande? Ty när tich är forlatelse, ath man skal fruchta tich, Jach wenter epter herran, mijn siel wenter, och iach hoppas j hans ordh, Mijn siel wenter epter herran, jfrå then ena morghöwechtene til then andra, Israel haffue hopp til herran, ty barmhertogheet och stoor forlösning är när honom, Och han warder forlossande Israel ifrå alla theras misgernīga,

Psalmus CXLjjj.

Herre höör mina böön, fornim mitt bidhiande for thina trofastheet skul, swara mich för thina barmhertigheet skull, Och gack icke til rätta medh thinom tiänare, ty for tich warder ingen leffuandes rätferdog hollen, Ty fienden förfolde mina siel, och slogh mitt lijff nedher til iordena, han lagde mich j mörkret såsom the dödha j werldenne, Och min āde är j mich bedröffuat, mitt hierta är mich j minom krop forsoffat, Jach tenker vppå then fräledna tijdh, Jach betractar thina gernīgar och talar om tina henders werk, Jach vthrecker mina hender til tich, mijn siel törstar epter tich vppå iordenne, Herre hör mich snarligha, min ande forwanskas, wendt icke titt ansichte ifrå mich, at iach thm̄ icke lijk warder som j kulona fara, Låt mich bittidha höra thina mildheet, ty iach hoppas til tich, lår mich then wäghen ther iach vppå gå skal, for ty iach lyffter mina siel vp til tich,

Herre hielp mich frå mina fiendar, til tich haffuer iach tilfluct, Lår mich göra epter thin wilia, ty tu äst min gudh, thīn godhe thin ande före mich på it råtsinnogt land, Herre gör mich liffuandes for titt namn skul, föör mina siel vthu nödhen for thina råtferdigheet skul, Och forstöör mina fiendar for tina barmhertogheet skul, och forgör alla thē̄m som mina siel bedröffua, ty thin tiänare är iach.

Åra wari fadhrenom och sonenom och them helga anda, såsom thz warit haffuer aff begynnelsen, och nw och altijd och ifrå euigheet til euigheet Amen.

Her epter fölier noghra collecter eller böner som mågha haffuas j messone näst epter ingongen, stundom then ena och stundō then andra til teß flere warda vthsette.

O Herre gudh som tina Christrognas hierta medh then helga andas vplysning lärdt haffuer, giff oß j sāma andanō besinna thet rått är, och altijdh glädhias aff hans helgha hugswalelse och tröst, Genō thin son Jesum Christum wår herra, huilkin mz tich och samma tin helga anda leffuer och regnerar vthi en guddō ifrå ewigheet til ewigheet. Amen.

O Herre gudh aff huilkom godh begiärelse, råtsinnogh rådh och råtferdoga gernīga vthgå, giff tina tiänare thē̄n fridhē som werldē icke giffua kan, at wor hierta mågha wara thin helgha budh vndergiffuin, och all redzla for fiendar så forkomma, ath wåra dagha mågha vnder titt beskerm rolighe bliffua, genom tin son etc.

O herre gudh tillåt tina forsamlings böön, at hē̄ne motte förgåtz all motgong och wilfarelse, och hon sedhan tiäna tich vthi een säkir frijheet, Genom etc.

O herre gudh som år tina åkallares styrkia, see milleliga til wåra bôôn, och epter tigh fôrutan formåå mennisklig swagheet intit, hielp til medh tina nådhe ath wij måghe fulborda tijn budh, och teckias tigh bådhe mz ordh och gerningar, Genom tin son etc.

O herre gudh giff oß ath wij måghe fructa och ålska titt helga namn, ty tu offuergiffuer icke at regera them tu vthi thin kerleks stadugheet intaghit haffuer, Genom etc.

O herre gudh hôr milleliga til wår bôôn, och thm̄ som tu giffuer sinne och wilia til at bidhia, them giff och fulbordan til thet the bidhia, Genom etc.

O gudh theras beskermare som hoppas til tigh, vtan huilkom intit år dogse, intit helogt, Streck vth thina miskund offuer oß och blijff wår regerare, wår leedsaghare, at wij så gå genom thenna timeligha håffuor, ath wij icke vmbåre the som ewogha åro, Genom etc.

Giff oß herre gudh, ath werldennes lop må oß laghas epter thin helgha skickelse, och tijn forsamlig glådias vthi een roligh gudheligheet, Genom tijn etc.

O gudh som tinom ålskarom osynligha håffuor tilreedt haffwer, ingiwt j wor hierta thin kerleks krafft, ath wij måghe ålska tich j all och offuer all ting, och vndfå thin helga lôffte som all begiårelse offuergonga, Genom etc.

O herre gudh hwilkens forsyyn j sijn skickelse intit feelar, wij bidie tigh ôdhmiwkeligha ath tu bortager alt thet oß skadelighit år, och forlåån oß thet som gagnelighit kan wara, Genom etc.

Giff oß alltijdh herre gudh en anda til ath tenkia och göra thet som rått år, ath wij som icke kunne wara tich forutan, måghe och liffua epter titt helga sinne, Genom etc.

O herre gudh ware tine miskunds öron öpen til thina tiånares böner, och vppå thet tu måå giffua them thet the bidhia, låt them thet bidhia som tich liwfft år, Genom etc.

O alzwollugh och miskundsammer gudh, aff huilkes gåffuo kõmer ath tich aff tinom trooghnom wårdeligha och årligha tiånt warder, giff oß ath wij vthan forarghelse måghe framkomma til thin helga löffte, Genom etc.

O alzwollighe ewighe gudh, giff oß troonas, hopsens och kerlekens forökelse, och vppå thet wij må få thet tu vthloffuar, lått oß ålska thet tu biwdher, Genom tin etc.

O herre gudh låt tina nådhe alstådhes förekomma oß, och sedhan fulfölia sitt werk j oß, ath wij altijdh måghe til godha gerninga benegne wara, Genom tin son etc.

Förlån oß herre alzuollogh gudh, ath tina helghons exempla och eptersyyn mågha vpueckia oß til itt bettre leffuerne, at såsom wij hålle theras åminnelse, måghe och så j troone och godha gerninga fölia them epter, Genom etc.

Epistlenar och Euãgelier hållas aldra lijkast aff begynnelsen capittel epter capitel så mykit mã teckes hwar daghẽ, Om någhon ther offuer forarghas, må man thå haffua them som the j messe bokenne vthteeknade åro til teß folket warder better vnderwijst.

Bilaga II.

(Johan III:s Liturgi 1576.)[1]

Commonefactiones de orationibus ante initium Missæ a Sacerdote celebraturo dicendis.

I.

De Præparatione

Sacerdotis, pro opportunitate ipsius facienda, antequm altare accedit.

Cum diuina et tremenda sint mysteria sacrosanctæ Eucharistiæ, Sacerdos celebraturus aliquantum temporis tribuat pijs orationibus, quibus se ad tanti Sacramenti ministerium peragendum præparabit. Pro opportunitate igitur temporis vel domi suæ, vel in templo seu loco vbi celebraturus est, sequentes dicat Psalmos & orationes.

Psalmus LXVI.

Herre, Jagh wil mz brenoffer ingå j titt hws, och betala tig mijn löffte, hwilken mine leppar loffuat haffua.

---

1) I likhet med 1588-års upplaga af *Liturgien* uteslutas här samtliga dess glossor och randanmärkningar (till stor del citat från kyrkofäderna). Vårt intresse är blott, att gifva en åskådlig bild af gudstjenstens gestaltning under den liturgiska striden. Och vi hafva härtill valt den *svenska* texten, då det såsom regel var den (och icke den latinska), som brukades.

Antiphona.

Herre kom icke ihog wåra eller wåra fäders misgerningar, och hemnas icke öffuer wåra synder.

Deinde dicuntur sequentes Psalmi.

Psalmus LXXXIIII.

Huru lustiga äro tina boningar .... som sig förlåter på tigh.

Aera ware Fadrenom och Sonenom och thm̄ helga Anda. Såsom thet warit haffuer aff begynnelsen och nu och altidh, och ifrå euigheet til ewigheet. Amen.

Psalmus LXXXV.

Herre tu som fordom wast tino folke nådeligh, och förlossadhe Jacobs fängelse .... sin retta framgång.

Aehra ware Fadrenom etc.

Psalmus LXXXVI.

Herre bögh tijn öron och höör migh, ty iagh är älende och fattigh .... och tröster migh.

Aehra wari Fadrenom etc.

Psalmus CXVI.

Iagh troor, therföre talar iagh, men iagh warder mykit plåghat .... j tigh o Jerusalem.

Aehra wari Fadrenom etc.

Psalmus CXXX.

Iagh ropar til tigh Herre vtaff diupen, Herre hör mijn röst .... ifrå alla hans synder.

Aehra wari Fadrenom etc.

Psalmis lectis repetitur Antiphona.

Herre kom icke ihog wåra eller wåra fäders misgerningar, och hempnas icke öffuer wåra synder.

Deinde dicit Sacerdos.

Herre förbarma tig öffuer oss.
Christe förbarma tig öffuer oss.
Herre förbarma tig öffuer oss.
Fadher wår etc.

Postea subijcit sequentes versiculos, qui digni sunt vt omni momento, omniū in ore & corde versentur.

Iagh sade, Herre war migh nådeligh.
Hela mina siäl, ty iag haffuer syndat emot tig.

Wendt tigh åter til oss Herre, eller huru lēge?
Och war tinom tienarom nådeligh.

Ware tijn barmhertigheet Herre öffuer oss.
Såsom wij på tigh hoppes.

Lät tina Prester kläda sig mz retferdigheet.
Oc tina heliga glädias.

Förlåt migh mijn hemligha brott.
Och bewara tin tienare för the stolta.

Herre hör mijn bön.
Och mitt roop komme inför tigh.

Sequuntur orationes ad Deum, vt Spiritu sancto corda nostra renouet, viuificet & sanctificet.

Digna memoria est vox Ecclesiæ, quæ auditorem admonet non solum de naturæ nostræ cæcitate & infirmitate, sed etiam de necessaria gubernatione Spiritus sancti. Sic enim Ecclesia in quodam hymno de Spiritu sancto canit: Sine tuo numine, nihil est in homine, nihil est innoxium. Hanc vocem ita nobis subijciamus, atque apud animum proponamus, vt semper sonet in auribus nostris, & nunquam non, etiam aliud agentibus, occurrat. Siquidem crebra huius sententiæ repetitione & meditatione illud efficiemus atque assequemur, vt & miseriam naturæ nostræ agnoscamus, & a Deo ardentibus votis petamus, vt Spiritus ipsius bonus nos vt errantes ouiculas in viam rectam ducat, viuificet & sanctificet.

Barmhertige milde Gudh, bögh tinne milheetz öron til wåra böner, och vplyys wår hierta medh then helge Andes nådh: at wij tigh j tijn helga Sacramente werdeliga tiena, och medh en ewigh kärleek elska måge. Genom Jesum Christū wår Herra. Amen.

II.

O Gudh för hwilkom all hierta öpen äre och all wilie talar, för hwilkom ock intet lönlighit är fördoldt: rena wår hiertans tanckar, genom thn̄s helga Andas ingiutelse, at wij tig fulkomliga elska oc werdeliga loffua måge.

III.

O Herre Gudh, luttra wåra niurar och wår hierta mz then helghe Andes eeld, at wij tigh mz en kysk lekamen tiena, och med itt reent hierta behagelige wara kunne.

IIII.

Wij bidie tigh Herre Gudh, at Hugsvalaren, som aff tigh vthgår, vplyser wår hugh och sinne, och effter som tin Son vthloffuat haffuer, ledher oss j alla sanning.

V.

Wij bidie tigh Herre Gudh, lät then helge Andes krafft wara när oss, til at rensa wår hierta, och mildeligha bewara ifrå alt thz oss skadeligit är.

VI.

O Herre Gudh, som the Christrognas hierta medh then helge Andes vplysning lärdt haffuer, giff oss j samma Andanom besinna thet som rett är, och altidh glädias aff hās helga hugsualelse oc tröst.

VII.

Wij bidie tigh Herre Gudh, at tu wille besökia och rena wår hierta, på thet, at när wår Herre Jesus Christus tin son kommer, måtte finna j oss een bereedd boning. Huilken mz tig och them helgha Anda leffuer och regnerar j en Guddom, ifrå ewigheet til euigheet. Amen.

Sequuntur orationes Dicendæ, cum celebraturus induit sacris paramentis.

Affklädh migh o Herre Gudh thn̄ gambla mēniskiona mz hans seder och gerningar, oc ikläd migh een ny meniskio, thn̄ effter Gudh skapat är, j sanskylliga rettferdigheet och heligheet.

Cuum lauat manus.

Giff oss o Herre Gudh, at såsom våra henders oreenheet afftwättas, må också wår hugh och sinne, genom tigh aff all smitto renat, warda, och all helga dygders förökelse j oss tilwexa.

Ad amictum.

Bewara o Herre Gudh medh tijn helge Andes nådh mitt hoffuud, mina skuldror och mitt bröst, at iagh må tiena tigh leffuandes Gud som regnerar j ewigheet.

Ad albam.

Gör mig Herre Gud hwijt, och mit hierta rent, at iag vthi Lambsens blodh reengiord, må haffua ewinnerligha glädi.

Ad cingulum.

Omgiorda mig Herre Gudh medh reenhetennes belte oc vthsleck j mina lender all oreenlig begärelses wetzsko at återhåld och kyskheetz dygd j migh bliffua måtte.

Gör migh Herre Gudh werdighan, at äntå iagh mz tårar såå moste, må doch genom tina nådh mz gläde vpskära, och bära mina kerffuar.

Ad stolam.

Omkläd migh Herre Gud mz retferdighetennes och odödelighetennes kiortel, then iagh mist haffuer vthi mina första föräldrars öffuerträdelse, och rensa min hugh och sinne aff alla synders besmittelse.

Ad tunicam et dalmaticam.

Iklädh mig Herre Gudh mz salighetēnes oc glädennes kläder, oc dragh altidh vppå mig retferdighetēnes kiortel.

Ad planetam seu casulam.

Iklädh migh Herre Gudh mz ödmiukt, kärleek och fridh, at iagh mz dygder aldeles wäpnat, må alla odygder och laster, så ock alla mina fiender, andeliga och lekamliga, emotstå.

Ad mitram.

Bewara Herre Gudh mitt hoffuud mz salighetennes hielm, at iag må kūna oskadder vndwika then gambla fiendens och alla mina oueners försåt oc listiga anlop.

Liturgia sev Ordo Ceremoniarum, orationum & lectionum in celebratione Missæ.

I. *Sacerdos omnibus paramentis seu vestimentis Ecclesiasticis indutus, reuerenter accedit altare, ibique primum in medio altaris expandit corporale, & super illud calicem velo coopertum sistit. Deinde procumbit in genua, et signans se signo crucis clara voce dicit.*

I nampn Fadhers och Sons och thens helghe Andes, Amen.

Deinde iunctis manibus ante pectus recitat Antiphonam.

Jagh wil ingå til Gudz altare.

Ministri astantes respondent, vel ipse solus, si ministri non affuerint, prosequitur omnia.

Til Gud som är mijn frögd och glädhe.

Postea alternatim cum ministris dicit sequentem Psalmum. 42.

Döm migh Gudh, och drijff mijn saak emoot thet ohelga folcket, och frels migh ifrå the arga och suikfulla mēniskior.

Ty tu äst Gudh mijn starkheet, hwj skiuter tu migh bort: hwj later tu mig gå så bedröffd, när min fiende qwäl migh.

Vthsendt titt liws och tina sanning, at the beledha migh och haffua migh in til titt helga bergh, och til tina boning.

At iagh må ingå til Gudz altare, til Gud som är mijn frögd och glädhe.

Och at iagh må medh harpo tacka tigh Gud min Gudh: Mijn siel hwj äst tu så bedröffd, och hwj gör tu migh sådana wånda?

Haff titt hopp til Gud ty iagh skal än nu bekenna och tacka honō, som hielper migh medh sitt ansichte, och är min Gudh.

Ähra ware Fadrenō och Sonenom och thm̄ helga Anda. Såsom thet warit haffuer aff begynnelsen och nu oc altidh och ifrå euigheet til ewigheet. Amen.

Repetit deinde Antiphonam.

Jagh wil ingå til Gudz Altare.
Til Gudh som är mijn frögd och glädhe.

Postea subiungit.

Wår hielp står j Herrans nampn.
Som giordt haffuer himmel och iord.

Deinde iunctis manibus, capite demisso, generalem confessionem facit, vt sequitur:

Jagh bekenner för Gudh alzmectigh, och idher käre brödher, at iagh vti mitt leffuerne, margfalleligha syndat haffuer, mz tanckar ord och gerningar, hwilket är mijn skuld, mijn skul mijn största skul: Huar före begärar iagh, at j bidien Herran wår Gudh för migh.

Ministri respondent.

Gudh alzmectig ware tigh nådeligh, förlåte tigh alla tina synder, och late tigh bekomma ewinnerligit lijff.

Sacerdos dicit, Amen.

Si non affuerint ministri qui respondere possunt, Sacerdos omnia solus exequitur, & confessionem ita dicit.

Jagh bekenner in för tigh Alzmechtige Gud Fadher, migh arme syndare, som j synd både aflat och född är, vthi hela mitt leffuerne margfalleligha syndat haffua, både med tanckar, ord och gerningar, huilket är mijn skuld, mijn skul, mijn största skuld: Hwarföre begärar iagh, at tu för tin käre Sons wårs Herres Jesu Christi skul, som itt offer för oss worden är, wille wara mig nådelig oc förlåta mig alla mina synder, och giffua itt euigt lijff. am̄

Insuper dicit.

Nådh, afflösning och alla wåra synders förlåtelse, giffue oss then alzmechtige och barmhertighe Herren Gudh. Amen.

Inclinatus prosequitur.

Omuendt tigh Gudh och wederqueck oss.
At titt folk må glädias j tigh.
Herre betee oss tina barmhertigheet,
Och bewijsa oss tina hielp.
Herre hör mijn bön,
Och mitt roop komme in för tigh.

Ascendens ad altare dicit.

Tagh ifrå oss Herre Gud alla våra misgerningar, at wij medh reen hugh och sinne måge ingå j thet alra helgasta. Genom Jesum Christum wår Herra. Amen.

Interdum sequentem confessionem publicam & generalem sacerdos conuersus ad populum clara & intelligibili voce dicet.

Exhortatio.

Käre wener, bröder och systrar j Christo Jesu, Effter vij nu församlade äre til at hålla wårs Herres Jesu Christi Natward, och annamma til oss hans werdigha Lekamen och Blodh, såsom han thet sielff stichtat och insatt haffuer, til een åminnelse, at han samma sin Lekamen och Blod til wåra synders förlåtelse vtgiffuit haffuer, Therföre medhan wij jw alle, vthan twiffuel äre medh synder beswäradhe, och åstundom syndenne gerna quitte wara, wilie wij falla på wår knä och ödmiuka oss in för Gudh wår himmelske Fadher medh hierta och mun, och bekenna oss för arma elende syndare, som wij ock äre, bidiandes honom om nådh och miskund, så seyandes hwar j sin stadh.

Confessio.

Jag fattig syndig mēniskia, som j synd både afflat oc föd är, oc iemwel sedan j alla mina lijffzdagar, itt syndigt leffuerne fördt haffuer, bekenner migh aff alt hierta in för tigh alzwoldighe ewighe Gudh, min käre himmelske Fader, at iag icke haffuer elskat tigh öffuer all ting, icke min nästa såsom migh sielff. Jagh haffuer (ty werr) j margfalliga måtto syndat emoot tigh och tijn helga bodhord bådhe mz tāckar ord och gerningar, och weet mig för then skul heluetit och ewinnerligh fördömelse werd wara, om tu skulle så döma mig som tijn strenga rettwijsa kräffuer, och mina synder förtient haffua. Men nu haffuer tu käre himmelske Fadher vthloffuat, at tu wilt göra nåd oc miskūd mz alla fatiga syndare som sig omwēda wilia, och medh een stadig tro fly til tina obegripeliga barmhertigheet, mz thm̄ wilt tu öffuersee j hwad måtto the moot tig brutit haffua, och aldrigh meer tilrekna them theras synder. Ther förlåter iag migh vppå arme syndare, och bedher tigh trösteliga, at tu effter samma titt löffte werdigas wara migh miskundsam och nådelig, och förlåta migh alla mina synder, titt helgha nāpn til prijs oc ähro.

Postea recitat sacerdos hanc precationem.

Then alzmectige ewighe Gudh för sina stora obegripeliga barmhertigheet förlåte oss alla wåra synder, och giffue oss nåd til at bättra wårt syndiga leffuerne, och få mz honō itt euinnerligit liff. Am̄.

II.

Introitus.

Confessionem sequitur Introitus, qualis in libro Gradualium et latine et vulgari in lingua statis assignatur temporibus. In Ecclesijs vero ruralibus, potest pro Introitu latino cantari Psalmus aliquis linguæ vulgaris, qui ad rationem temporis vel festi proxime accedere videtur.

III.

Kyrie eleesson.

Post Introitum dicuntur preces Kyrie eleeson, cum Hymno Angelico & reliqua glorificatōe ei adiuncta.

Herre förbarma tig öffuer oss.

Christe förbarma tig öffuer oss.

Herre förbarma tig öffuer oss.

Aehra ware Gudh j högden.

Och fridh på iordenne menniskiomen en godh wilie. Wj loffue tig, Wj welsigne tig, Wij tilbidie tig, Wij prise oc ähre tigh, Wij tacke tigh för tina stora ähro, O Herre Gud himmelske Konūg Gud fader alzmectiger, O Herre thn̄s alra högstes enfödde Son Jesu Christe och then helge Ande. O Herre Gudh Gudz lamb oc Faderēs son, Tu som bortager werldēnes synder, förbarma tigh öffuer oss, Tu som borttager werldennes synder, hör wår bön Tu som sitter på Fadrēs högre hand förbarma tig öffuer oss. Ty tu est allena helig. Tu est allena Herre. Tu est allena then högste Jesu Christe. Mz thm̄ helga Anda j Gudz Faders herligheet. Amen.

IIII.

Postea Sacerdos uersus ad populum dicit Salutationem, vt attenti reddantur auditores et admoneantur ut meminerint sacra publica concordibus votis esse peragenda. Vnde & populus consensum suum declaraturus per Chorum respondet, Et cum spiritu tuo.

Herren wari mz ider.

Så ock mz tinō anda.

V.

Salutationi subijcitur Collecta sequens, vel alia de festo seu Dominica. quam exhibent Gradualia. Vna aūt recitatur, nisi temporis necessitas pro sui ratione & conditione deposcat & alias.

Läter oss bedia.

Wij bidie tigh alzmechtige ewige Gudh, at tu förläner oss ena fasta troo på tigh och tin son Jesum Christum, itt oförskreckt hopp på tina barmhertigheet j alla wåra nödh och mootgång, och en grundelig kärlek til wår nästa. Genom samma tin Son Jesum Christū wår Herra. Amen.

Alia Collecta.

O Gud som tu est wår starckheet och tilflycht, hör tinne församblings bön, thn̄ tu haffuer lärdt henne bidia, och giff oss thet wij troligha bidie om. Genom tin Son Jesum Christum wår Herra. Amen.

VI.

Post Collectam Sacerdos versus ad populum legit Epistolam Dominicæ vel diei festi, cuius lectionis initum hoc esse potest.

Thesse effterföliande ord scriffuar S. Påuel Apostel til the Romare. Corinther. etc.

VII.

Epistolam sequitur Responsorium, quod vsitate vocatur Graduale. Item Alleluia, cum vtriusque versibus, & Tractu, etc. Interdum piæ Sequentiæ cantantur, vt in diebus Natiuitatis Christi, Epiphaniorum, Paschæ, Ascensionis, Pentecostes, Trinitatis, & quarum vsus esse solet in Dominicis, item nonnullæ aliæ, prout temporis ratio id fieri permittat. Interdum loco Latini Responsorij canitur Psalmus aliquis linguæ vulgaris, qui ad rationem festi vel temporis proxime accedere videatur. Quæ omnia exhibet liber Gradualium.

VIII.

Deinde cantatur vel legitur Euangelium, quale fuerit statutis temporibus, siue diebus Dominicis, siue festis etc. Initium vero erit hoc modo.

Thetta helga Euangelium scriffuar Sanctus Matthæus Euangelista etc.

IX.

Lectionem Euangelij proxime sequitur Symbolum vel Apostolicum vel Nicenum.

Apostolicum.

Jagh troor på Gudh Fader alzmechtigan, himmelens och iordennes skapare. Och på Jesum Christū hans eenda

Son wår Herra. Hwilken aflat är aff then helgha Anda, Födder aff iungfru Maria. Pinter vnder Pontio Pilato, Korsfester döder och begraffuen. Nederstigen til heluetes, På tridie dagen vpstånden igen ifrā the döda. Vpstigen til himbla, Sittiandes på alzmechtig Gud Faders högra hand. Tädhan igenkōmandes til at döma leffuandes oc döda. Jag troor på then helga Anda. Ena helgha almenneligha Kyrkio, the helighas samfund. Syndernas förlåtelse. Kötzens vpståndelse. Och ewinnerligit liff. Amen.

Symbolvm Nicenvm.

Ea verborum forma, qua Synodus Constantinopolitana I. œcumenica secunda illud anno Christi 385. additis quibusdam verbis, & illustrato articulo de Spiritu sancto repetiuit ac confirmauit.

Jag troor på en Gud, alzmechtigan Fadher, som himmel oc iord, oc all ting både synlig och osynlig skapat haffuer.

Och på en Herra Jesum Christū, Gudz eenfödda Son, och aff Fadrenom föddan för ewigh tijdh, Gudh aff Gudhi, Liws aff Liuse, sannan Gudh aff sannom Gudi, föddan och icke giordan, samwarande medh Fadrenom, genom hwilken all ting giord äro.

Hwilken för oss menniskior, och för wåra saligheet skul, nederstegh aff himmelen.

Och anammade mandom genom then helga Anda, aff iungfru Maria, och wardt sann menniskia.

Bleff och för oss korsfester vnder Pontio Pilato, dödher och begraffuen.

Oc vpstodh på tridie dagen effter Scriffterna, och vpfoor til himla, sitter på Fadhrens höghra hand.

Och skal åter komma mz herligheet til at döma leffuādes och döda, på huilkens Rike ingen ende bliffuer.

Och på then helga Anda, Herren och lijffgiffuaren, hwilken aff Fadrenō och Sonenom vthgåår.

Then ock med Fadrenom och Sonenom, samman dyrkat och wyrdat warder, then ock genom Propheterna talat haffuer.

Och ena helgha almenneliga och Apostoliska Kyrkio.

Jag bekenner een Döpelse til syndernas förlåtelse.

Och förwenter the dödhas vpståndelse. Och then tilkommande werldennes lijff. Amen.

X.

Precatio ad Spiritum sanctum, in pua petuntur dona seu effectus Spiritus sancti, vera Dei agnitio, fides, inuocatio, vera dilectio, obedientia & læticia acquiescens in Deo etc.

O tu helge Ande kom, vpfyl tina Christrognas hierta, oc tin brinnande kärleek vptendt vthi them, tu som församblar folk vthaff allahanda tūgomål, vti ena Christeliga tro endregteliga. Gudi wari loff ewinnerligha.

Sacra Concio.

Altera pars Missæ.

I.

Finita Concione, si omittitur publica Ecclesiæ precatio, quæ vsitate Litania dicitur, Concionator ex suggestu incipit Psalmum aliquem in vulgari lingua, qui ad rationem festi, temporis, vel Euangelij seu declaratæ materiæ maxime accedere videtur. Interdum etiam ad Psalmum adijcitur Cantus, cui nomen Offertorij datum est. Interea vero dum Psalmus & Offertorium canitur, ad sacrum vsum destinatis elementis pane & vino, vt decet appositis & præparatis, celebrans ad cornu Epistolæ, ministro aquam fundente lauat manus, ex Psalmo XXV. sequentes versus secum repetens, quibus de vera poenitentia & pietatis fructibus admonetur.

Jagh twettar mina hender mz oskylligheet, och håller migh Herre til titt altare.

Ther man hörer tacksäyelses röst, och förkūnar all tijn vnder etc.

Deinde sepuentes dicit orationes.

Läter oss bidia.

Alzmechtighe ewighe Gudh, himmelske Fader, tu som haffuer tilsagdt oss nådennes och bönennes Anda. Wij bidie tigh, förläna oss nådena, at wij på tijn befalning och löffte måge tigh j andanom och sanningēne åkalla. Lät tin helga Anda regera wår hierta, ty tigh föruthan kunne wij icke wara tigh behagelighe.

Prosequitur.

Therföre bidie wij tigh ödmiukeliga, och begäre barmhertigeste Fader, genō tin Son Jesum Christū wår Herra, at tu wille låta tigh wåra böner behagha, och nådeliga höra, som wij in för tigh frambäre, för tina helga almenneliga Christeliga kyrkio, then tu werdighas freda, bewara, föreena och regera j hela werldena, samt mz all öffuerheet, andeliga och werldzliga, aff hwadh werdigheet, högheet och nampn the helst äre, så ock alla Christrogna, the then sanna almenneliga och Apostoliska troo elska och bekenna.

Subijcit.

O Herre Gudh, som wille at tins Sons helighe och högwerdighe Natward skulle wara oss en wiss pant och försäkring på tina barmhertigheet: Vpweck wår hierta, at wij som samma hans Natuard begå, måge tina welgerningar saligligha betenckia, och tigh ther före sanskylligh och plichtigh tack, ähra, loff och prijs altidh ödmiukeliga bewisa. Hielp oss tina tienare och titt folk, at wij her medh måghe tins sons helga, rena, obesmittade oc saliga offer som han för oss på korset giorde, ihogkomma, och thz nyia testamētzēs och ewiga förbundz hemligheet werdeligha begå. Welsigna och helga mz tin helge Andes krafft, hwadh som framsat och til thet helga bruket ärnat är, bröd och wijn, at thz vthi itt rett brwk må wara oss tins Sons lekamen och blodh, thes euiga liffzens spijs, then wij mz största trengtan åstūda och sökia måtte. Genō sāma tin Son Jesum Christum wår Herra, hwilken mz tigh och then helgha Anda leffuer och regnerar vthi en Guddom aff ewigheet til ewigheet. Amen.

II.

His precibus dictis, Sacerdos ad medium altaris ambabus manibus hinc inde super eo positis, dicit Præfationem, cui adiuncta sunt verba Testamenti seu institutionis Cœnæ dominicæ, & doxologia seu glorificatio illa in Præfationibus vsitata

Præfatio.

In die Natiuitatis Domini, cuius præfationis vsus etiam est ab eo die vsque ad festum Epiphaniorum.

Item in die Purificationis B. Mariæ virginis.

Herren wari mz ider. V.
Så ock mz tinom anda. R.
Vplyffter idor hierta til gud. V.
Wj vplyffte wår hierta. R.
Läter oss tacka Gudhi wårom Herra. V.
Thz är rett oc tilbörligit. R.

Sannerliga är thz tilbörligit rett och saligt, at wij altijdh och alstädhes tacke och loffue tigh helige Herre, alzmectige Fader, ewige Gud, för alla tina welgerningar, Doch serdeles på thn̄a dagh, therföre at ordet wardt kött, genom hwilken Guddomligha hemligheet, tins clarheetz nyia liws wår hiertans öghon så vplyst haffuer, at wij aft thn synliga Gudz kunskapen, mághe til thet som osynligit är, få wilia och kärleek. Genom samma tin son Jesum Christum wår Herra. Hwilken på thet wij hans welgerningar aldrig förgäta skulle, Om natten tå han förrådder wardt, hölt en Natuard, j huilkō han togh brödet j sina helga och werdigha hender, sågh vp j himmelen, tackade tig helige Fader, alzmectige euige Gud, welsignadhe, brööt thet, och gaff sina Läriungar och sade, Tager oc äter, Thetta är min Lekamen, then för ider vthgiffuin warder. Görer thet til mijn åminnelse.

Eleuatio fit.

Sammalunda effter Natwarden togh han ock kalken j sina helga werdigha hender, sågh vp j himmelen, tackade tig helige Fader alzmechtige ewige Gudh, welsignade och gaff sina Läriūgar och sade: Tager och dricker här aff alle, Ty thetta är min blodh, thes nyia testamentzens, som för idher och för mongom vtgutin warder til syndernas förlåtelse. Thet görer så offta j här aff dricken, til mijn åminnelse.

Eleuatio fit, qua facta laudes subijciuntur sequentes.

Therföre wij med alla änglar oc öffueränglar mz throner oc herskap, och mz alla himmelska härskarar siunge tinne ähros loff song vthan ända, så säyandes.

His finitis dicitur sequens Hymnus, qui vocatur Græcis Trisagion.

Heligh, heligh. helig Herre Gudh Zebaoth. Fulle äro himblanar och iorden aff tina herligheet. Osianna j högdēne. Welsignat wari han som kōmer j Herrans nampn. Osianna j högdenne.

Collatio.

Formulæ verborum institutionis sacrosanctæ Coenæ Dominicæ, prout ea ab Euangelistis, & Paulo, & in Liturgijs SS. Patrū annotatur.

Matth. XXVI. Marc. XIIII. Luc. XXII. Paul. I Cor. 11. Ex Liturgijs. Lit. S. Apostolorum. Lit. Jacobi Apostoli. Lit. Basilii. Lit. Chrysostomi. Ambrosii. Gregorii.

II.

Præfatio.

In die Epiphaniorum Domini & per Octauam, quæ est Dominica Christi amissi a matre in duodecimo Paschate.

Herren wari mz ider.
Så ock mz tinō anda.
Vplyffter idor hierta til Gud.
Wij vplyffte wår hierta.
Läter oss tacka Gudhi wårom Herra.
Thz är ret oc tilbörligit.

Sānerliga är thz tilbörligit rett och saligt, at wij altidh och alstädes tacke oc loffue tig helige Herre, alzmectige fader euige Gudh, för alla tina welgerningar, Och serdeles therföre, at tin enfödde son vti wår dödeligha lekamen är vpenbarat, och haffuer så medh sins odödeligheetz nyia liws oss förnyiat.

Huilken ock på thet wij hans welgerningar aldrig förgäta skulle, om natten tå han förrådder wardt, hölt en natuard, j huilkom han togh brödet j sina helga och werdiga hender, sågh vp j himmelen, tackade tigh helighe Fader, alzmechtige ewige Gudh, welsignade, brööt thet, och gaff sina Läriungar och sadhe: Tager och äter, Thetta är min Lekamen, then för idher vthgiffuin warder. Görer thet til mijn åminnelse.

Eleuatio fit.

Sammalunda effter natuarden tog han ock kalcken j sina helga och werdiga hender, sågh vp j himmelen, tackade tigh helige Fader, alzmechtige ewige Gudh, welsignade, och gaff sina läriungar och sade, Tager och dricker här aff alle, Ty thetta är min blodh, thes nyia testamentzens, som för idher och för mongom vtgutin warder til syndernas förlåtelse. Thet görer, så offta j här aff dricken, til mijn åminnelse.

Eleuatio fit.

Therföre wij med alla änglar oc öffueränglar mz throner oc herskap, och mz alla himmelska härskarar siunge tinne åhros loffsong vthan enda, så säyandes.

Trisagion.

Heligh, heligh, heligh Herre Gudh Zebaoth. Fulle äro himblanar och iorden aff tina herligheet. Osianna j högdēne. Welsignat wari han som kōmer j Herrans nampn. Osianna j högdenne.

III.

Præfatio.

In die Annunciationis cæterisque festis B. Mariæ virginis.

Herren wari mz ider.

Så ock mz tinō anda.

Vplyffter idor hierta til Gud.

Wij vplyffte wår hierta.

Läter oss tacka Gudhi wårom Herra.

Thz är rett oc tilbörligit.

Sānerliga är thz tilbörligit rett och saligt, at wij altidh och alstädes tacke oc loffue tig helige Herre, alzmectige fader ewighe Gudh. Oc sammalūda på thenne dag som wij aff then helga iungfru Maria begå, som tin eenfödda Son genom then helge Andas krafft oc öffuerskyggelse timliga aflat haffuer, och så mz en reen iūgfrudoms kyskheet thz euiga liuset til werldena födt, Jesum Christum wår Herra.

Hwiken på thet wij hans welgerningar aldrig förgäta skulle. Om natten tå han förrådder wardt, hölt en Natuard, j huilkō han togh brödet j sina helga och werdiga hender, sågh vp j himmelen, tackade tig helige fader alzmectige euige Gudh, welsignade thz, bröt oc gaff sina läriungar och sade: Tager oc äter, Thetta är min lekamen, thn̄ för idher vtgiffuin warder. Görer thet til mijn åminnelse.

Eleuatio fit.

Sammalunda effter Natwarden, togh han ock kalken j sina helga werdiga hender, sågh vp j himmelen, tackade tigh helige Fader, alzmechtige ewige Gudh, welsignade och gaff sina läriungar och sade, Tager och dricker här aff alle, Ty thetta är min blodh, thes nyia testamentzens, thn̄ för idher och för mongom vtgutin warder til syndernas förlåtelse. Thet görer, så offta j här aff dricken, til mijn åminnelse.

Eleuatio fit.

Therföre genō samma tin Son Jesum Christum, wår Herra (tit) maiestet loffua alle änglar, tilbidie all Herskap, för tig bäffua all welde. Så ock alle himblar och himblars krafften, och the helige Seraphim med eendregtigh frögd prise oc ähre. Mz huilka wij bidie, at tu werdigas anāma wåra röst, medh een ödmiwk bekennelse, så säyandes.

Hymnus Trisagion.

Heligh, heligh, helig, Herre Gudh Zebaoth. Fulle äro himblanar och iorden aff tina herlighet. Saliggör oss j högdēne. Welsignat wari han som kōmer j Herrans nampn. Salig gör oss j högdenne.

IIII.

Præfatio.

In Dominica passionis Domini, in Dominica palmarum, in feria quinta in Coena Domini, in feria sexta pænosa seu passionis Domini.

Herren wari mz ider. V.
Så ock mz tinõ anda. R.
Vplyffter idor hierta til Gudh. V.
Vij uplyffte wår hierta. R.
Läter oss tacka Gudi wårom Herra. V.
Thz är rett oc tilbörligit. R.

Sãnerliga är thz tilbörligit rett och saligt, at wij altijd och alstädhes tacke och loffue tig helige Herre, alzmectige fader, ewige Gudh, Tu som mennisklig slechtes saligheet på korsens trä vthrettat haffuer, at tädan döden hade bekommit sitt vrsprung, skulle oc liffuet ther igẽ vprettat warda, och then som på trädh wũnit hade, skulle åter på trädh öffuerwũnen bliffua. Genõ Jesum Christũ wår Herra.

Huilken ock på thz, wij hans welgerningar alrig förgäta skulle. Om natten tå han förrådder wardt, hölt en Natuard, j huilkõ han togh brödet j sina helga och werdiga hender, sågh vp j himmelen, tackade tig helige fader alzmectige euige Gud, welsignade thet, bröt och gaff sina läriungar och sade, Tager oc äter, Thetta är min lekamẽ thñ för ider vtgiffuin warder. Görer thet til mijn åminnelse.

Eleuatio fit.

Sammalunda effter Natwarden, togh han ock kalken j sina helga werdiga hender, sågh vp j himmelen, tackade tigh helige Fader, alzmechtige ewige Gudh, welsignade och gaff sina läriungar och sade, Tager och dricker här aff alle, Ty thetta är min blodh, thes nyia testamentzens, thñ för idher och för mongom vtgutin warder til syndernas förlåtelse. Thet görer, så offta j här aff dricken, til mijn åminnelse.

Eleuatio fit.

Therföre genõ samma tin Son Jesum Christum wår Herra, titt maiestet loffua alle änglar, tilbidie all Herskap, för tig bäffua all welde. Så ock alle himblar och himblars kraffter, och the helige Seraphim med eendregtigh frögd prise oc ähre. Mz huilka wij bidie, at tu werdigas anāma wåra röst, mz een ödmiwk bekennelse, så säyandes.

Hymnus Trisagion.

Heligh, heligh, helig, Herre Gudh Zebaoth. Fulle äro himblanar och iorden aff tina herligheet. Osianna j högdēne. Welsignat wari han som kōmer j Herrans nampn. Osianna j högdenne.

V.

Præfatio.

A die Paschæ vsque ad Octauam, & in Dominicis vsque ad Ascensionem, & in diebus festis eo tempore occurrentibus, nisi propria in festis assignatur. In die Paschæ vsque ad Dominicam in Albis exclusiue, dicitur In hac potissimum die. Deinceps dicitur: In hoc Potissimum tempore.

Herren wari mz ider. V.
Så ock mz tinō anda. R.
Vplyffter idor hierta til Gud. V.
Wij vplyffte wår hierta. R.
Läter oss tacka Gudhi wårom Herra. V.
Thz är rett oc tilbörligit. R.

Sānerliga är thz tilbörligit rett och saligt, at wij altidh tacke och loffue tig helige Herre, alzmectige Fader ewighe Gudh, doch serdeles oc mest på thn̄e dagh, på hwilken wårt Påscha lamb Jesus Christus för oss offrat är. Ty hā är thz retta lambet, som borttagher werldennes synder. Thn̄ ock genom sin dödh wår dödh nederlagdt, och mz sijn vpståndelse liffuet vprettat haffuer.

Huilken ock på thz wij hans welgerningar aldrig förgäta skulle. Om natten tå han förrådder wardt, hölt en Natuard, j huilkō han togh brödet j sina helga och werdiga hender, sågh vp j himmelen, tackade tig helige fader alzmectige euige Gudh, welsignade thz, bröt oc gaff sina läringar och sade: Tager oc äter, Thetta är min lekamen, thn̄ för idher vtgiffuin warder. Görer thet til mijn åminnelse.

Eleuatio fit.

Sammalunda effter Natwarden, togh han ock kalken j sina helga werdiga hender, sågh vp j himmelen, tackade tigh helige Fader, alzmechtige ewige Gudh, welsignade och gaff sina läriungar och sade, Tager och dricker här aff alle, Ty thetta är min blodh, thes nyia testamentzens, thn̄ för idher och för mongom vtgutin warder til syndernas förlåtelse. Thet görer, så offta j här aff dricken, til mijn åminnelse.

Eleuatio fit.

Therföre wij med alla änglar oc öffueränglar mz throner oc herskap, och mz alla himmelska härskaror siunge tinne åhros loff song vthan ända, så säyandes.

Hymnus Trisagion.

Heligh, heligh, heligh Herre Gudh Zebaoth. Fulle äro himblanar och iorden aff tina herligheet. Osianna j högdenne. Welsignat wari han som kommer j Herrans nampn.

VI.

Præfatio.

A die Ascensionis Domini in coelum vsque ad diem Pentecostes exclusiue, & in festis tunc occurrentibus.

Herren wari mz ider.
Så och mz tinō anda.
Vplyffter idor hierta til Gud.
Wij vplyffte wår hierta.
Läter oss tacka Gudhi wårom Herra.
Thz är rett oc tilbörligit.

Sānerliga är thz tilbörligit rett och saligt, at wij altidh och alstädhes tacke och loffue tig helige Herre, alzmectige fader, ewighe Gudh, Genom Jesum Christū wår Herra. Hwilken effter vpståndelse, allō sinom Läriungom vppenbarliga synter är, j theras åsyn vpfaren til himbla, at han skulle göra oss aff sijn guddomligheet deelachtiga.

Huilken ock på thz wij hans welgerningar aldrig förgäta skulle. Om natten tå han förrådder wardt, hölt en Natuard, j huilkō han togh brödet j sina helga och werdiga hender, sågh vp j himmelen, tackade tig helige fader alzmectige euige Gudh, welsignade thz, bröt oc gaff sina läriungar och sade: Tager oc äter, Thetta är min lekamen, thn̄ för idher vtgiffuin warder. Görer thet til mijn åminnelse.

Eleuatio fit.

Sammalunda effter Natwarden togh han ock kalken j sina helga oc werdiga hender, såg vp j himmelen, tackade tigh helige Fader, alzmechtige ewige Gudh, welsignade och gaff sina läriungar och sade, Tagher och dricker här aff alle, Ty thetta är min blodh thes nyia testamentzens, then för idher och för mongom vtgutin warder til syndernas förlåtelse. Thet görer, så offta j här aff dricken, til mijn åminnelse.

Eleuatio fit.

Therföre wij med alla änglar oc öffueränglar mz throner oc herskap, och mz alla himmelska härskaror siunge tinne ähros loff song vthan ända, så säyandes.

Hymnus Trisagion.

Heligh, heligh, heligh, Herre Gudh Zebaoth. Fulle äro himblanar och iorden aff tina herligheet. Osianna j högdenne. Welsignat wari han som kommer j Herrans nampn. Osianna j högdenne.

VII.

Præfatio.

A die Pentecostes vsque ad diem Trinitatis.

Herren wari mz idher.

Så ock mz tinom anda.

Vplyffter idor hierta til Gud.

Wij vplyffte wår hierta.

Läter oss tacka Gudhi wårom Herra.

Thz är rett oc tilbörligit.

Sānerliga är thz tilbörligit rett och saligt, at wij altijd och allestädz tacke och loffue tig helige Herre, alzmectige fader, euige Gud, Genō Jesum Christum wår Herra, Huilken vpfaren öffuer alla himblar, och sittiandes på tina högra hand, haffuer på thēna dagh thn̄ vthloffuade helga Anda, öffuer the vthkoradhe barn vthgutit.

Huilken ock på thet wij hās welgerningar icke förgäta skulle. Om natten tå han förrådder wardt, togh brödet j sina helga och werdigha hender, sågh vp j himmelen, tackade tigh helige Fader, alzmechtige ewige Gudh, welsignade thet, brööt, och gaff sina läriungar oc sade: Tager oc äter, Thetta är min lekamen, then för idher utgiffuin warder. Görer thz til mijn åminnelse.

Eleuatio fit.

Sammalunda effter Natwarden togh han ock kalken j sina helga oc werdiga hender, såg vp j himmelen, tackade tigh helige Fader, alzmechtige ewige Gudh, welsignade och gaff sina läriungar och sade, Tagher och dricker här aff alle, Ty thetta är min blodh thes nyia testamentzens, then för idher och för mongom vtgutin warder til syndernas förlåtelse. Thet görer, så offta j här aff dricken, til mijn åminnelse.

Eleuatio fit.

Hwarföre ock all werlden öffuer hela iordennes kresz, medh alt som största frögd gladh är, så ock alt himmelskt herskap oc ängla kraffter, tine ähros loffsong siūge vtan ända så säyandes.

Hymnvs Trisagion.

Heligh, heligh, helig, Herre Gudh Zebaoth. Fulle äro himblanar och iorden aff tina herlighet. Saliggör oss j högdēne. Welsignat wari han som kōmer j Herrans nampn. Salig gör oss j högdenne.

VIII.

Præfatio.

Infesto sanctæ, indiuiduæ & adorandæ Trinitatis.

Herren wari mz idher.
Så ock mz tinom anda.
Vplyffter idor hierta til Gud.
Wij vplyffte wår hierta.
Läter oss tacka Gudhi wårom Herra.
Thz är rett oc tilbörligit.

Sānerliga är thz tilbörligit rett och saligt, at wij altijd och allestädz tacke och loffue tig helige Herre, alzmectige fader, ewige Gudh, som medh tin eenfödda Son och then helgha Anda est en Gudh, och en Herre. Icke vthi personernas enigheet, vthan vti een enig warelses trefalligheet. Ty thz wij om tina herligheet tro, effter som tu tigh vppenbarat haffuer, thet samma troo wij ock vthan åtskildnat om tin Son, så ock om then helga Anda. Så at vthi een san och ewigh Guddoms bekēnelse, måtte vthi personerna rett egenskap, vthi warelsen en enigheet, oc vti maiestetet een iemlijkheet altijdh ährat och tilbidhin warda, Genom Jesum Christū wår Herra.

Huilken ock på thz wij hans welgerningar aldrig förgäta skulle. Om natten tå han förrådder wardt, hölt en Natuard, j huilkō han togh brödet j sina helga och werdiga hender, sågh vp j himmelen, tackade tig helige fader alzmectige euige Gudh, welsignade thz, bröt oc gaff sina läriungar och sade: Tager oc äter, Thetta är min lekamen, thn̄ för idher vtgiffuin warder. Görer thet til mijn åminnelse.

Eleuatio fit.

Sammalunda effter Natwarden togh han ock kalken j sina helga oc werdiga hender, såg vp j himmelen, tackade tigh helige Fader, alzmechtige ewige Gudh, welsignade och gaff sina läriungar och sade, Tagher och dricker här aff alle, Ty thetta är min blodh thes nyia testamentzens, then för idher och för mongom vtgutin warder til syndernas förlåtelse. Thet görer, så offta j här aff dricken, til mijn åminnelse.

Eleuatio fit.

Therföre loffua titt maiestet alle Englar och öffueränglar, så ock Cherubim och Seraphim, the ther dagliga ropa medh ena röst vtan ända så säyandes.

Hymnus Trisagion.

Heligh, heligh, helig, Herre Gudh Zebaoth. Fulle äro himblanar och iorden aff tina herlighet. Salig gör oss j högdēne. Welsignat wari han som kōmer j Herrans nampn. Salig gör oss j högdenne.

IX.

Præfatio.

Quotidiana & Dominicalis, eaque duplex, altera prolixior, breuior altera.

Forma Præfatiōis quotidianæ prolixior, quæ etiam dici potest diebus festis propriā Præfatiōem non habentibus.

Herren wari mz ider. V.
Så ock mz tinō anda. R.
Vplyffter idor hierta til Gudh. V.
Vij vplyffte wår hierta. R.
Läter oss tacka Gudi wårom Herra. V.
Thz är rett oc tilbörligit. R.

Sānerliga är thz tilbörligit rett och saligt, at wij altijd och alstädhes tacke och loffue tig helige Herre, alzmectige fader, ewige Gudh, för alla tina welgerningar, Och enkannerliga för then tu oss bewijste, tå wij alle för syndena skul så illa vthkomne wore, at oss icke ānat förestod än fördömelse oc thn̄ euige dödhen, och intet creatur ātigen j himmelen eller på iordenne kunde oss hielpa. Så vthsende tu tin enfödda Son Jesum Christū, som war samma guddoms natur med tigh, lät honom warda een menniskia för wåra skul, ladhe wåra synder på honō och lät honom lida döden j thn̄ stadh wij alle ewinnerliga döö skulle. Och såsom han öffuerwan döden, och stodh vp igen til lijffz, och nu aldrigh mera dör: Så skola ock alle the som på honō förlåta sigh, öffuerwinna syndena oc döden, oc få euinnerlighit lijff genō honō. Huilken oc på thz wij hās welgerningar icke förgäta skulle. Om natten tå hā förrådder wart, hölt en Natuard, j huilkō hā togh brödet ſ sina helga och werdiga hender, sågh vp j himmelē, tackade tig helige Fader alzmectige euige Gudh, welsignade thz, bröööt oc gaff sina Läriungar och sade: Tager oc äter, Thetta är min lekamen, then för idher vtgiffuin warder. Görer thet til mijn åminnelse.

Eleuatio fit.

Sammalunda effter Natwarden togh han ock kalken j sina helga oc werdiga hender, såg vp j himmelen, tackade tigh helige Fader, alzmechtige ewige Gudh, welsignade och gaff sina läriungar och sade, Tagher och dricker här aff alle, Ty thetta är min blodh thes nyia testamentzens, then för idher och för mongom vtgutin warder til syndernas förlåtelse. Thet görer, så offta j här aff dricken, til mijn åminnelse.

Eleuatio fit.

Therföre genō samma tin Son Jesum Christum wår Herra, titt maiestet loffua alle änglar, tilbidie all Herskap, för tig bäffua all welde. Så ock alle himblar och himblars kraffter, och the helige Seraphim med eendregtigh frögd prise oc ähre. Mz huilka wij bidie, at tu werdigas anāma wåra röst, medh een ödmiwk bekennelse, så säyandes.

Hymnus Trisagion.

Helig, heligh, helig, Herre Gudh Zebaoth. Fulle äro himblanar och iorden aff tina herligheet. Saligh gör oss j högdēne. Welsignat wari han som kommer j Herrans nāpn. Salig gör oss j högdēne.

Altera forma brevior.

Herren wari mz ider. V.
Så ock mz tinō anda. R.
Vplyffter idor hierta til Gudh. V.
Wij vplyffte wår hierta. R.
Läter oss tacka Gudi wårom Herra. V.
Thz är rett oc tilbörligit. R.

Sannerliga är thet tilbörligit rett och saligt, at wij altidh och alstädes tacke och loffue tig, helige Herre, alzmechtige Fader euige Gud, genom Jesum Christum wår Herra. Huilken på thet wij hans welgerningar alrigh förgäta skulle, om natten tå hā förrådder wart, hölt en natuard, j huilkō hā togh brödet j sina helga och werdiga hender, sågh vp j himmelē, tackade tig helige Fader alzmectige euige Gudh, welsignade thz, brööt oc gaff sina

Läriungar och sade: Tager oc äter, Thetta är min lekamen, then för idher vthgiffuin warder. Görer thet til mijn åminnelse.

Eleuatio fit.

Sammalunda effter Natwarden togh han ock kalken j sina helga oc werdiga hender, såg vp j himmelen, tackade tigh helige Fader, alzmechtige ewige Gudh, welsignade och gaff sina läriungar och sade, Tagher och dricker här aff alle, Ty thetta är min blodh thes nyia testamentzens, then för idher och för mongom vtgutin warder til syndernas förlåtelse. Thet görer, så offta j här aff dricken, til mijn åminnelse.

Eleuatio fit.

Therföre genō samma tin Son Jesum Christum wår Herra, titt maiestet loffua alle änglar, tilbidie all Herskap, för tig bäffua all welde. Så ock alle himblar och himblars kraffter, och the helige Seraphim med eendregtigh frögd prise oc ähre. Mz huilka wij bidie, at tu werdigas anāma wåra röst, medh een ödmiwk bekennelse, så säyandes.

Hymnus Trisagion.

Heligh, heligh, helig, Herre Gudh Zebaoth. Fulle äro himblanar och iorden aff tina herligheet. Saligh gör oss j högdēne. Welsignat wari han som kommer j Herrans nāpn. Salig gör oss j högdēne.

Dum chorus canit Hymnum Sanctvs, celebrās sequentem legit orationem. Quando autem legendo sacra peraguntur Liturgiæ officia, oratio illa continua lectione Hymno subijcitur.

Therföre wij oc o Herre Gudh ihughkomme thenna saliga befalningen, oc sāma tins sons wårs Herras Jesu Christi helga pino och dödh, hans vpståndelse oc hīmelfärd. Hwilken tin son, tu aff omäteliga barmhertigheet oss skēckt oc giffuit haffuer at hā itt offer för wåra synder bliffua skulle, oc med sitt eenda offer på korset, wår återlösnīgz betalning vthretta, tina rettwiso fyllest göra, och itt sådant offer fulkompna, som allom vthualdom tiäna skulle til godo in til werldennes ända. Samma tin Son, samma offer, som är itt reent, heligt och obesmittat offer, til wår försoning, sköld, skerm oc skiwl emot tina wrede, emot syndennes oc dödzens förskreckelse oss föresteldt, fatte och anamme wij medh troonne, och med wåra ödmiuka böner frābäre för titt ährefulla maiestet. För sådana tina stora welgerningar tacke wj tig innerliga mz hierta och mun, doch icke som wij plictige äre, vtan så mykit wij förmåghe.

Oc bidie wij tig ödmiukelig genō sāma tin son som tu vthi titt Gudhdomligha lönliga rådh til wår eenda midlare oss förestelt haffuer, at tu werdigas med barmhertigh och mild öghon oss och wåra böner ansee, them til titt himmelska altare in för titt Guddomliga maiestet läta komma och tigh behagha, at wij alle som widh thetta altare deelachtige bliffua, aff then welsignadhe och heliga spijs och dryck, thz ewiga liffzens helga bröd, och then ewigha salighetennes Kalck, som är tins Sons helga lekamen och dyyrbara blodh, måghe ock med all himmelsk welsignelse och nådh vpfylte warda.

Wij bidie tigh ock o Herre Gudh, at tu werdigas giffua oss arma syndiga menniskior, som på tina margfalliga barmhertigheet förhoppes, at wij måtte intagne bliffua ibland tina helga Apostlar, Martyrer oc all tijn helgon, iblād huilkas taal lät oss komma, icke aff förtienst, vthan aff tina mildheet, som wåra synd och brist förlåter. Genom samma Jesum Christū wår Herra.

Genom huilken tu Herre alt gott altijd werckar, helgar, gör lijffachtigt, welsignar och oss förläner. Genom honō mz honom och j honom wari tigh alzmechtighe Gudh

Fader och them helga Anda, all ährra, loff och prijs. Ifrå euigheet til euigheet. Amen.

III.

Hymno Trisagio & precatione præcedente finitis, celebrans orationem dicit Dominicam.

Läter oss bidia.

Såsom wår Herre Jesus Christus sielffuer oss lärdt haffuer så säyandes.

Fadher wår som äst j himblō. Helgat warde titt nampn. Tilkōme titt Rike. Skee tin wilie såsom j himmelen så ock på iordenne. Wårt dagligha brödh giff oss idagh. Och förlåt oss wåra skulder, såsō ock wij förlåte them oss skyldige äro. Och inledh oss icke j frestilse. Vtan frels oss ifrå ondo.

Resp. Amen.

Cum diuina officia legendo peraguntur, Orationi Dominicæ subijcitur hæc precatio.

Frels oss Herre Gud ifrå alt ondt, bådhe thz framfarna, närvarande, och hwad tilstunda kan. Förlän oss nådeliga fred j wåra dagar, at wij vnder tijn barmhertighetz skyd oc skerm måge ifrå syndena frelste, och för all anfectnīg säkre wara. Genom Jesum Christum wår Herra. Amen.

IIII.

Salutatio cum conuersione ad populum.

Herrans fredh wari medh idher.

Så ock mz tinō anda.

Deinde, si necessum fuerit & temporis ratio ferat, celebrans conuersus ad populum, hanc adhortationē, de vera præparatione ad communionem facienda, recitat,

Käre wener, Effter wij här begå wårs Herres Jesu Christi Natward, j hwilkom vthspisat warder hans werdiga lekamen och dyra blodh: är för then skul rådeligit, som S. Påuel Apostel oss lärer, at wij hwar j sin stadh bepröffue oss sielffua, och så äte aff thetta brödh och dricke aff thenna kalk. Och pröffue wij oss tå retzliga, när wij besinne wår brott och synder och tycke thz illa wara, at wij haffue förtörnat Gud, och therföre hungre och törste retferdighetena och syndernas förlåtelse, then oss j thetta Sacramentet tilbudin warder, och achte här effter bättra oss, wēda igen aff syndēne, och leffua vthi itt nytt och retferdigt leffuerne. Ty haffuer ock wår Herre enkannerligha befalt, at bruka thetta Sacramentet, sigh til åminnelse, thet är, at man här medh ihugkōmer hans werdiga dödh och blodz vthgiutelse, och betēcker oc troor fulleliga, at thet til wåra synders förlåtelse skeedt är. Therföre om wij nu äte aff thetta brödh, och dricke aff thenna kalk medh een sådana fasta troo til the ord, som wij här höre, at Christus är dödh oc hans blodh vthgutin för wåra synder, få wij ock så för wisso syndernas förlåtelse, och vndwike ther medh döden, som syndennes lön är, och fååm ewinnerligit lijff medh Christo. Thz vunne och giffue oss allom alzmechtige Gudh Fadher och Son och then helge Ande.

Ante dispensationem & communionem Sacramenti hæc oratio dicitur.

O Herre Jesu Christe, leffuādes Gudz son, werldennes frelsare, sāner Gudh och menniskia: Frels oss genō tin helga lekamen och blod ifrå alla wåra synder, och ifrå alt ondt, och hielp at wij altijdh fulborde tijn helga Bodh och befalning, och aldrigh skilies ifrå tina barmhertigheet til ewig tidh, Tu som leffuer oc regnerar mz Fadrenom och them helgha Anda en Gudh ifrå euigheet til euigheet.

Alia oratio.

Herre Jesu Christe, lät tins lekamens och blodz deelachtigheet, hwilken wij owerdighe menniskior achte at bruka, icke komma oss til doom och fördömelse, vthan wara oss effter tijn mildheet, til lijffz och siäls beskydd, beskerm och läkedom. Tu som leffuer och regnerar mz Gudh Fader och them helga Anda en Gudh nu och til ewigh tijdh. Amen.

V.

Sacerdos iunctis manibus ante pectus et capite inclinato dicit præconium Baptistæ, vt sequitur

O Gudz lamb som borttagher werldennes synder, förbarma tigh öffuer oss.

O Gudz lamb som borttagher werldennes synder, förbarma tigh öffuer oss.

O Gudz lamb som borttagher werldennes synder, Giff oss tin fredh oc welsignelse.

Cum Sacerdos communicantibus porrigit corpus Domini dicit:

Wårs Herras Jesu Christi Lekamen beuare tina siäl til ewinnerligit lijff.

Respondit communicans. Amen.

Cum Calicem distribuit dicit:

Wårs Herras Jesu Christi Blodh beware tina siäl til ewinnerligit lijff. *Respondet communicans, Amen.*

Celebrans ipse communicaturus, sumto in manus benedicto & sanctificato Pane, reuerenter genuflectit, dicens:

Jagh wil tagha thet himmelska brödhet och åkalla Herrans nāpn.

Deinde ter dicit:

Herre, iagh är icke werdigh, at tu skalt gå vnder mitt taak, vtan sägh allenast itt ord, så bliffuer mijn siäl helbregda.

Sumturus dicit:

Wårs Herras Jesu Christi Lekamen beuare mijn siäl til ewinnerligit lijff.

Sumto corpore Christi, iunctis manibus, cogitationes occupatas habeat in meditatione sanctissimi Sacramenti, vt nobis vsus eius salutaris esse possit. Deinde accepturus calicem in manus, reuerenter genu flectit dicens:

Hwar mz skal iagh betala Hrãnom, för alla hans welgerningar, som han migh bewijst haffuer?

Jagh wil anamma salighetennes kalk, och åkalla Herrans nãpn. Jag wil loffua och åkalla Herran, så warder iagh frelst ifrå mina owener.

Participans de calice dicit:

Wårs Herras Jesu Christi blodh beware mijn siäl til ewinnerligit lijf.

Postea secum dicit:

Thet wij Herre medh munnen vndfåt haffue lät oss thz med itt reent hierta behålla, Oc ware oss til en ewigh läkedom. Genom Jesum wår Herra. Amen.

Deinde infundit parum vini in calicem, quod vbi ebibit, secum dicit:

Herre tin lekamē som wij anãmat haffue, oc tin blodh som wij druckit haffue, komme wår siäl til godhe, Och giff alzmechtighe Gudh, at ingen synda fleck och oreenligheet måtte j oss wara, thm̄ tijn rena oc helga Sacrament wederqweckt haffua. Tu som leffuer oc regnerar ifrå euigheet til euigheet. Am̄.

Interea dum communionis actio celebratur, Chorus continuat cantum. Cantari autem vt plurimum sub communione solet canticum precationis pro Pace, Förlän oss Gudh etc. Interdum, cum plures assunt communicantes, nonnullæ aliæ cantiones præsenti actioni congruentes adduntur. Rectissime autem hic canitur Responsorium Discubuit Jesus, eo quod in hac cantione, ipsa Sacramenti institutio commemoratur. Item Antiphona illa, O sacrum conuiuium.

VI.

Communione peracta, sacerdos conuersus ad populum, dicit:

Herren wari mz idher.

Så ock mz tinom anda.

VII.

Deinde dicit vnam aut alteram ex sequentibus Collectis, quas vocant Complendas, in quibus Sacerdos gratias agit Deo propter acceptam communionem corporis et sanguinis Domini, non pro se solum, sed etiam pro cæteris.

Läter oss bidia.

Wij tacke tigh alzmechtige ewige Fader, som thenna helga och helsosamma Natward, genom tin Son Jesum Christum för wåra skuld stichtat haffuer. Och bidie tigh, at tu wille förläna oss tina helga nåd, til at så begå här medh tijn åminnelse, at wij måge lära besinna, hwad tu för wåra skul giordt haffuer. Genō samma tin Son Jesum Christum wår Herra, som leffuer och regnerar mz tig oc thm̄ helgha Anda, uthi en guddom, aff euigheet til euigheet.

Resp. Amen.

Alia.

O Herre alzmechtige Gudh, som haffuer lätit oss j tijn Sacrament deelachtiga warda, Wij bidie tigh, at tu läter oss ock så mz tigh och all tijn vtkoradhe helgon vthi tina euiga ähro oc herligheet deelachtiga warda. Genō Jesum Christum wår Herra.

Resp. Amen.

Alia.

O alzmechtige ewighe Gudh wår käre hīmelske Fader, tu som altidh haffuer bewijst oss tina godheet och barmhertigheet: Giff oss nådena, til at så begå och bruka tijn helga Sacrament, at wij måghe vndfå thz andeliga goda som the mz sigh haffua, och altidh loffua oc prisa tigh. Genom Jesum Christum wår Herra. Amen.

Alia.

Wij tacke tigh alzmechtige Gudh, at tu oss genom thenna helsosāma gåffuo wedherqweckt haffuer. Och bidie tina barmhertigheet, at tu läter oss thet kōma til godho och wåra troos förökelse, och at wij jbland oss inbyrdes måge haffua en brīnande kärleek. Genō Jesum Christū vår Herra. Amen.

Alia.

O tu milde Jesu Christe, som oss til thenna Natuarden kallat haffuer, wij tacke tig aff alt hierta, at tu oss ther til förstånd och wilia giffuit haffuer. Wij tacke ock tina barmhertigheet, at tu oss med troo och kärleek vplyst haffuer, oss mz tig sielff spisat, med tin Gudhdom vpfylt oc kringhwerfft haffuer. O elskelige Jesu, bliff när oss. Ty wij giffue oss j tina hender, och förlåte oss på tigh, at wij måge bliffua ewinnerliga når tigh. Amen.

VIII.

Orationibus dictis, celebrans vertit se ad populum, & dicit:

Herren wari med ider.
Så ock med tinom anda.

Consistens ita versa ad populum facie, dicit:
Tckom och loffuom Herran.
Gudi wari tack och loff.

IX.

Postremo conuersus ad altare dicit sollennem benedictionem, quæ extat Numeri VI.

Böier idhor hierta til Gudh, och anammer welsignelse.

Herren welsigne oss och beware oss: Herren vplyse sitt ansichte öffuer oss och ware oss nådeligh: Herren wende sitt ansichte til oss och giffue oss en ewigh fredh. I nampn Fadhers och Sons och thens helge Andes.

Respondit Chorus seu minister.

Amen.

Laus Deo.

Bilaga III.

(Carl IX:s Christeliga Ordning af 1602.)

Nw fölier wijdere, huru vthi Kyrkian handles skal, när Predican skal hålles, och Sacramentet skal vthdeles.

När nw folcket är församblet, at wele höra Gudz ord, anten j Kyrkior, Capel, eller Saler, eller vthe på Marcken, såsom lägenheeten sigh kan begifwe, skal Predicanten wände sigh til folcket, och säye: Gott Christet folck, efter wij äre kompne tilsamman, at hafwe ett stort wärck förhänder, Nempligen, at göre wår Gudz tienst, Therföre behöfwe wij thens helge Andes hielp, och wele förthenskuld ödmiuke oss vnder Gudz thens Alzmechtiges wäldige hand, och honom ödmiukeligē bidia, at han wille nådeligen see til wår Gudz tienst, then wij efter hans befalning achte at fulkompne, och sedhan falle på knä medh Församblingen, och läse thenne efterföliande Bön:

Herre Alzmechtige Ewige Gudh, Tu som fordom och altijdh nådheligen hafwer lätet tigh behaghe, när titt Folk theres Gudz tienst, efter tin befalning giordt hafwe, och theres nödh och älendigheet altijdh kommit til hielp, och när the af ett rätt bootfärdigt och ångerfult hierte tigh bidit hafwe, hafwer tu them altijdh tin Barmhertigheet bewijst. Så efter thet käre himmelske Fadher, wij som nw försambledhe äre, för titt höge Guddommelige Maiestetz ansichte, achte at hafwe wår Gudz tienst til tigh lefwande alzmechtige Gudh, käre himmelske Fadher, och höre titt helige ord, och hafwe wåre böner til titt Guddommelige Maiestät, at tu wille ware oss titt fattige folck nådheligen, Så bidie wij titt Guddommelige Maiestät ödmiukeligen af alt wårt hierta, tu werdiges see nådheligen til thenna wår Gudz tienst, så at wij måge henne således bruka, at thet kan ware tigh behageligit, och så höre titt helige ord, at thet må lände titt Guddommelige Maiestät til loff prijs och ähro, oss tine fattige Creatur, til tröst och rättelse, medhan wij j thette lijfwet wandre skole, och på ändelychtenne när wij skole skilias hädan af thenne Jämmerdaal, måge genom Jesum Christum ewinnerligen salige warda, Amen.

Sedhan begynner Predicanten at siunga Troon, eller en Psalm, meere eller mindre, efter lägenheten, och sedhan begynnes Predican. Aere ther Barn, och begäres at the döpas skole, dhå skole the först döpte warde, för än Predican begynnes, på thet intet oliudh i Kyrkian warder, efter thet sätt som här framdeles warder förmält.

Wijdere, om man samme dagh wil begå Herrans Jesu Christi Natward, skal thet skee efter Predican, efter thet sätt som wår Herre Jesus Christus sielfwer insatt hafwer, och här efter wijdere warder förmält.

Ytterligare, om ther är Brudhgumme och Brudh förhanden, som efter Christi ordning wele gifwe sigh vthi Echtenskap, dhå skal thet skee för Predikan, efter thet sätt som framdeles förmäles.

Til thet sidste, om någon dödher är, skal han begrafwes för än Predikan begynnes, efter thet sätt som här wijdere förmält warder.

När nw Herrans Jesu Christi Natward skal hålles, skal alt folcket stiga fram för Altaret, som wele gå til Gudz bordh. Och dhå skal Predicanten wände sigh til folcket, och säya:

Herre förbarma tigh öfwer oss.

Christe förbarma tigh öfwer oss.

Herre förbarma tigh öfwer oss.

Sedhan:

Ähra wari Gudh j högdenne, och fridh på jordenne, och menniskiomen en godh wilia,

Wij lofwe tigh, wij wälsigne tigh, wij tilbidie tigh, wij prijse och ähre tigh, wij tacke tigh för tina stora ähro. O Herre Gudh himmelske Konung, Gudh Fadher alzmechtigh, O Herre thens aldrahögstes eenfödde Son Jesu Christe, O Herre Gudh, Gudz Lamb, Fadhrens Son, Tu som borttagher werldennes synder, förbarma tigh öfwer oss, Ty tu äst allena heligh, Tu äst allena Herre, Tu äst allena then högste Jesu Christe, medh then helga Anda, j Gudz Fadhers herligheet, Amen.

Folcket och Diäknarne skole siunge medh.

Sedhan säger Predicanten til folcket:

Herren wari medh idher.

Folcket sware:

Så medh tinom Anda.

Sedhan hafwer Predicanten thenna Bön öfwer folcket:

Herre alzmechtige ewige Gudh, som altijdh hafwer hördt tin Församblingz bön, när hon vthi sin nödh, tigh om hielp åkallat hafwer, Så säger tu genom tin Elskelige Son Jesum Christum: Kommer til migh alle som medh synden äre beladde, iagh wil wederqweckia ider. Herre alzmechtige ewige Gudh, hör nw mildeligen tin Församblingz bön, och förlåt oss wåra synder för tin stora barmhertigheeet skuld. Wedherqweeck oss Herre Jesu Christe, efter titt nådige löfte och tilsäyelse. O tu helige Ande, som af Fadrenom och Sonenom vthgår, och är jämlijk Gudh medh Fadhren och Sonen, Gör oss beqwäme och wärdige til thette höghe wärck wij nw förhänder hafwe, at thet må wara titt Guddommelige Maiestät behageligit, tin Christelige Kyrkio til vpbyggelse, och wår swaga troo til styrkia, Så at wij på sidstonne måge bekom̄e ett ewigt lijf, Genom tin Son Jesum Christum wår Herra, Amen.

Then alzwoldige ewige Gudh för sin stora obegripeliga barmhertigheet förlåte oss alla wåra synder, och höre mildeligen wåra bön, och gifwe oss nådh til at bättra wårt syndige lefwerne, och styrkie och förmere wåra troo, at wij måge få medh wår Herre Jesu Christo ett ewinnerligit lijf, Amen.

Sedhan säger Predicanten til folcket:

Kære wenner, brödher och systrar j Christo Jesu, efter wij nw församblede äre, til at hålla wårs Herres Jesu Christi Natward, och annamma til oss hans wärdige lekamens och blodz Sacrament, medh brödh och wijn, såsom han thet sielf stichtadt och insatt hafwer, för itt åminnelse tekn, at han sin lekamen och blodh til wåra synders förlåtelse vthgifwit hafwer. Therföre, medhan wij nw alle, vthan twifwel äre medh synder beswärede, och åstundom syndene gerne qwitte ware, Wele wij falla på wåre knä, och ödmiwke oss in för Gudh wår himmelske Fadher, medh hierta och mun, och bekenne oss för arme älende syndare, såsom wij och äre, bidiandes honom om nådh och miskund, så säyandes hwar j sin stadh.

Och lääs Predicanten thenne Böön.

Jagh fattigh syndigh menniskia, som j synden både afladh och född är, och jämwäl sedan alla mina lijfzdaghar ett syndigt lefwerne fördt hafwer, bekenner migh af alt hiertat, in för tigh alzwoldige ewige Gudh, min käre himmelske Fadher, at iagh icke hafwer elskat tigh öfwer all ting, icke min näste såsom migh sielf, Jagh hafwer (ty werr) j margfalleliga måtto syndat emoot tigh, och tinne helige budhord, både medh tanckar ord och gerningar, och weet migh förthenskuld helfwetet, och een ewig fördömelse wärdh wara, om tu skulle så döma migh som tin stränge rättwijse kräfwer, och mina synder förtient hafwe. Men nw hafwer tu käre himmelske Fadher lofwet, at tu wilt göra nådh och miskund, medh alla fattige syndare som sigh omwända wilia, och medh ena stadiga troo, fly til tina obegripeliga barmhertigheet, medh them wilt tu öfwersee, j hwadh måtto the emoot tigh brutit hafwe, och aldrigh mere tilräkne them theres synder, ther förlåter iagh migh opå arme syndare, och bedher tigh trösteliga, at tu efter samma titt löfte, wärdigas wara migh miskundsam och nådeligh, och förlåta migh alla mina synder, titt helige nampn til prijs och ähro, Amen.

Ytterligare skal Predicanten läsa för folcket, och the läsa efter honom, för än han begynner opläsa instichtelse orden om Herrans Natward, widh thette sätt:

O Herre alzmechtige ewige Gudh, Tu som weest huruledes wåra första Föräldrar Adam och Eva igenom diefwulens rådh, och theres frije willie, öfwerträdde titt helige förbudh, och åte af thet förbudne trä, ther igenom

the kom̄e sigh, oss och alle theres efterkommende, efter
tin stränge rättwijse vthi een ewigh förmaledijelse, hwar tu
tin stränge rättwijse vthi een ewigh förmaledijelse, hwar tu
tin stränge rättwijse emoot oss fattige syndare tine arme
Creatur hade bruket welet, efter som titt förbudh krafde,
at hwilken stund the öfwerträdde thet förbudh tu them
gifwit hadhe, och åte af thet förbudne trä, skulle the döö
en döö, Så läst tu doch käre himmelske Fadher, tigh öfwer
tine Creatur förbarme, och icke fulfölgde rätten emoot oss,
såsom wij wäl förtient hadhe, vthan gaf löftet j Paradijs,
at qvinnones Sädh skulle söndertrampa ormsens hufwudh,
För hwilken tin stora barmhertigheet, wij lofwe, ähre, prijse
och tacke titt Guddommelige Maiestät, at tu titt löfte vthi
bestämbd tijdh fulbordat hafwer vthi wår Herre och Frel-
sare Jesu Christo, som hafwer tagit vthi bestämbd tijdh en
sann Mandom af then rene Jungfrw Maria, hwilkens Sädh
tu wåra första Föräldrar lofwede och tilsade, skulle sönder-
trampa ormsens hufwudh, Thet igenom wår Herre Jesum
Christum fulbordat är, hwilken hafwer giordt fyllest, och
betalt thet wij brutit hafwe, och wordit itt offer för oss på
korszens galge, och giordt een ewigh försoning emellan
tin stränge rättwise wrede och oss. Therföre wij lofwe och
tacke titt Guddommelige Maiestät, ifrå nw och til ewigh
tijdh. Och efter wij (ty werr) af diefwulens ingifwende,
och wår oppåfödde förderfwede natur, såsom wij af wåra
första Föräldrar ärft hafwe, dagheligen synde emoot titt
Guddommelige Maiestät, medh tanckar ord och gerningar,
och dagheligen förtörne tigh, och öfwerträde tin helige
Budhord, som tu igenom tin tienare Mosen titt folck haf-
wer gifwe latet, och på nytt vpwäckie tigh til wrede, Ther-
före bidie wij tigh af itt rätt ångerfult och bedröfwat hierta,
Herre alzmechtige Gudh, förlåt wåra skulder och war oss
nådigh, såsom tu tigh tilförende öfwer titt folck förbarmat
hafwer, och kom ihugh titt nådige löfte, ther tu sagt haf-

wer: Så sant som iagh lefwer, wil iagh icke syndarens dödh, vthan at han sigh omwänder och lefwer. Så omwändt oss nw käre hiṁelske Fadher för tin Sons Jesu Christi förskyllan skuld, at wij måge tage oss til ware för alt thet titt Guddommelige Maiestät kan ware miszhageligit, efter tin elskelige käre Son wår Herre Jesus Christus wår eendeste Återlösare j then sidste Natwarden för än han leedh dödh och pino, och fulbordade wårt återlösningz wärck på korssens galge, insatte itt nytt Testamente, igenom hwilket wij skole oss trösta, och altijdh ihughkomma the wälgerningar han oss bewijst hafwer, at wij genom hans dödh och pino äre återlöste, och til tin wenskap igen kompne. Käre himmelske Fadher, efter wij nw äre tilsammans kompne, efter tin elskelige käre Sons Jesu Christi wår Återlösares befalning, at hålla och ihughkomma hans Testament, och lofwa och prijsa titt Guddommelige Maiestät, genom samme tin Son Jesum Christum, at han oss genom sigh sielff återlöst hafwer, Förlään oss tine fattighe barn tin helge Andes deelachtigheet, at wij således måge begå tin käre Sons åminnelse, at wij måge warda deelachtige af alt thet godha han igenom sin dödh och pino oss förwärfwat hafwer, och altijdh beflijte oss at lefwa j tin fruchtan, på thet wij igenom tin käre Son måge ewinnerligen salige warda, Amen.

Sedhan säger Predicanten til folcket på thette sättet:

Gott Christet folck, wij wele höra S. Pauli ord af then 1. Epist: vthi thet 11. Capitel til the Corinther, om thet helige högwärdige Sacramentet, som så lyde:

Jagh hafwer vndfått af Herranom thet iagh idher gifwit hafwer, Ty Herren Jesus Christus i then natten tå han förrådder wardt, togh han brödhet, tackade, brött thet, och sade: Tagher, äter, thetta är min lekamen som för idher brutin warder, sådant görer til min åminnelse. Sammalunda och kalken efter Natwarden, och sade: Thenna kalken är thet nyia Testamentet j minom blodh, thet görer så ofta i dricken til min åminnelse. Ty så ofta i äten af thetta brödh, och dricken af thenna kalken, skolen i förkunna Herrans dödh, til thes han kommer, hwilken nw owärdeliga äter af thetta brödhet, eller dricker af Herrans kalk, han blifwer saker på Herrans lekamen och blodh. Men pröfwe menniskian sigh sielfwa, och äte så af thetta brödhet, och dricke af thenne kalken. Ty then owärdelig äter och dricker, han äter och dricker sigh sielfwom domen, icke åtskiliandes Herrans lekamen.

Ther efter spör Predicanten them alle til som hafwe achtet sigh, at gå til Herrans Natward, och säger til them således:

I Höre gott Christit folck aff S. Pauli ord, at hwilken som owärdelig äter af thetta brödh och dricker af thenna kalk, han blifwer skyldigh på Herrans lekamen och blodh. Therföre wil wara af nödhen, at j pröfwe idher sielfwe, för än j annamme til idher Herrans Jesu Christi lekamens och blodz Sacrament.

Wijdere skal Predicanten säye:

Gott Christit folck, på thet j mågen wette, hwar vthi rätte pröfningen står, wil iagh idher af Gudz ord thet klarligen vnderwijse.

Och säger Predicanten til folcket:

Rätta pröfningen vthi thesse stycken är, at j hafwen en rätt idher och ånger, för alle idher synder, och ett rätt Christeligit opsåt, här efter at bättra idher, och så ställa idher emoot Gudh och idher nästa, såsom han idher befalt hafwer vthi sin helga Budhord, och fulkombligen troo, at Jesus Christus medh sin dödh och pino, opståndelse och himmelsfärdh, hafwer giordt een ewigh förlijkning emellan sin himmelske Fadhers stränge wrede och oss, at wij igenom hans förtienst allene bekomme syndernes förlåtelse, och skole wara medh wår Frelsare och Återlösare medharfwinger til ewinnerligit lijf. Hafwen j ett sådant sinne och opsått, och een sådanne troo, så äre j Gudz och wårs Herres Jesu Christi, sampt then helge Andes wälkompne gäster.

Folcket böör swara af ett rätt ångerfult och förkråssat hierta och samwet, doch af ett Christeligit opsått, at bättre sitt syndige lefwerne:

Ja.

Sedhan säger Predicanten:

Äre j dhå tilsinnes, här efter at älska Gudh för all ting, och idher näste som idher sielfwe, så myckit j vthi thenna förderfwade Natur kunne komma til wäga?

Folcket sware:

Ja.

Sedhan säger Predicanten:

Troon j, at om j råken falla af diefwulens rådh, eller af idher frije wilie, eller af skröpligh påfödd Natur j synd emoot the helige Gudz budhord, anten emoot Gudh eller idher näste, at ändoch Gudh alzmechtigh är sträng, och wil straffa synden, både här timmelig, och sedhan til ewigh tijdh: Så är han doch lijkwäl barmhertigh, och wil wara them nådigh och barmhertigh, som flyy til hans obegripeliga nådhe och barmhertigheet, och doch lijkwäl icke wele synda opå Gudz nådh och barmhertigheet, vthan beflijte idher, at för all ting fruchta Gudh, och j en rätt Christeligh kärleek lefwa emoot idher näste, efter Gudz helige Budhord, och hans Guddommelige wilie.

Folcket sware af ett gott och rätt Christeligit opsåt:
Ja.

Sedhan säger Predicanten:

Welen j dhå af alt idhert hierta fruchta och älska Gudh, och honom allena j alle nödh, om hielp och tröst åkalla och tilbidia, och wachte idher för fremmande Gudhar, och förlåte idher näste hwadh han emoot idher brutit hafwer, såsom j welen at Gudh skal förlåta idher, och här efter älska idher näste, och thet bewijse medh idhre gode gerningar emoot honom som thet widtörfwer, och idher hielp behöfwer, icke förneka efter idher förmåge, såsom och för alt thet som sträfwer emoot Gudz then Alzmechtiges helige Budhord, taghe idher medh all flijt til ware, efter idher högste och ytterste förmåge.

Folcket böör af ett Christeligit opsåt sware:
Ja.

Predicanten säger wijdere:

Troon j och at Jesus Christus medh sin flödh och pino, hafwer gjordt een ewigh förlijkning emellan Gudh och oss, och Gudh wil för samme sin Sons Jesu Christi skuld wara oss nådigh och barmhertigh, och til en wisz pandt hafwer han instichtat sin lekamens och blodz Sacrament, medh brödh och wijn. Och är idher bekennelse, och troon j förwisso, at såsom j see brödhet brytas för idhra ögon, och med munnen thet annam̄e, och j dricken wijnet vthaf kalken, hwilken är thet Nyia Testamentet, så sant haffuer Jesus Christus vthgifwit sin lekamen och vthgutit sin blodh, vthaf hwilket j warde deelachtige, när j samme Sacramente vthi een sådana troo annamme, och fulkombligen troo, at thet är skeedt til idhra synders förlåtelse.

Folcket sware af ett rätt Christeligit opsåt:
Ja.

Sedhan säger Predicanten:

Efter idher bekennelse och efter then befalning Jesus Christus j sin Försambling gifwit hafwer, tilsäger iagh idher syndernes förlåtelse, Gudz nådh och barmhertigheet. Then helige Ande, som godh wärck vthi idher begynt hafwer, styrkie idher ther vthi in til idher sidsta andadrächt, och late idher ewinnerligh salige warda.

Sedhan säger Predicanten:

Herren wari medh idher.

Folcket sware:

Så och medh tinom Anda.

Vplyfter idher hierta til Gudh.

Folcket sware:

Wij oplyfte wårt hierta.

Läter oss tacka Gudhi wårom Herra.

Folcket sware:

Thet är rätt och tilbörligit.

Sedhan läsz Predicanten op Instichtelse orden, såsom här efter följer:

Sannerliga är thet tilbörligit rätt och saligt, at wij altijdh och allestädes tacke tigh helige Herre, Alzmechtige Fadher, ewige Gudh, för alla tina wälgerningar, och eenkanneliga för then tu oss bewijste, dhå wij alle för syndenne skuld så illa vthkompne woro, at oss icke annat förestodh än fördömmelse och then ewige dödhen, Och intet Creatur antingen j himmelen eller på iordenne, kunde oss hielpa, så vthsände tu tin eenfödde Son Jesum Christum, som war samma Guddoms natur medh tigh, läät honom warda een sann Menniskia för wåra skuld, lade wåra synder på honom, och läät honom lijda dödhen, j then stadhen wij alle ewinnerligen döö skulle. Och såsom han öfwerwan dödhen, och stodh op igen til lijfz, och nw aldrig meera döör, Så skulle och alle the som på honom förlåte sigh, öfwerwinna syndena och dödhen, och få ett ewinnerligit lijf genom honom. Och oss til een förmaning och ihugkom̄else, at wij sådan̄e hans wälgerning tilsinnes taghe och aldrigh förgäta skulle, om natten dhå han förrådder wardt, sade han til sina Läriungar: Migh hafwer hierteligen längtat, at äta medh iher thetta Påschalambet, för än iagh lijdher, Förty iagh säger idher, at iagh här efter icke warder meer här vthaf ätandes, för än fulbordat warder j Gudz Rijke. Och han togh kalken, tackade, och sade: Tagher thenne, och deler honom idher emellan, Jagh säger idher, at iagh icke warder drickandes af wijnträdzens wäxt in til thes iagh j Gudz Rijke kommer. Och han togh brödhet, tackade, och brött, och gaf them, och sadhe: Thetta är min lekamen then för idher vthgifwin warder, thet görer til min åminnelse. Sammaledes och så kalken efter Natwarden, och sade: Thetta är Nyia Testamentzens kalck j minom blodh, then för idher vthgutin warder.

Eller ock widh thet Sättet, efter såsom Evangelisten Mattheus thet beskrifwer.

Sannerliga är thet tilbörligit rätt och saligt, at wij altijdh och allestädes, tacke tigh helige Herre, Alzmechtige Fadher, ewige Gudh, för alla tina wälgerningar, och eenkannelige för then tu oss bewijste, dhå wij alle för syndenne skuld så illa vthkompne wore, at oss icke annat förestodh än fördömmelse och then ewige dödhen, Och intet Creatur antingen j himmelen eller på iordenne, kunde oss hielpa, så vthsände tu tin eenfödde Son Jesum Christum, som war samma Guddoms natur medh tigh, läät honom warda een sann menniskia för wåra skuld, lade wåra synder på honom, och läät honom lijda dödhen, j then stadhen wij alle ewinnerligen döö skulle. Och såsom han öfwerwan dödhen, och stodh op igen til lijfz, och nw aldrig meera döör, Så skulle och alle the som på honom förlåte sigh, öfwerwinna syndene och dödhen, och få ett ewinnerligit lijf genom honom. Och oss til een förmaning och ihugkommelse, at wij sådanne hans wälgerning tilsinnes tage, och aldrig förgäta skulle, Togh Jesus brödhet, och brött thet och fick Läriungarne, och sade: Tager och äter, thetta är min lekamen, och han togh kalken, tackade, och gaf them, och sade: Tager och dricker här vthaf alle, thetta är min blodh, thes Nyia Testamentzens, hwilken vthgutin warder för mångom til syndernes förlåtelse. Jagh säger idher, at iagh här efter icke meer vthaf thenne wijnträdz wäxt drickandes warder medh idher, för än på then daghen, dhå iagh på nytt warder thet drickandes medh idher i mins Faders Rijke.

Eller widh thetta Sättet, efter såsom Evangelisten Marcus thet beskrifwer.

Sannerliga är thet tilbörligit rätt och saligt, at wij altijdh och allestädes tacke tigh helige Herre, Alzmechtige Fadher, ewige Gudh, för alla tina wälgerningar, och eenkanneliga för then tu oss bewijste, dhå wij alle för syndenne skuld så illa vthkompne wore, at oss icke annat förestodh än fördömmelse och then ewige dödhen, Och intet Creatur antingen j himmelen eller på iordenne, kunde oss hielpa, så vthsände tu tin eenfödde Son Jesum Christum, som war samma Guddoms natur medh tigh, läät honom warda een sann Menniskia för wåra skuld, lade wåra synder på honom, och läät honom lijda dödhen, i then stadhen wij alle ewinnerligen döö skulle. Och såsom han öfwerwan dödhen, och stodh op igen til lijfz, och nw aldrig meera döör, Så skulle och alle the som på honom förlåte sigh, öfwerwinna syndena och dödhen, och få ett ewinnerligit lijf genom honō. Och oss til een förmaning och ihugkommelse, at wij sådanne hans wälgerning tilsinnes taghe och aldrigh förgäta skulle, Togh Jesus brödhet, tackade, och brött thet, och gaf them, och sade: Tagher och äter, thetta är min lekamen, och togh kalken, tackade och gaf them, och the drucko alle ther uthaf, och han sade til them: Thetta är min blodh thes Nyia Testamentzens, som för mångom vthgutin warder.

Sedhan läses eller siunges Sanctus, och thet siunge Folcket och Dieknerne medh Predicanten.

Helig, Helig, Helig Herre Gudh Zebaoth, Fulle äro himblar och iorden af tina herligheet, Osianna j högdenne. Wälsignat wari han som kommer j Herrans nampn. Osianna j högdenne.

Sedhan säger Predicanten: Läter oss nw alle bidia, såsom wår Herre Jesus Christus sielfwer lärdt hafwer, Så säyandes:

Fadher wår som äst j himblom. Helgat warde titt Nampn. Tilkomme titt Rijke. Skee tin wilie såsom j himmelen, så och på iordenne. Wårt daghlighit Brödh gif oss idagh. Och förlåt oss wåra skulder, såsom och wij förlåte them oss skyldige äro. Och inledh oss icke i frestelse. Vthan frels oss ifrå ondo, Amen.

Sedhan wänder Predicanten sigh til folcket, och säger:

Herrans fridh wari medh idher.

Folcket sware:

Så och medh tinom Anda.

Sedhan läses eller siunges Agnus Dei.

O Gudz Lamb som borttagher werldennes synder, förbarma tigh öfwer oss. O Gudz Lamb som borttagher werldennes synder, Förbarma tigh öfwer oss. O Gudz Lamb som borttagher werldennes synder, Gif oss tin fridh och wälsignelse.

O Rene Gudz Lamb, oskyldigt på korset för oss slachtat, Altijdh befunnen toligh, Ehuru tu wast förachtat, Wåra synder hafwer tu dragit, Dödhen och helfwetet nidherslagit, Förbarma tigh öfwer oss O Jesv.

Sedhan wänder Predicanten sigh til folcket, och säger:

Herrans fridh wari medh idher.

Folcket sware:

Så och medh tinom Anda.

Och medh thet samme vthdeles Sacramentet, och dhå skal Predicanten säye til folcket thesse ord twå reesor, Först när han vthdeler Brödhet, sedhan Kalken. Doch icke til hwar person, vthan elliest öfwer liudt, så at alle thet höre:

Jesus Christus som hafwer opofrat sin aldrahelgeste lekamen på korset för wåra synder skuld, och instichtat thette sitt lekamens Sacrament, styrkie idhra troo, och beware idhra siäl och krop til ewinnerligit lijf.

När Predicanten hafwer vthdeelt Kalken, skal han så säye:

Jesus Christus som hafwer vthgutit sin aldrahelgeste blodh på korset för wåra synder skuld, och insatt thetta Nyia Testamentet, styrkie idhra troo, och beware idhra siäl och krop til ewinnerligit lijf.

Sedhan läsz Predicanten thenne efterföliande Bön:

Läter oss bidia.

O Herre Alzmechtige Gudh, som hafwer latit oss j tin Sacramente deelachtige warda, Wij bidie tigh, at tu läter oss så medh tigh och alla tina vthkorade helghon, vthi tina ewiga ähro och herligheet deelachtige warda, Genom wår Herra Jesum Christum tin Son, som lefwer och regerer medh tigh och them helga Anda, vthi en Guddom, af ewigheet til ewigheet, Amen.

Een annor Bön.

Wi tacke tigh Alzmechtige ewige Fadher, som thenna helga och helsosamma Natwarden, genom tin Son Jesum Christum, för wåra skuld stichtat hafwer, och bidie tigh, at tu wille förläna oss tina helga nådh, til at så begå här medh tin åminnelse, at wår troo må warda styrckt, och at wij måge bättra wårt syndige lefwerne, och bewijse en rätt kärleek på wår näste, efter tin befalning, Genom tin Son Jesum Christum wår Herra, Amen.

Een annor.

O Alzmechtige ewige Gudh, wår käre himmelske Fadher, Tu som altijdh hafwer bewijst oss tina godheet och barmhertigheet, Gif oss tina fattige barn nådhena, til at så begå och bruka titt helga Sacramente, at wij måge vndfå thet Andeliga gode som thet medh sigh hafwer, Genom tin Son Jesum Christum wår Herra, Amen.

Een annor.

Wi tacke tigh Alzmechtige ewige Gudh, at tu oss genom thenna helsosamme gåfwo wederqweckt hafwer, Wij bidie tina barmhertigheet, at tu läter oss thet komma til godo och wåra troo til förökelse, och at wij ibland oss inbördes måge hafwe en brinnande kärleek, Genom tin Son Jesum Christum wår Herra,

Amen.

Rättelser.

I: p. 15—19, 30—37 står på fl. ställen: *Låter;* läs: *Läter.*

I: p. 115 r. 16 u. står: *vet;* läs: *vel.*

I: p. 135 r. 15 n. står: *upplagorna (1548, 1557 och 1586);* läs: *upplagorna: 1548 och 1557 (1586).*

II: p. 4 r. 17 u. står: 11; läs: 30.

II: p. 45 r. 16 u. står: *mässans afslutning;* läs: *de dagliga tidernas afslutning.*

II: p. 54 not 2 r. 2 n. står: *Johan III:s Liturgi;* läs: *Johan III:s Liturgi (enligt Raimundii upplysning: Hist. Liturgica p. 121).*

II: p. 54 not 2 r. 1 n. står: *Miseriatur;* läs: *Misereatur.*

II: p. 69 not 3 står: *pelogianism;* läs: *pelagianism.*

II: p. 108 r. 5 u. står: *åtta;* läs: *nio.*

II: p. 109 not 3 står: *Angermannius;* läs: *Angermannus.*

II: p. 111 r. 18 u. står: *får hänföras till Introitus;* läs: *får trots ordalydelsen hänföras till Introitus.*

II: p. 118 r. 17 u. står: *Pax, Adhortatio, Agnus dei;* läs: *Pax, Agnus Dei, Adhortatio (1576: Pax, Adhortatio, Agnus Dei).*

II: p. 145 r. 1 u. står: *den äldsta, kända evangeliibok af detta slag;* läs: *den äldsta, kända evangeliibok af detta slag (såvida ej 1572-års evangeliibok såsom sådan räknas).*